NUEVOS ESTUDIOS ÉPICOS MEDIEVALES

BIBLIOTECA ROMÁNICA HISPÁNICA

DIRIGIDA POR DÁMASO ALONSO

II. ESTUDIOS Y ENSAYOS

ERICH VON RICHTHOFEN

NUEVOS ESTUDIOS
ÉPICOS MEDIEVALES

BIBLIOTECA ROMÁNICA HISPÁNICA

EDITORIAL GREDOS, S. A.

MADRID

EDITORIAL GREDOS, S. A.

Sánchez Pacheco, 83, Madrid. España.

Los capítulos 4, 6-13 han sido traducidos del alemán, inglés y francés por BEATRIZ ROMERO.

Depósito Legal: M. 836 - 1970.

Gráficas Cóndor, S. A., Sánchez Pacheco, 83, Madrid, 1970. — 3083.

PREFACIO

El presente volumen recoge una nueva serie de estudios, de los cuales la mayoría ha aparecido, en forma de esbozos preliminares, en revistas literarias o en misceláneas filológicas ofrecidas a los especialistas [1]. Reaparecen aquí revisados y considerablemente aumentados.

Los capítulos incluidos forman una continuación de la primera colección de trabajos sobre los problemas del origen de las canciones de gesta y poemas afines, publicada con el título de *Estudios épicos medievales* [2].

---

[1] Los lugares de su primera publicación se indicarán en las notas.

[2] Madrid, 1954; Editorial Gredos; 350 págs.

INTERPRETACIONES HISTÓRICO-LEGENDARIAS EN LA ÉPICA MEDIEVAL [1]

CONSTRUCCIÓN HISTÓRICA ARBITRARIA (MITO)

En la épica medieval los poetas semicultos, al componer sus obras, se inspiraban parcialmente ya en la leyenda popular, ya en la tradición histórica; más aún, frecuentemente combinaron entre sí diversos motivos legendarios y hechos históricos heterogéneos. Ello es tanto más fácil de comprender cuanto que la misma historiografía medieval, cuando no transmitía relatos contemporáneos sino que se ocupaba de épocas de un pasado remoto, muy a menudo utilizaba sin escrúpulos las leyendas populares e idealizaba así en amplia medida, y en la misma medida desfiguraba la imagen de la historia. Baste recordar la *Historia regum Britanniae*, de Galfredo de Monmouth. Éste, con los cronistas normandos Wace y Benoit, pasan por ser los principales iniciadores de la concepción y utilización legendaria de la historia entre los poetas de los poemas caballerescos de Artús. La mayor parte de las crónicas medievales vinieron a ser un inmenso receptáculo de leyendas populares, incluso de aquellas que no nos fueron transmitidas por poemas ni otras fuentes y que se habrían perdido de no haber sido acogidas en estas obras de historia. Los germanistas y los anglicistas conocen las gestas heroicas danesas de Sajón Gramático, a las que trata su autor de dar un barniz histórico y en las que se contiene la versión más antigua de la leyenda hamletiana, cuyo

---

[1] Publicado en *Arbor*, XXX (1955), págs. 177-196.

rastro no es posible seguir más atrás. Por lo que se refiere a España, los filólogos han logrado incluso reconstruir, gracias a las crónicas, importantes y valiosos cantares de gesta perdidos. La historiografía mitificadora no cambió hasta la época avanzada de las cruzadas, cuando personalidades como Villehardouin participaron personalmente en aquellos acontecimientos y nos informaron de ellos como testigos oculares. Pero un poema a cuyo contenido quepa atribuir también autenticidad histórica no lo hubo en la Edad Media —si exceptuamos fragmentos considerables del cantar de gesta español del Cid, escritos en verso a la manera de un diario de guerra.

En el capítulo "Construcción histórica arbitraria" entran principalmente los llamados "poemas derivados". Tenemos un poema de este género en la *Chevalerie Ogier* francesa, que se presta admirablemente como ejemplo. *Ogier le Danois*, "el danés", había aparecido por primera vez en la canción de Roldán en el cortejo del emperador y de sus paladines. Pero la canción le menciona de una manera meramente incidental; su intervención en la *Chanson de Roland* se reducía a desempeñar un papel secundario de figura decorativa. Sin embargo, un poeta posterior (antes o alrededor de 1200) se sirvió de este personaje para dedicarle una canción épica especial, precisamente un poema de vasallo y de rebelde. Así, pues, la mención que se hace de Ogier entre el círculo de los caballeros del emperador Carlomagno dio motivo para la formación de una leyenda; es decir, indujo al cantor a "colgarle" a Ogier una leyenda propia. Para este tipo de poemas se ha introducido el concepto de "poemas derivados, que trabajan con personajes prestados", y en parte "inventan al azar"[2].

Como fundamento histórico de la mención que se hace de Ogier en la antigua épica francesa, hay que tener en cuenta al franco *Autcharius,* ya que en la *Chevalerie Ogier* desempeñan un papel las luchas sostenidas en el norte de Italia contra el rey longobardo Desiderio. Autcharius, que en 771 escoltaba a la viuda de Carlo-

---

[2] Cfr. Ph. A. Becker, *Ogier von Dänemark*, en *Zeitschrift für französische Sprache und Literatur*, LXIV (1942), págs. 67 y ss. Para lo que sigue, cfr. *Estudios épicos medievales*, págs. 101 y ss.; 302; 331 y ss. Véase, además, *El lugar de la batalla...* en este libro.

mán hacia su padre, Desiderio, se entregó con ella en 773 a las tropas imperiales en Verona. Parece, pues, que el poeta refundió y combinó en su poema dos hechos históricos, distanciados entre sí en el tiempo más de treinta años: la campaña contra los longobardos y las guerras contra los sajones o daneses. Una construcción histórica que, al conocer más de cerca la épica medieval, deja de sorprendernos. Considérense, en efecto, los curiosos datos siguientes: las crónicas latinas hacen reiterada mención de Ogier y a veces le designan por *Otgerus Dacus,* "el dacio rumano". La confusión entre Dacia y Dinamarca se halla frecuentemente atestiguada en la literatura latina. Era fácil que por error de escritura o de lectura *Dacus* se convirtiera en *Danus;* en francés, *Danois.* Poco después se pasó de *le Danois* a *l'Ardenois* "el ardenés". Pronto fue celebrado Ogier en la leyenda belga como tal héroe ardenés. Largo tiempo después, ya en el siglo XVI, la leyenda francesa de Ogier pudo ser trasladada también al danés. Entonces supieron los daneses por vez primera de Ogier, al que con anterioridad desconocían por completo. Los daneses tradujeron el nombre del héroe por *Holger Danske,* y vieron en él en adelante un héroe nacional de tiempos inmemoriales, al que además atribuyeron también la leyenda de Barbarroja. Así como Barbarroja y Artús han de permanecer en el Kyffhäuser o en el Etna esperando el día de emprender su papel de libertadores, así también Holger Danske espera bajo las bóvedas del castillo hamletiano de Kronborg, en Dinamarca. Hasta los cronistas le tomaron en serio; en el año 1578 entró en los *Anales Islandeses* como *Oddgeir Danski* e hijo del histórico rey Gautrek (Göttrik) de Dinamarca. Pero aún hay más de Ogier: también la leyenda catalana se apoderó de él y con el nombre de *Otger Cataló* le convirtió en libertador del país de manos de los moros, y con ello, en fundador del Estado catalán. Todavía Ronsard creó, según esta técnica de construcción histórica medieval, el *Francus* de su *Franciade,* en la que pretendía demostrar que los franceses procedían de los troyanos. Fue Étienne Pasquier, en sus *Recherches sur la France* (alrededor de 1570), el primero que intentó acabar con estos falsos mitos. Se echa de ver por estos ejemplos a qué fantásticos resultados puede llevar la construcción histórica.

Pasemos ahora a algunos detalles que son, por lo pronto, menos sorprendentes y también menos seguros. En el *Tristán*, los enredos amorosos de Isolda, mujer del rey Marco, guardan cierto parecido con la historia del adulterio de la mujer del rey Artús, a la que Galfredo de Monmouth designa con el nombre de *G(u)enhumara*, y Chrétien de Troyes, con el de *Guinièvre* [3]. Además, la leyenda céltica de Tristán parece que se combinó con motivos poéticos de la antigüedad clásica, según los resultados de las investigaciones [4] sobre el origen del motivo del filtro amoroso y de la lucha contra el dragón de Morholt. Según esto, dichos motivos derivarían el uno de Juvenal y el otro de la leyenda de Teseo. En el *Ivain* el motivo de Yocasta aparece amalgamado con la tradición legendaria de Artús. En el *Perceval* influyen la historia clásico-tardía y cristiana de Juan de Arimatea y la leyenda de Longino [5], cosa harto fácil de explicar por los acontecimientos de las cruzadas y el supuesto redescubrimiento de la sagrada lanza.

Si en los ejemplos aducidos nos enfrentamos con personajes históricos, hechos legendarios o motivos poéticos de la ya remota antigüedad clásica introducidos en la temática de los poemas medievales de Artús, en cambio otros documentos literarios nos permiten comprobar también el procedimiento inverso: la combinación de sucesos contemporáneos con las leyendas más antiguas. Se parodian o alegorizan en sentido cristiano muchos elementos de la antigüedad clásica, incluso las *Metamorfosis* de Ovidio [6]. El antiguo *Roman de Thèbes* francés es "una refundición de la *Tebaida*, de Estacio, según el espíritu de una nueva época". Nos sentimos "muy alejados ya de aquellos primitivos tiempos heroicos e inmersos en un mundo nuevo característico" [7]. En el *Roman de Thèbes* aparecen: mercenarios turcos y etíopes, búlgaros, condes

---

[3] Otras semejanzas en W. Golther, *Tristan und Isolde* (1907), págs. 33 y siguientes.

[4] Últimamente, M. Delpino, *Elementi celtici ed elementi classici nel 'Tristan' di Thomas*, en *Archivum Romanicum*, XXIII (1939), págs. 312 y ss.

[5] Cfr. K. Burdach, *Der Gral* (1938), pág. 211.

[6] Cfr., por ejemplo, H. O. Taylor, *The classical heritage of the middle ages* (1911).

[7] Ph. A. Becker, *Der gepaarte Achtsilber in der französischen Dichtung* (1934), pág. 57.

venecianos, un caballero de Benevento, Pancracio de Rusia, el inglés Godrico y un noble navarro del reino de Alfonso de Castilla. Es posible que esta *Tebaida* con atuendo medieval hubiera sido el motivo de que Chrétien trasladara a Bizancio la acción principal de su *Cligès*. El conde sajón que aparece en esa obra parece copiado de Enrique el León [8]. Trátase, pues, de otra construcción histórica: la leyenda céltica de Artús, la leyenda griega de Tebas y los sucesos contemporáneos de Alemania aparecen entremezclados en el *Cligès*.

A este respecto, la *Chanson de Roland* no sale mejor librada. Menciona personajes y acontecimientos pertenecientes ya a los siglos IX, X y XI, a pesar de que la batalla de "Roncesvalles" parece que se dio en el año 778. Así, los héroes descritos en la *chanson de geste* francesa, Girart de Roussillon, Godefroy d'Anjou y Richard le Vieux vivieron, a lo que se puede conjeturar, no en el siglo VIII, sino en los siglos IX y X. Sobre todo, Normandía no recibe su nombre hasta después de haber sido conquistada por el jefe vikingo Rollo el año 911. Sin embargo, se afirma de Carlomagno que tenía ya allí en Normandía una residencia y lo mismo en Inglaterra, que al igual que Normandía habría sido conquistada por él (v. 372) y por Roldán (v. 2332). Así, pues, ya por esta sola razón es imposible que los combatientes de la batalla de Hastings cantasen la canción de Roldán, como afirmaba Wace, el cronista normando de las postrimerías del siglo XII. El arzobispo Turpín de Reims no sucumbió en Roncesvalles, sino que murió un largo decenio más tarde, y no en el campo de batalla, sino probablemente de muerte natural. Según la *Vita Karoli*, compuesta por Einhard, la batalla de Roldán no había sido vengada todavía *ad praesens*, es decir, en el año 830 [9]. En la *Chanson de Roland* se atribuye gran importancia a la ciudad de Laon, a pesar de que no pasó a ser capital carolingia hasta 936-997. Carlomagno no era todavía emperador en el año 778; hasta el año 800 no fue coronado como tal. La canción describe al emperador como un anciano

---

[8] *Der gepaarte Achtsilber in der französischen Dichtung*, págs. 94 y ss.

[9] Véanse, expuestas con más detalle, varias de estas y otras particularidades en M. de Riquer, *Los cantares de gesta franceses*, Madrid, Editorial Gredos, 1952.

de cabello y barba blancos, aunque al tiempo de la batalla de Roldán no debía de tener arriba de treinta y seis años. El autor de la canción estaba dominado por la idea de la lucha contra los infieles y rebosante de una conmovedora adoración casi infantil por el emperador, al que no podía menos de imaginarse como un anciano bondadoso, solícito y paternal, de cabellos blancos como ciertas flores. Muy bien pudo copiar este retrato de Ermoldo Nigelo, quien da a Carlomagno los calificativos de "venerabilis", "sapiens", y habla de su "florida canities lactea" [10], si bien es cierto que Ermoldo aplica esas expresiones no al Carlomagno juvenil, sino al emperador anciano.

Según la canción de Roldán, los normandos luchan ya del lado de los franceses contra los moros españoles; con éstos, sin embargo, conforme a los manuscritos *V, T* y *P*, combaten los almorávides, miembros de una secta árabe cuya aparición en el norte de África data del 1040, y que hasta el año de 1086 no lanzaron sobre el teatro de guerra español aquel ataque que sembró la consternación por el redoble de los tambores (este rasgo también en el ms. *O*), famosos desde la batalla de Baligant [11]. Gracias a estos tambores de guerra, que nunca hasta entonces habían oído las huestes cristianas, levantaron un estruendo bélico tan espantoso y empavorecedor, que en las filas de los guerreros cristianos prendió un enorme desconcierto. La situación en el teatro de guerra español por las fechas de la invasión almorávide era la siguiente: en el centro, Alfonso VI, rey de Castilla, había finalmente conquistado Toledo en 1085, tras esfuerzos continuados durante casi siete años. Según la canción de Roldán, también el emperador Carlomagno había luchado en España durante siete años, antes de darse las batallas de Roldán y Baligant. Mientras el rey castellano penetraba desde el centro en dirección al Sur, un segundo ejército avanzaba simultáneamente y un poco después hacia el Sudeste en dirección a Valencia, bajo las órdenes del Cid. Inquietos y preocupados ante el sesgo que tomaba la Reconquista, estancada desde hacía siglos, y casi muerta, cobrando finalmente nuevo empuje al

---

[10] Cfr. *Estudios épicos medievales*, pág. 246.
[11] Ibidem, pág. 345, nota 2.

calor de las campañas del Cid y de su rey Alfonso [12], los reyes árabes de Badajoz y Sevilla volvieron sus esperanzas a los almorávides en África, a cuyo caudillo Yúsuf instigaron e indujeron a pasar el estrecho de Gibraltar. Esta nueva le llegó a Alfonso precisamente cuando estaba preparándose para poner cerco a Zaragoza. El rey, junto con las tropas francesas que le apoyaban, volvió apresuradamente al Sur, dándose en Sagrajas la batalla de los tambores, cuyo resultado fue una derrota cristiana. Yúsuf exigía la entrega de un paso pirenaico. Para impedir esta pretensión, Alfonso lanzó a Francia un llamamiento de socorro y los franceses enviaron nuevos contingentes en auxilio del rey castellano. Muy pronto, sin embargo, tras un ligero encuentro con las tropas del Cid y perdido el interés, Yúsuf se retiró de España para en años ulteriores intervenir todavía un par de veces en las luchas de la Península Ibérica. Los acontecimientos históricos de fines del siglo XI acusan una innegable semejanza con el episodio de Baligant de la canción de Roldán. Los tambores llevan aquí en la canción de Roldán el nombre de *taburs*; el cantar del Cid los llama *atamores* [13].

---

[12] Cfr. *Estudios épicos medievales*, págs. 339 y ss.

[13] Al examinar una vez más el *Mio Cid*, llamaron mi atención aún los siguientes pasajes, que doy a conocer aquí como correcciones del texto del *Cid* y complemento a mis *Estudios épicos medievales*: v. 238: *a buelta*, en lugar de *abuelta*; v. 322: *lo han todos a far*, en lugar de *lo an todos ha far* (falsa anteposición de *h-*, que, por lo demás, ocurre sólo ante *i* (*y*), y, también, ante *e*; igualmente v. 1808: *cras ha la mañana*); v. 495: *pagar se ha*, en vez de *pagar se ya*; v. 533: *hermar* no sustituye forzosamente a "fermar", sino que aquí puede significar también "yermar" (cfr. el texto correspondiente al del *Cid* en la PCG, pág. 525: 'quel non dexemos *yermo*'; en los doce versos que fueron reconstruidos a base de una refundición del poema se hallan: v. 4 'por *yermos* e por poblados', y v. 12 'assí dexa sus palacios *yermos* e desheredados', texto reconstruido por Menéndez Pidal, sin embargo la prosa original tiene 'palacios desheredados e *sin gentes*'). Véase R. Menéndez Pidal, en *Poema de Mio Cid* (10.ª ed., 1963), pág. 103, nota 12. Cfr. también: 'quando salió de los palaçios suyos e vido como fincauan *yermos* e todos sus labradores desamparados' (*Crónica de 1344*, cit. según Menéndez Pidal, *Cantar de Mio Cid*, nueva ed., 1944-46, pág. 131); 'Toda la tierra desgastaron los enemigos, las casas *hermaron*, los omnes mataron' (*PCG*, pág. 313); 'Aquella cibdad de Gijon pero que sea agora *yerma* et despoblada' (*PCG*, pág. 324); 'Este mismo rey don Alfonso pobló Segouia,

El autor de la canción de Roldán injertó en el núcleo de la leyenda del emperador Carlomagno y de Roldán acontecimientos históricos ocurridos entre los años 778 y 1087, un lapso de tiempo de trescientos nueve años en total. Pero no sólo los personajes y pueblos de este poema épico, sino también los datos geográficos se nos aparecen dotados de la movilidad de piezas de ajedrez sobre este mosaico de la historia que se desarrolla a lo largo de tres largos siglos. Así, por ejemplo, casi todos los pasos pirenaicos, los de *Aspe, Cizer* y la *Cerdaña* se equiparan con el de *Roncesvalles* [14]. En cuanto al nombre mismo de Roncesvalles, que probablemente no cobró importancia más que al socaire de la ruta de romeros de Santiago, no existe documento épico-literario anterior al año 1087. Este nombre surgió entonces por primera vez al arrimo de

---

Auila, Salamanca et todas las otras uillas et los castiellos que eran de cada vn obispado; ca estas çibdades desde el destroymiento de Espanna fincaran *yermas*' (*PCG*, pág. 356); 'començaron luego poco a poco los moradores de la de Lugo a desampararla, ... aunque parece que por entonces no quedó del todo *yerma* Lugo" (*Chrónica del Emperador Don Alonso VII*, Madrid, 1600, pág. 142). V, 974: *diçe* puede también derivarse de *de-ex-ire*, en vez de *decidere, discedere*; v. 1180, 1183: *huviar*; v. 3319: *uviás*, explicables, quizá por *opus + habere* (?); v. 2081: *sí*, en vez de *si*; v. 2167: *adeliñan*, en lugar de *adelinan*; v. 3328: *lengua sin manos* "fanfarrón, sin manos (en el campo de batalla)". A favor de una fecha tardía de la llamada "Afrenta de Corpes", el tercero canto del *Mio Cid*, hablan v. 2276: *Las coplas deste cantar aquís van acabando*, desde el v. 2278 el fabuloso episodio del león y el ataque de Búcar a Valencia (cfr. Menéndez Pidal, *Cantar de Mio Cid*, pág. 516) y, además, el hecho de que hasta aquí no fue ganada la Tizona (v. 2426). Entretanto, Menéndez Pidal ha publicado su notable estudio *Dos poetas en el Cantar de Mio Cid* (*Romania* LXXXII, 1961, págs. 145-200), que sin embargo no soluciona el mencionado problema (de que nos ocuparemos también en otro capítulo, págs. 136 ss.). En cambio, observamos el uso de términos arcaicos esparcidos por el poema entero, como por ejemplo *siniestro*, faltando todavía *izquierdo*. De este último nos hemos ocupado en *Est. ép. med.*, págs. 332-334. Si hubiese procedido de una lengua prerromana hispano-pirenaica, sería inverosímil que la palabra se extendiera solamente durante el siglo XII por el norte de España y el sur de Francia. Rotacismo (como en ant. nórd. *skeifr* < *skeifs*) y metátesis hacen suponer la evolución de lat. *scaevus* > *esqu(i)evor, esqu(i)ervo*, luego asimilación —quizá por analogía con el sufijo vasco *-arro, -erro*— en prov. *esquerro*, o -rv- > -rd- en prov. *esquerdo*, esp. *izquierdo*.

[14] Véase *El lugar de la batalla*...

la leyenda de Roldán [15]. Un siglo después, la llamada *Crónica del Pseudo-Turpín* de Santiago de Compostela la transforma en leyenda de mártires [16]. Es inagotable lo que podría decirse sobre este tema.

Cabe ahora imaginarse —y es ésta una idea fundamental a la que nos lleva este tema— lo problemático que sería si la crítica, por ejemplo, la investigación histórica o literaria, extrajera conclusiones inconsideradas sobre el cuadro general de la cultura de una época determinada, tal como se desprende de un poema de este género. Es imposible deducir con exactitud del texto de la canción de Roldán las realidades históricas, geográficas y sociológicas de la época alrededor del 778, a menos que previamente hayamos logrado aislar en toda su pureza la leyenda básica. Dígase otro tanto de la mayor parte de los demás poemas medievales, excepción hecha del poema español del Cid, escrito relativamente poco después de los hechos históricos que relata, al que también la leyenda, es cierto, atavió siglos más tarde con atributos nacidos de una fantasía desenfrenada y que están en contradicción con las realidades históricas —me refiero al *Cid* de Guillén de Castro y de Corneille. También el *Don Carlos* de Schiller —para citar un ejemplo más reciente— contradice a la realidad histórica hasta extremos sorprendentes. Leopold von Ranke ha llamado con insistencia la atención sobre este punto. Pero volvamos a la *Chanson de Roland*. Cuanto mayor se iba haciendo la distancia temporal del poeta respecto a los hechos históricos que cantaba, tanto más hay que contar con la mitificación oscurecedora de la verdad histórica y con la construcción histórica arbitraria.

La canción de Roldán debió de componerse en los últimos años del decenio 1090-1100; su presunto autor, Turold de Fécamp [17], murió en 1098. Turold era pariente de Guillermo el Conquistador,

---

[15] Cfr. D. Alonso, *La primitiva épica francesa a la luz de una Nota Emilianense* (1954).

[16] Véase mi reseña de A. Burger, *La légende de Roncevaux*, en *Zeitschrift für Romanische Philologie*, LXIX (1953), págs. 414 y ss.

[17] E. Li Gotti, *La Chanson de Roland e i normanni*, Florencia, 1949. Cfr. también M. de Riquer, *Los cantares de gesta franceses* (1952), páginas 120 y ss.

a quien acompañó en su expedición contra Inglaterra. Más tarde se le confirió un nuevo cargo eclesiástico en Malmesbury y Peterborough. Ello explica la doble faz de la canción de Roldán, compuesta, a lo que parece, en Inglaterra: ética heroica y espíritu clerical. Algunos investigadores [18] se inclinan a relacionar la leyenda de Carlomagno y de las luchas en España, tal como aparecen en la canción de Roldán, con la idea de la cruzada que entonces germinaba, idea de la que sería aquélla como una prefiguración, por decirlo así, profética, y como una exhortación. Pues, a veces, la construcción histórica obedeció a una consciente voluntad de prefiguración o exhortación. En ese caso, la canción de Roldán habría nacido al servicio de esa idea. Yo, personalmente, basándome en repetidos estudios y tras un concienzudo examen del problema, me inclino por esta concepción. Entonces habría que atribuir un cierto sentido a la construcción histórica relativa a España. Y también a la circunstancia de que la idea de la liberación de Zaragoza desempeñe en la canción de Roldán un papel tan importante. Hacia 1100, Zaragoza era todavía un enclave irredento en la zona norte de la Península Ibérica. Tropas francesas y españolas habían intentado en 1069 un ataque que terminó en derrota. Posiblemente a esto alude todavía *Rol.*, v. 3062 ('Peitevins') y v. 3067 ('Godselmes' = ¿"Guillermo VI"?).

Con todo, Zaragoza estaba irremisiblemente abocada a caer algún día, pues esta cuña avanzada hacia el Norte entrañaba también una amenaza para la frontera sur de Francia. Por esto, la canción de Roldán puede interpretarse como un llamamiento a la liberación de Zaragoza. Bien es verdad que la liberación de la ciudad no se efectuó hasta el año 1118, gracias a la colaboración de Guillermo VII y sus barones potevinos [19].

Si en la canción de Roldán se trata del *ethos*, creado por la idea de la cruzada, de una nobleza heroica en pie de guerra; en un poema posterior, el *Pèlerinage de Charlemagne*, se nos describe ya el comportamiento de una guarnición tan horra de disciplina como

---

[18] Por ejemplo, Ph. A. Becker, en su artículo *Streifzüge durch die altfranzösische Heldendichtung*, I: *Das Rolandslied*, en *Zeitschrift für französische Sprache und Literatur*, LXI (1938), págs. 1-22; 129-156.

[19] Véase *Estudios épicos medievales*, págs. 343 y ss.

sobrada de diversiones caballerescas. Ahora bien, en realidad, Carlomagno no visitó nunca la Tierra Santa. "Su peregrinación es, pues, pura invención." Y, a decir verdad, ni siquiera es invención de un poeta, sino que ya una crónica latina del siglo x, "de toda seriedad" [20], nos informa de tal empresa. Un caso evidente de construcción histórica de que se han hecho culpables los cronistas. Pero, además, el poeta ha soltado todas las riendas a su fantasía en el poema. Parece como si efectivamente hubiera tenido presente a Luis VII, jefe de la fracasada segunda cruzada (1147-1149) [21]. Al mismo tiempo, el pueblo y los cronistas, por ejemplo G. Villani, malentendieron la, también mencionada por Dante en la *Divina Comedia,* estatua ecuestre de un príncipe bárbaro o, según me inclino a conjeturar, de Carlos Martel o de Marco Aurelio, que había de convertirse en "Marte" [22]. Y Dante, tan extraordinariamente crítico en otras ocasiones, aceptó también la concepción legendaria medieval, según la cual Hugo Capeto procedía de una familia de carniceros.

Ahora una breve ojeada todavía al ciclo de Guillermo y al *Mainete.* De aquí resulta precisamente lo contrario de lo que hemos comprobado anteriormente en el *Ogier*: dos acontecimientos históricos localizados originariamente en España fueron trasladados a Francia. En el *Mainete* es la personalidad del rey castellano Alfonso VI la que aparece confundida con Carlomagno, mientras que en los poemas de Guillermo, y todavía en el *Willehalm* de Wolfram von Eschenbach, el escenario aparece, siguiendo en esto a sus fuentes francesas, trasladado de Cataluña a la región del Ródano. Desde el punto de vista histórico esto es un error. En realidad, Guillermo era primo de Carlomagno, y fue investido por éste en el año 789 con el condado de Tolosa. Las luchas contra los sarracenos se desarrollaron en el tiempo que va desde el año 801 al año 803 en el Rosellón y Cataluña precisamente, y terminaron con la

---

[20] H. Morf, *Aus Dichtung und Sprache der Romanen,* I (1903), pág. 42.
[21] Th. Heinermann, *Zeit und Sinn der Karlsreise,* en *Zeitschrift für Romanische Philologie,* LVI (1936), págs. 497 y ss.
[22] Cfr. E. von Richthofen, *Dantes Verwendung von gleichgerichteten und gegensätzlichen Sinnbildern,* en *Deutsches Dante-Jahrbuch,* XXXI-XXXII (1953), pág. 30.

conquista definitiva de la ciudad de Barcelona[23], por cuya posesión se venía combatiendo intensamente desde el tiempo de Pipino. En esta región también es donde habría que localizar los lugares de batalla a los que el poeta transfiere los nombres de los conocidos lugares de Aliscans (Archamp) y Orange, pues Arlés y Orange en el Ródano no estuvieron en manos de los moros. Muchos topónimos catalanes, como Valsoteña, Gandía, Burriana, Barcelona, etc., recordados en las fuentes francesas del *Willehalm,* así como lugares del Pirineo francés, por ejemplo Termes[24], apuntan a la zona este de la frontera española. Más tarde (evidentemente en el siglo XII), la leyenda trasladó erróneamente estos acontecimientos a la región del Ródano, cuando ya otra leyenda había afirmado que los muertos de Roncesvalles, es decir, los caídos en la batalla de Roldán, habían sido enterrados en Aliscamps, antiguo lugar de hallazgos tumulares cerca de Arlés. La conquista de Barcelona por Guillermo de Tolosa la relató, ateniéndose a la verdad, Ermoldo Nigelo en su poema del año 827, titulado *In Honorem Hludowici,* "En elogio de Luis" (hijo de Carlomagno, a cuyas órdenes servía Guillermo; Luis había aconsejado a Guillermo la campaña de Cataluña). Tenemos otra fuente fidedigna en la *Vita Hludowici,* del llamado astrónomo del Lemosín. Un documento de la abadía de Saint-Guilhem-du-Dézert (en las proximidades de Montpellier), firmado por Guillermo (que fue fundador de la abadía), recuerda que Guillermo tuvo dos mujeres, llamadas precisamente *Vuitburgh* y *Cunigunda*[25]. No es difícil reconocer bajo el nombre de la mujer de su primer matrimonio la primitiva denominación de *Guiburc,* la cual no fue en modo alguno sarracena, como afirma la canción, sino verosímilmente de ascendencia merovingia. Germánico es asimismo el nombre del supuesto moro y anterior marido de Guiburc, *Tedbald l'Esturman,* "Teobaldo el Asaltador"[26]. Todavía en otras

---

[23] Una excelente exposición de todas estas particularidades y detalles acumulados por las últimas investigaciones se hallará en M. de Riquer, *Los cantares de gesta franceses* (1952), págs. 141 y ss.

[24] Véase *El lugar de la batalla...,* nota 4.

[25] Cfr. Riquer: (nuestra nota 23).

[26] El atributo es derivado del a. nórd. *sturmjan,* "asaltar". En *Estudios épicos medievales,* págs. 295 y ss., 321 y ss., hemos señalado ya otros nordismos de la antigua épica francesa.

canciones francesas se aplican a germanos denominaciones sarracenas, así, *Gormond 'li Arabi'*, en la canción de Isembart, un vikingo venido de Inglaterra (Cirencester) y caído en Flandes (Saucourt) —acontecimiento histórico al que alude también el *Ludwigslied* alemán [27]. Nos gana la impresión de que la leyenda de *Gormond e Isembart* se injertó tardíamente en el fondo histórico, tal como lo reproduce todavía con la mayor claridad el *Ludwigslied*. El *Mainete* nos lleva a Toledo, ciudad que pudo ser reconquistada del poder sarraceno para la Cristiandad en el año 1085. Sólo por esta razón es ya imposible que Carlomagno hubiese pasado en ella un par de años, como gusta de contar la tradición épica [28]. Los hechos históricos atribuidos a Carlomagno no le corresponden en modo alguno a él; en cambio, le cuadran bien a otro caudillo que llevaba igualmente el título de "imperator", a saber, Alfonso VI de Castilla, conquistador de Toledo. Hace ya tiempo que el erudito francés Gaston Paris pudo señalar la estrecha relación de la leyenda de Carlomagno en Toledo con la figura de Alfonso VI [29]. Tenemos, pues, aquí un nuevo ejemplo, y muy llamativo, de construcción histórica arbitraria. La figura de un emperador aparece aquí simplemente confundida con la del otro. Sabíase por la canción de Roldán que Carlomagno había estado en España, y se suponía incluso que había conquistado todo el país. Después llegó a Francia la nueva de que un "imperator" se había enamorado de una princesa mora en Toledo, y esta historia, verdadera en casi todos los detalles [30], se la atribuyeron sin más al emperador de los francos, que, naturalmente, no podía ser otro que Carlomagno.

---

[27] Cfr. *Estudios épicos medievales*, págs. 106 y ss.; 258 y ss.; 295 y ss.

[28] En cambio, es más fácil de comprender lo que nos dice Wolfram von Eschenbach en su *Parzival* (versos 453, 11 y ss.), en medio alto alemán. Según esto, "Kyôt", en quien se basa Wolfram, había encontrado en Toledo la leyenda del Grial, escrita por el pagano "Fle(ge)tânîs" —problema éste en que la investigación apenas si ha reparado todavía, que conceptúo más urgente que la cuestión, tantas veces debatida ya, de Kyot, y cuyo esclarecimiento podría lograrse, quizá, algún día mediante la investigación conjunta de germanistas, romanistas y arabistas.

[29] G. Paris, *Histoire poétique de Charlemagne* (1865).

[30] Alfonso VI estuvo casado en primeras nupcias con Doña Constanza, francesa de nacimiento, después con otras tres mujeres. En Toledo conoció

Merece, además, recordarse aquí el asunto, conocido también en la Baja Alemania y Escandinavia, de las antiguas canciones francesas de *Beuve de Hantone* (Beuve de Southampton), suceso histórico en su origen, convertido después en legendario y trasplantado desde España, donde había ocurrido, a tierras del sur de Inglaterra y norte de Francia [31]. Fuera de esto, hay que señalar con mucha probabilidad una construcción histórica en la leyenda española de *Rodrigo, el último rey godo*, y en la canción francesa de *Anseïs de Cartage* [32], basada en la leyenda de Rodrigo; tras una y otra se esconde también la temprana historia medieval de Teodorico el Grande. En realidad, la leyenda medieval era pobre en grandes figuras épicas, lo que explica el hecho de que reaparezcan

a la mora Zaida, con la que vivió en concubinato algún tiempo y de la que tuvo un hijo, caído en 1108. Cfr. R. Menéndez Pidal, *La España del Cid*, II (cuarta edición), págs. 760 y ss.

[31] *Estudios épicos medievales*, págs. 75 y ss.; 340 y ss. La más antigua tradición conocida de la "Condesa traidora" (alrededor de 1160) procede del mismo tiempo, aproximadamente, en que apareció la primera canción francesa de *Tristán* (del anglonormando Thomas). De una y otra leyenda parece que tomaron material las diversas canciones de *Beuve* (alrededor y después de 1200): de la *Condesa traidora*, especialmente el motivo del asalto durante la caza (con otros detalles —cfr. *Estudios épicos medievales*, página 79), y el intento de la madre de envenenar a su hijo; del *Tristán*, el ayo, al ser llevado por marineros a país extraño, el amor a la hija de un príncipe (Josiana-Isolda), la cual se casa con un rey (Ivorín-Marco), pero conserva fidelidad al héroe (Beuve-Tristán), las luchas contra gigantes y la muerte común de los amantes (Beuve muere después de Josiana, como Isolda después de Tristán). Por otra parte, el *Tristán de Leonois* francés, en prosa (no anterior a 1215, probablemente muy posterior), evidentemente ha tomado o modificado del asunto del *Beuve* el motivo de la caza (sin los detalles) y el del intento del envenenamiento. La *Tristramssaga* noruega del monje Roberto (escrita en 1226 a instancias del rey Hákon Hákonarsonar) no conoce los rasgos últimamente mencionados, como tampoco los conoce la refundición islandesa (del siglo XIV o XV). La observación de G. T. Northup en la revista *Modern Philology*, XXXII (1934-35), pág. 313: "To me the story (= *Condesa traidora*) seems identical with that found in the prose *Tristram*", me parece, pues, infundada. Y si se refiere, quizá, no a la obra noruega, sino a la novela francesa en prosa, su afirmación no puede basarse más que en la comprobación de vagas analogías que se explicarían como resultado de los motivos comunes arriba indicados y conocidos por intermedio del *Beuve*.

[32] Cfr. *Estudios épicos medievales*, págs. 69 y ss.; 135 y ss.

una y otra vez, cfr. Teodorico-Rodrigo [33], Carlomagno-Alfonso VI, Baligant-Yúsuf, Artús-Marco, Guenhumara-Isolda, Guiburc-Jimena, Olivier-Alvar, entre otras analogías. Sólo los poemas tardíos de las Cruzadas (auténticos informes) ostentan un sello completamente distinto del de aquellos tempranos poemas nacidos todavía al servicio de la idea de la Cruzada y como exhortación a partir para la guerra.

Y bien, ¿qué deducir de todas estas averiguaciones que hemos hecho y que parecen volver a afirmar siempre lo mismo? Escepticismo respecto a la fidelidad histórica de los poetas épicos medievales y de la mayor parte también de los cronistas, cosa que ya hemos podido resaltar en un pasaje anterior. Esta consideración nos permite, además, llegar a representarnos cómo se llegó en numerosos casos a la formación de las leyendas y al subsiguiente desarrollo del caudal legendario que descansa originariamente sobre la base de realidades históricas. Determinar lo que los poetas han sabido hacer de estos asuntos tan intrincadamente enmarañados constituye, sin duda, una de las tareas más elevadas de la investigación literaria. A la crítica literaria, orientada en un sentido no sólo formal, sino también histórico, corresponde otro quehacer no menos importante: el de aislar el núcleo histórico de las leyendas medievales, formadas generalmente de varios estratos superpuestos, separándolo del tupido follaje que lo recubre. En el campo de las investigaciones sobre los poemas del Cid y de Roldán se ha realizado ya una labor singularmente fructífera en este sentido. De manera similar habrá que proceder también con los demás documentos de la poesía épica y con los relatos legendarios de las crónicas: los cantos de los *Eddas*, las *Gesta Danorum*, la *Historia Britanniae*, *Parzival* y *Titurel*, y el *Nibelungenlied*, seguramente con la *Odisea* y probablemente también con la *Ilíada*, por no citar más que los principales.

---

[33] La consonancia entre *Theodoricus* y *Rodericus* pudo también favorecer la confusión entre ambos personajes.

LOS DOS "IMPERATORES"

Menéndez Pidal[34], al igual que el investigador de la antigua épica francesa, Bédier, cree que la historia juvenil de Carlomagno es una invención tardía. Ya con anterioridad Cuadrado, Puymaigre y G. Paris habían señalado la estrecha relación de dicha leyenda con la figura de Alfonso VI. El *Mainete* francés fue compuesto alrededor del año 1190. Se pueden espigar más datos en Menéndez Pidal sobre las analogías entre la historia del destierro histórico de Alfonso VI y la leyenda de Carlomagno[35], y lo mismo acerca del palacio de Galiana en Toledo[36]. Yo, por mi parte[37], dudo de la presencia de un número crecido de franceses[38], durante el siglo XII, en Toledo y de que hubiera nacido allí el *Mainete*[39]. Más bien me inclino a suponer que la confusión de los dos "imperatores" debió de realizarse en la misma Francia a base de los relatos de las tropas francesas que volvían de España, por ejemplo, de Zaragoza, desde el año 1118.

Vamos, pues, a tratar aquí no de la historia del destierro de Alfonso VI o Carlomagno, historia conocida ya gracias a las citadas investigaciones, sino del "regreso" del rey castellano a Toledo como "imperator"[40], de la guerra de Toledo y de sus consecuencias. Con ello será posible encontrar paralelos a la acción de la *Chanson de Roland*. He aquí las conclusiones a que llegamos:

---

[34] En su estudio *"Galiene la Belle" y los Palacios de Galiana en Toledo*, en *Historia y Epopeya* (1934), págs. 263 y ss.

[35] *Historia y Epopeya*, pág. 271 y en mis *Estudios épicos medievales*, págs. 89 y ss.

[36] *Historia y Epopeya*, págs. 272 y ss. Sobre la mora Zaida véase también *La España del Cid*, II (cuarta edición), págs. 760 y ss.

[37] Cfr. *El lugar de la batalla...*, nota 12.

[38] Pueden estar aludidos incluso antiguos habitantes (francos) de Cataluña ('Francos' = "catalanes"). A los francos franceses los designa la canción de Roldán, v. 177, por "Francs de France".

[39] Menéndez Pidal, *Historia y Epopeya*, pág. 283.

[40] Menéndez Pidal, *La España del Cid*, I (cuarta edición), págs. 234 ss.; 309; II, pág. 726.

La guerra de Toledo [41] duró desde 1079 hasta 1085, prolongándose así, como en el verso segundo de la *Canción de Roldán*, a través de un espacio de siete años en total. Muy a sus comienzos, ya en el año 1079, fue tomada cerca de Badajoz la ciudad de Coria [42], cuyo nombre acusa cierta asonancia con el de Córdoba (*Rol.*, 71, 97, 'Cordres'). Después de la conquista de Toledo, Alfonso llevó sus armas más lejos todavía, desplazó la frontera sur de su reino un trecho considerable al sur del Tajo y lanzó una cuña hacia el sudeste, alcanzando por sorpresa el Mediterráneo [43], hazaña similar a la que la *Canción de Roldán* atribuye a Carlomagno (verso 3) [44]. Alfonso no fue vencido en Sagrajas y Zalaca hasta el año 1086; por tanto, siete años efectivamente después del comienzo de la campaña.

Ya en el año 1075 [45], los moros del sur de España lanzaron su primera llamada de socorro al caudillo de los almorávides, Yúsuf. Pero éste a la sazón hallábase todavía ocupado con la conquista de Tánger y Ceuta. El 30 de junio de 1086 desembarcaba en Algeciras. "Las noticias del desembarco de los almorávides fueron a escape llevadas desde la frontera de Toledo al rey Alfonso, que entonces estaba en el cerco de Zaragoza" [46]. Sobre los campos de batalla del Sur, las huestes cristianas se vieron sorprendidas por el redoble de los tambores almorávides, que nunca hasta entonces habían oído [47] (cfr. *Rol.*, 852, 3117, donde el enemigo 'fait suner ses taburs' y en el *Mío Cid*, passim, el 'roído de atamores').

---

[41] Según la *Crónica Najerense*, publicada en el *Bulletin Hispanique*, XI (1909), págs. 278 y ss. Cfr. también Menéndez Pidal, *Aldefonsus imperator toletanus magnificus triumphator*, en *Historia y Epopeya* (1934), págs. 235 y siguientes, especialmente pág. 243.

[42] Menéndez Pidal, *Historia y Epopeya*, pág. 244; *La España del Cid*, I (cuarta edición), pág. 264. Pero véase pág. 157 en este libro.

[43] Menéndez Pidal, *Historia y Epopeya*, pág. 261: "Pisó triunfante con las patas de su caballo las aguas del Estrecho y no se le ocurrió pensar en África."

[44] 'Tresqu'en la mer cunquist la tere altaigne' ("Atravesó y conquistó hasta el mar la tierra alta, la meseta española").

[45] Menéndez Pidal, *La España del Cid*, I (cuarta edición), pág. 328.

[46] Ibidem, pág. 331.

[47] "El atronador redoble de los grandes tambores almorávides, instrumento jamás oído antes en las milicias de España, hacía temblar la tierra y

Ya en Zalaca lucharon del lado cristiano grupos de cruzados extranjeros, principalmente franceses [48]. Después de la derrota, Alfonso renovó su llamamiento a Francia en demanda de socorro. Reproduzco a continuación lo que Menéndez Pidal [49] y J. Saroïhandy [50] han expuesto sobre este particular:

"Todavía duraba el invierno de 1086-87 cuando el ejército de socorro se puso en camino. En él venían el duque de Borgoña, Eudes I Borel, con su hermano Enrique y su primo Ramón, conde de Amous; venían también languedocianos y provenzales con el famoso conde de Tolosa, Ramón de Saint-Gilles; venían muchos caballeros del Lemosín, Poitou y Normandía; en suma, casi todos los nobles del reino de Francia. Pero Alfonso participó a los expedicionarios que Yúçuf y sus almorávides se habían reembarcado para África [51] y que el auxilio era ya innecesario; les agradecía el socorro y les mandaba regresar a su país; no obstante, los franceses no quisieron volver a su tierra sin hacer algo. Y quizá acometieron lo único que traían intención de hacer. La idea de la cruzada de Occidente, tal como Alejandro II y Gregorio VII la habían concebido, estaba estrechamente limitada al valle del E b r o [52], y los nuevos expedicionarios se pusieron al servicio de Sancho Ramírez de Aragón. A t a c a r o n la tierra de Mostain de Z a r a g o z a, sitiando a T u d e l a ; pero entre ellos surgieron g r a v e s d i s e n s i o n e s. El jefe de los normandos, Guillermo de Charpentier, vizconde de Mélun, hombre gigantesco y forzudo, hablador y trapalón, obraba con doblez; se dijo que i n t e n t a b a v e n d e r s u s c o m p a ñ e r o s a l o s m o r o s (como después,

---

retumbaba en los montes" (Menéndez Pidal, *La España del Cid*, I (cuarta edición), pág. 335.

[48] C. Erdmann, *Die Entstehung des Kreuzzugsgedankens* (1935), páginas 267 y ss.; *Estudios épicos medievales*, págs. 344 y ss.

[49] Menéndez Pidal, *La España del Cid*, I (cuarta edición), págs. 340 y ss.

[50] *La légende de Roncevaux*, en *Homenaje a Menéndez Pidal*, II (1925), páginas 260 y ss.

[51] Cfr. Menéndez Pidal, *La España del Cid*, II (cuarta edición), página 753: "Yúçuf no tuvo éxito alguno."

[52] El espaciado aquí y en lo siguiente es mío. No sólo Zaragoza, sino también Tudela, aparece conquistada en la canción de Roldán (v. 200).

cuando la primera cruzada, s e l e a c u s ó d e t r a i c i ó n en Antioquía, 1098)...".

"Terrifié par ce malheur, dit un Chroniqueur français du XIIᵉ siècle, il envoie en France des messagers pour qu'on vienne à son secours, sinon, il menace de conclure un Traité avec les Sarrasins et de leur livrer un p a s s a g e [53] par où ils entreront en France. Ayant reçu ce message, les seigneurs français rivalisent entre eux pour rassembler des troupes et les gens du peuple, dans les villes et les campagnes, offrent même leurs services. Les soldats accourrus en foule se préparent à la guerre. Au temps fixé, tous quittent leurs provinces et se hâtent d'aller au secours d'Alphonse ; mais les musulmans ayant appris l'arrivée des Français, tournent le dos avec leur roi, n'osant point les attendre. Cette fuite est annoncée par le roi Alphonse aux Français lorsque déjà ils se trouvaient sur les frontières d'Espagne. Il les remerciait d'être venus pour le secourir et leur mandait de s'en retourner dans leur pays. Les Français, en entendant ce message, eurent un très grand chagrin parce que leur ennemi s'était échappé par la fuite et parce qu'ils avaient fait en vain un voyage si long. Cependant, étant entrés en Espagne, ils y firent de nombreux pillages, dévastèrent beaucoup de villes, et s'en retournèrent chez eux."

Que la canción de Roldán consta de varios estratos, es cosa que ya recalqué en la introducción de mi artículo ; en ella, igual que en estudios anteriores y más extensos [54], señalé la existencia de una leyenda fundamental que coincide en los puntos esenciales con los acontecimientos históricos, tan remotos ya, de la época carolingia. Pero en los ejemplos aquí ahora aducidos tuvimos que habérnoslas con un estrato tardío de acontecimientos históricos, ciertamente contemporáneos, relativas asimismo a las luchas de España. El tema de la traición parece proceder de la historia de Alfonso VI. El poeta habrá encontrado fácil combinarlo con elementos de una de las numerosas leyendas de traidores que ya existían y refundirlo así en una leyenda nueva. El monje de Fleury habla de un paso pirenaico que, en el caso de que los franceses no

---

[53] Véase la nota anterior.
[54] *Estudios épicos medievales.*

proporcionaran ayuda ninguna a los españoles, debía ser entregado a los moros. ¿Puede esta indicación servir de explicación al hecho de que la Cerdaña y demás pasos del Pirineo Central, donde debió de darse la batalla de Roldán [55], se viesen a finales del siglo XI, probablemente en el mismo año 1087, durante el cual se desarrollaron las negociaciones sobre el "passage", se viesen, repito, en la imaginación de los cronistas y poetas, completados o identificados con Roncesvalles, tanto en la *Nota Emilianense* como en la *Chanson de Roland*?

Según la canción de Roldán, Marsil, señor de Zaragoza, desea que Carlomagno se avenga a retirarse a 'Ais' en Francia, detrás de la línea de pasos pirenaicos (v. 135, 'En France ad Ais devez bien repairier'). Bajo el nombre de 'Ais' hase de entender probablemente no "Aachen" (Aquisgrán), sino "Ax-les-Thermes", entre Foix y la Cerdaña [56], que en la épica carolingia era evidentemente un eje de apoyo en la lucha de Cataluña. Para los franceses aquella retirada tenía que significar la pérdida de 'Tere Maior', la que no hay que identificar forzosamente, como repetidas veces se ha hecho, con el reino de Carlomagno, sino que más bien parece designar el Pirineo español [57]. La leyenda del paso de Roncesvalles debe de ser aditamiento tardío y pertenecer a un último estrato del siglo XI.

El primer ataque a Toledo no lo realizó Alfonso, sino el Cid Campeador. La gloria que con ello granjeó, desató la envidia de los otros capitanes y consejeros de la corte, quienes recurrieron finalmente a las calumnias contra el Cid, logrando que el rey le desterrase. El enemigo más destacado del Cid fue el conde García Ordóñez 'enemigo de mio Cid que mal siempre le buscó' (vs. 2998, 1345, 1836, 1859, etc.) [58]. García Ordóñez era marido de Urraca de Navarra y señor de Nájera y Grañón. Posiblemente, la figura del traidor conde "Ganelón" en la canción de Roldán puede explicarse por una contaminación de las figuras y nombres del conde García

---

[55] Cfr. *El lugar de la batalla...*, passim.
[56] Véase el estudio citado en la nota anterior.
[57] Cfr. págs. 60 y ss. en este libro.
[58] Cfr. también Menéndez Pidal, *La España del Cid*, I (4.ª ed.), páginas 223 y ss.; II, págs. 713 y ss.

Ordóñez de Grañón [59] y del vizconde Guillermo de Charpentier de Mélun [60].

Un paralelo de la situación real en España a finales del siglo XI y los sucesos descritos en la canción de Roldán lo tenemos todavía en la intolerancia de los cristianos frente a las sinagogas y mezquitas de los infieles (v. 3662-70) durante la supuesta "conquista de Zaragoza". También el Cid había practicado intolerancia frente a los intrusos africanos de Yúsuf, en contraste con su conocida tolerancia, celebrada incluso por los cronistas árabes, para con los moros peninsulares [61].

---

[59] Sobre éste véase la primera parte del estudio *Espíritu hispánico...*, en este libro.

[60] Ver también Boissonnade, obra citada, y M. Defourneaux, *Les Français en Espagne aux XIe et XIIe Siècles* (Paris, 1949), pág. 269, nota 2.

[61] *La España del Cid,* II, págs. 632 y ss.

RELACIONES FRANCO-HISPANAS *

Me limitaré a trazar algunos aspectos de mayor interés para el estudio de las relaciones franco-hispanas en la épica medieval. Hay cuatro tipos de relaciones que nos permiten dividir el material épico de la manera siguiente: 1) las leyendas épicas castellanas que influyeron en la literatura francesa (por ejemplo, el *Rodrigo*, que dejó sus huellas en el *Anseïs de Cartage*); 2) la historia de España relatada o transformada por los poetas franceses (ejemplos, la *Chanson de Roland*, el *Siège de Barbastre*, la *Entrée d'Espagne* y la *Prise de Pampelune*); 3) la historia o leyendas españolas que volvieron a su país de origen ya transformadas por los franceses (por ejemplo, el *Mainete*, y quizás el *Bernardo del Carpio*); 4) las leyendas esencialmente francesas, o episodios aislados, o meramente tópicos estilísticos, que pasaron a España y fueron imitados por los autores castellanos (siendo el ejemplo más conocido el fragmento del *Roncesvalles*). Voy a poner de relieve algunos problemas histórico-legendarios que todavía quedan sujetos a discusión. De este conjunto, el *Anseïs*, el *Mainete* y el *Bernardo del Carpio* serán las obras a las que voy a prestar mayor consideración.

Sobre el *Rodrigo, el último Godo* hay, aparte de los magníficos estudios de R. Menéndez Pidal [1], el libro de H. Brettschnei-

---

* Parcialmente publicado en *Actas del Primer Congreso Internacional de Hispanistas*, Oxford, 1962, publ. en 1964.

[1] En *Floresta de Leyendas heroicas españolas*, I (Madrid, 1925), y *Los Godos y el Origen de la Epopeya española* (Madrid, 1955).

der[2] que se refiere en particular a la refundición de la leyenda en el *Anseïs de Cartage*[3]. El hecho de que el asunto del *Anseïs* deriva no solamente de la materia ya relatada en el *Pseudo-Turpín*, sino también del tema español de Rodrigo, se anticipó en señalarlo G. Paris[4]. Sin embargo, no se sabe exactamente por qué el autor, en la primera parte de su poema, hizo que Carlomagno coronara a su héroe como rey de España y de "Cartage". Este último término es para la mayoría de los críticos una "denominación que parece recordar la antigua Cartaginense"[5], o simplemente una indicación de que el poeta francés recordaba al rey español Rodrigo, cuyo dominio se extendía, según esta leyenda, hasta más allá de la provincia de Cartagena[6]. Por otra parte, Anseïs no podía ser rey de la España meridional, por ser territorio moro durante la época carolingia, y por eso parece lógico que fuese coronado en Sahagún, santuario y plaza fuerte situada en el camino de Santiago, precisamente desde los tiempos de Alfonso II el Casto, contemporáneo de Carlomagno (el texto del poema dice "Saint Fagon")[7].

La geografía de los demás topónimos referentes a la vía compostelana es igualmente correcta. No podría decirse lo mismo de los nombres de lugar (y apellidos) árabes, ni del nombre "de Cartage" que se da al imaginario rey de España. Anseïs sería el hijo de Rispeu de Bretaña, cuyo prototipo ha sido identificado como Erispoé, duque de Bretaña muerto en 857[8]. Esta conjetura fue calificada de arbitraria por Brettschneider[9]. En el caso de que de todas maneras la conjetura fuese acertada, tendríamos aquí una

---

[2] *Der Anseïs de Cartage und die Seconda Spagna,* Halle, 1937, páginas 31 ss.

[3] Ver también nuestros *Estudios épicos medievales,* Madrid, 1954, páginas 69 ss., y M. de Riquer, *Los Cantares de Gesta franceses,* Madrid, 1952, págs. 245 ss.

[4] *Histoire poétique de Charlemagne,* Paris, ed. 1905, pág. 277.

[5] M. de Riquer, obra citada, pág. 245.

[6] Brettschneider, obra citada, pág. 49.

[7] Ver sobre esto nuestro estudio *Esprit hispanique dans une forme gallo-romane,* traducido en este libro.

[8] Cfr. Ch. de La Lande de Calan, *Les Personnages de l'Epopée romane,* Redon, 1900, págs. 203 ss.; E. Langlois, *Tables des Noms propres dans les Chansons de Geste,* Paris, 1904, pág. 561.

[9] Obra citada, pág. 125.

confusión entre la época de Alfonso III el Magno, y la de Alfonso II y Carlomagno, equivocación muy común en la épica e historiografía medievales, característica también de la leyenda de Bernardo del Carpio. Los dos monarcas españoles hicieron un gran esfuerzo por desarrollar la región, antes de su reinado bastante inculta, de la antigua Camala, que tomó luego el nombre de Sant Fagund. Pero Sahagún no era una fundación de Carlomagno, como erróneamente se dice en el *Pseudo-Turpín* (cap. VII), ni recibió población francesa hasta la época de Alfonso VI y del Cid. Una de las crónicas locales nos informa acerca de las "gentes que acudieron a la puebla de Sahagún: gascones, bretones, alemanes, yngleses, borgoñes, normandos, tolosanos, provinçiales, lombardos" [10]. Este acontecimiento histórico, importante también para el desarrollo de las relaciones franco-hispanas, parece reflejarse en el *Anseïs*, que nos cuenta que "A saint Fagon vint Karles, nostre rois, Ensamble o lui Borgeignon et Franchois, Breton, Normant et tot li Hurepois; et Angevin, Gascon et Avalois, Pouhier, Flamenc et tout li Campenois" (v. 37 a 41). Así, el tema de la primera parte del poema francés está en cierta manera proyectado sobre el fondo de la historia alfonsí de Sahagún (desde la época carolingia hasta la cidiana).

El nombre del referido *Anseïs* ha sido derivado de "Ansigis" [11], o "Ansegisus" [12], aunque también puede explicarse como una derivación de la forma "Anfons" o "Anfos" (por "Alfonso"), frecuentísima en textos latinos y provenzales [13]. Se explicaría entonces por asimilación de la última sílaba a la desinencia del nombre "Ansigis", conocido por documentos de la historia de los francos, o al de "Ansegisus", el bisabuelo de Pepino el Breve, o simplemente por sustitución, bajo la influencia del "Anseïs" de la *Chanson de*

---

[10] Ver *Las Crónicas anónimas de Sahagún*, ed. J. Puyol y Alonso, en *Boletín de la R. Academia de la Historia*, LXXVI (1920), pág. 118, y cfr. *Esprit hispanique...*; también nuestro artículo *Castille et la Region gallego-asturienne dans les Légendes épiques françaises et italiennes*, en *Cultura Neolatina*, XXI (1961), págs. 91 ss.

[11] Cfr. Brettschneider, obra citada, pág. 124.

[12] Cfr. Langlois, *Table des Noms propres...*, pág. 34, nota 1.

[13] Ver *Espíritu hispánico...*

Roland, que era uno de los doce pares muertos en los Pirineos. ¿Y "Cartage"? Es posible que se refiera a las regiones del otro lado del río Duero, que hay que atravesar para emprender una expedición a Coímbra, supuesta en manos de los cristianos por el poeta del *Anseïs*. La conquista de Coímbra fue ya atribuida a Carlomagno por el autor del *Pseudo-Turpín*, quien sitúa también el milagro de las lanzas florecientes en las riberas del Cea, cerca de Sahagún [14]. De hecho las crónicas refieren que Coímbra fue primero liberada por Alfonso III en el siglo IX, y luego otra vez perdida, y al fin reconquistada por Fernando I el Magno, en el siglo XI. El Toledano y la *Primera Crónica General* nos hablan aún de una tercera toma de Coímbra por Alfonso VI. Ahora bien, para ir de Castilla la Vieja a Coímbra —normalmente partiendo de León o de Sahagún—, expedición atribuida a Anseïs, se pasaba por tierra "cartaginense", según la indicación dada en la *Primera Crónica General* de que la "ribera de Duero... era... en la prouincia de de Cartagena" [15]. Sin embargo, hay que tener en cuenta que el pasaje citado puede ser una reproducción equivocada del texto contenido en el capítulo LXX del Tudense, aunque no necesariamente (en cambio debemos notar que la presunta equivocación de la *PCG* puede tener por fundamento el hecho de que el Tudense, en su capítulo siguiente, habla de incursiones de Fernando el Magno en tierras de Cartagena).

En las demás partes del poema hallamos insertos varios elementos característicos de la leyenda de Rodrigo. La crítica ha señalado los orígenes y los paralelos germánicos del asunto [16]. Menéndez Pidal subraya el carácter visigodo del *Rodrigo*. Se puede pensar también en la posibilidad de un reflejo lejano de la leyenda de los ostrogodos, pues el nombre de "Theodoricus" podía

---

[14] Cfr. *Esprit hispanique...*

[15] *Primera Crónica General de España*, ed. Menéndez Pidal (Madrid, 1955), pág. 488, col. I. — Los límites septentrionales de la antigua Carthaginense se encontraban efectivamente en la parte indicada (ver *España Sagrada*, V, págs. 12 ss. y también Menéndez Pidal, *La España del Cid*, pág. 700).

[16] A. H. Krappe, *The Legend of Rodrick, last of the Visigoth Kings, and the Ermanarich Cycle*, Heidelberg 1923; Menéndez Pidal, *Floresta de leyendas heroicas españolas*, passim; nuestros *Estudios épicos medievales*, págs. 135 ss.

fácilmente ser sustituido por el de 'Rodericus' [17], y el tema del consejero pérfido es derivable del papel desempeñado por Odoacro en la expulsión de Teodorico de Verona [18], y constituye un elemento de la leyenda de Ermanrico. Una de las ramificaciones de esta última introduce también la variante de la violación de la esposa (en vez de la deshonra de la hija) del consejero. Aparece en francés antiguo en la crónica rimada del anglonormando Gaimar un siglo antes que en las versiones del *Rodrigo* reproducidas por el Tudense y el Toledano [19]. En cuanto a las relaciones existentes entre la épica castellana y la de los países germánicos, recordamos solamente que había una supervivencia del poema de Kudrun en España [20] y que se han puesto de relieve estrechos puntos de contacto entre la leyenda de los Infantes de Lara y la saga de Teodorico [21].

También la *Crónica Najerense* conoce el tema del consejo pérfido y pacto con el enemigo, que gracias a ello invade el país; pero aquí reviste un carácter distinto al de las versiones de la leyenda de Rodrigo. El traidor es una mujer que ningún agravio ha recibido, y no tiene por tanto ninguna venganza que tomar. Los elementos básicos del asunto de esta leyenda, intitulada *La Condesa traidora,* reaparecen poco después en el *Beuve de Hantone.* Aunque los detalles se hayan modificado, la estructura externa de la leyenda francesa muestra sólo ligeras desviaciones de la castellana [22].

Los temas españoles transmitidos a la épica francesa, particularmente aquellos que tomaron su origen en la historia alfonsí de

---

[17] Ver *Interpretaciones histórico-legendarias en la épica medieval.*
[18] Cfr. *Estudios épicos medievales,* pág. 142.
[19] Véase sobre esto *Estudios épicos medievales,* págs. 148 ss.
[20] Menéndez Pidal, *La Supervivencia del Poema de Kudrun,* en *Revista de Filología Española,* XX (1933).
[21] Cfr. los escritos de Th. Frings, H. Schneider y K. Wais. Véanse también nuestros *Estudios épicos medievales,* págs. 151 ss., y el art. en *Mélanges de Linguistique et de Littérature romanes à la Mémoire d'István Frank,* Saarbrücken 1957, pág. 564, notas 8 y 9; pág. 565, nota 1.
[22] Ver *Estudios épicos medievales,* págs. 75 ss., y *Mél. de Ling. et de Litt. rom. à la Mém. d'I. Frank.* pág. 565, nota 1 (pág. 59, nota 20, en este libro).

las últimas décadas del siglo XI, han sido repetidamente estudiados. Menéndez Pidal [23] ha escrito sobre la transformación de un episodio de la vida de Alfonso VI en las mocedades de Carlomagno, relatadas por el autor del *Mainete* (G. Paris fue el primero que puso en relación las dos leyendas) [24]. El tema volvió a España en la forma "afrancesada" y fue incluido en la *Primera Crónica General* [25]. De modo algo diferente, el poeta de la *Chanson de Roland* había fusionado acontecimientos contemporáneos con la expedición de los francos en España, con lo cual proyectó la historia alfonsí sobre el fondo carolingio, según la opinión de varios críticos y últimamente la de A. de Mandach [26]. También el *Hernaut de Beaulande* parece pertenecer a este grupo. Menéndez Pidal ha escrito: "Creo... que el argumento del poema de *Hernaut de Beaulande*, que carece de fundamento tradicional..., está tomado del episodio del poema de *Fernán González*... La correspondencia... no puede ser más exacta" [27].

A estos ejemplos no es difícil añadir también el poema francés *Le Siège de Barbastre* que nos habla de un sitio prolongado de la plaza fuerte pirenaica, relato épico que parece apoyarse no sólo en la historia carolingia, sino, en parte, también en las descripciones del sitio de Barbastro en la época de Fernando el Magno (año 1064). El historiador árabe Ibn Hayán dice que duró bastantes días sin adelantarse nada [28] (en realidad duró 40 días) [29]. Otros poemas franceses que se apoyan en acontecimientos históricos ocurridos en

---

[23] En *Historia y Epopeya*, Madrid, 1934, págs. 263 ss.

[24] Ver *Romania*, IV (1875), págs. 305 ss.

[25] Ed. cit., pág. 340.

[26] En su libro *Naissance et Développement de la Chanson de Geste en Europe, I: La Geste de Charlemagne et de Roland*, Genève-Paris, 1961. Ver también P. Boissonnade, *Du nouveau sur la Chanson de Roland*, Paris, 1923; P. C. Russel, en *Studies in Philology*, XXXIX (1952), págs. 17 ss.; y nuestros estudios en *Die neueren Sprachen*, año 1952, págs. 384 ss.; *Estudios épicos medievales*, pág. 337 ss.; *Interpretaciones histórico-legendarias en la épica medieval*.

[27] *La Leyenda de los Infantes de Lara* (Madrid, 1898 y 1934), pág. 19, nota 2.

[28] *España Sagrada*, tomo XLVIII, pág. 9.

[29] Cfr. Menéndez Pidal, *La España del Cid*, 4.ª ed., Madrid, 1947, página 148.

España son la *Entrée d'Espagne*, la *Prise de Pampelune* y el *Gui de Bourgogne* (estando este último en estrecha relación con la parte inicial del *Anseïs*). La reconquista de Barcelona por el ejército carolingio se reflejó en las descripciones de la *Chanson de Guillaume*. Construcciones históricas mucho más arbitrarias y cuentos fabulosos hallamos en *Folque de Candie* (esto es, "Folco de Gandía, al sur de Valencia"), en la *Chanson d'Otinel*, en *Aiol et Mirabel*, en el *Cléomadès*, y en otras epopeyas de los últimos siglos de la Edad Media.

La epopeya francesa dispone por lo tanto de un caudal muy rico inspirado en la materia de España. No se podría decir lo mismo respecto a la épica castellana en lo que se refiere a la influencia de asuntos franceses, si prescindimos de sus manifestaciones tardías: el romancero y los libros de caballerías. La temática de muchos romances impone, sin embargo, la conclusión de que existieron adaptaciones castellanas de otros cantares de gesta franceses[30]. En los siglos XII y XIII las relaciones franco-hispanas en cuanto a la épica castellana fueron relativamente escasas y muy limitadas. Se conservan el fragmento del *Roncesvalles*, que en algunos detalles nos recuerda el *Mainete* y los *Infantes de Lara*. En la leyenda de estos últimos parece haber influido el *Galien*. También en el *Bernardo del Carpio* se manifiesta la presencia de algunos elementos franceses.

Se han señalado ciertos rasgos que el *Poema del Cid* tiene en común con la *Chanson de Roland*: forma estrófica y versificación parecidas, algunos tópicos análogos, y elementos temáticos emparentados, como, por ejemplo, el castigo de los infantes de Carrión y el de Ganelón[31], o la oración del Cid, que desarrolla el tipo de oración contenido en el *Roland*, reelaborado también por el poeta del *Couronnement Louis*[32]. A veces, como en el caso de las oraciones en el *Cid* y en el *Couronnement*, se plantea el proble-

---

[30] Mencionados por Menéndez Pidal en su *Romancero Hispánico*, Madrid, 1953, pág. 244 ss.

[31] Ver nuestras *Notas sobre temas épico-medievales*, en este libro, y *La Justice dans l'Epilogue du Poème du Cid et de la Chanson de Roland*, en *Cahiers de Civilisation Médiévale*, III (1960), págs. 76 ss.

[32] De esto trato detalladamente en *Estilo y cronología en la épica románica primitiva*, en este libro.

ma de la prioridad cronológica, que no siempre puede resolverse mediante el estudio del fondo histórico y desarrollo de las leyendas solamente, sino que exige también una investigación más completa de las formas estilísticas, que en la mayoría de los casos está todavía por hacer.

Sin detenerme aquí en esta cuestión ni en los múltiples pero bien conocidos aspectos que ofrece la interpretación del *Poema del Cid*, quisiera volver a considerar la confusión de los personajes de dos monarcas en la leyenda, frecuente en los poemas épicos y en la historiografía medieval. Se trata de un error característico no sólo de la épica castellana, sino también de la de los demás países. E. Langlois, por ejemplo, señala tres Louis y dos Guillaume que sirvieron de modelo al autor del *Couronnement Louis* para la creación de las figuras centrales de su poema [33]. El *Mainete* sustituye al rey Alfonso VI por Carlomagno; procedimiento semejante sigue también el autor de la *Chanson de Roland* en algunas de sus descripciones, según la opinión de varios críticos. Ciertos tópicos muy comunes contribuyen igualmente a la arbitrariedad de los relatos épicos. El topos de la guerra de siete años fue empleado con bastante frecuencia: referente a España entera en el *Roland*, a Nobles y Luiserne en el *Gui de Bourgogne*, y al sitio de Coímbra por Fernando lo mismo que al de Zamora en las tradiciones castellanas. En realidad, fue la campaña de Toledo por Alfonso VI la que duró aproximadamente siete años (de 1079 a 1085) [34]. Teniendo presente esta tendencia a la combinación o asimilación de estratos histórico-legendarios diferentes, muy general y pronunciada en la épica e historiografía medievales, nos ocuparemos ahora de un problema en el estudio de la leyenda de Bernardo del Carpio, que a la luz de los paralelos del tipo *Mainete*, *Barbastre* o *Anseïs* parece ganar en perspectiva.

BERNARDO DEL CARPIO

En el *Bernardo del Carpio* tropezamos con el hecho peculiar de la doble equivocación bien conocida: la combinación de las épo-

---

[33] En la introducción a su edición del *Couronnement Louis*, Paris, 1925.
[34] Ver *Espíritu hispánico*.

cas de Alfonso el Casto[35] y de Alfonso el Magno y la confusión del Bernardo "alfonsí" con un Bernardo "carolingio". En la versión del Tudense, que es la más antigua que se conserva, Bernardo es el hijo de una hermana de Alfonso el Casto y del conde Don Sancho; según las versiones más recientes es hijo de una hermana de Carlomagno y de un conde español. Esta discrepancia fue explicada por la crítica, últimamente por Menéndez Pidal, señalándose que el *Bernardo del Carpio* "se apoyó en la leyenda francesa de Berta, la hermana de Carlomagno, que contaba unos amores secretos de la infanta, la ira del Emperador al enterarse, el destierro de los amantes, el nacimiento de un hijo, Roland..."[36]; "La madre francesa de Bernardo, la liviana Berta, no era digna de un héroe nacional, y, en consecuencia, es sustituida por una española, Jimena, que en vez de ser hermana de Carlomagno lo es de Alfonso II el Casto"[37]. De ahí que se haya emitido la hipótesis de un "Bernardo españolizado"[38], propuesta ya por G. Paris[39] (repetida también por J. Horrent[40]) y combatida solamente por M. Defourneaux[41].

---

[35] La existencia de la leyenda de Bernardo del Carpio hizo creer a muchos autores que Alfonso el Casto fue el que venció a Carlomagno en Roncesvalles.

[36] Menéndez Pidal, *Romancero tradicional*, tomo I, Madrid, 1957, página 144.

[37] Obra citada, pág. 145. Cfr. también Th. Heinermann, *Untersuchungen zur Entstehung der Sage von Bernardo del Carpio*, Halle, 1927, y W. J. Entwistle, *The Cantar de Gesta of Bernardo del Carpio*, en *Modern Language Review*, XXIII (1928), págs. 306 ss.; 433 ss.; y A. B. Franklin, *A Study of the Origins of the Legend of Bernardo del Carpio*, en *Hispanic Review*, V (1937), pág. 286 ss.

[38] Obra citada, pág. 146.

[39] En su *Histoire poétique de Charlemagne*, págs. 205 ss.

[40] En *La Chanson de Roland dans les Littératures française et espagnole au Moyen Âge*, Paris, 1951, pág. 478. A. B. Franklin, *A Study of the Origins of the Legend of Bernardo del Carpio*, en *Hispanic Review*, V (1937), págs. 286 ss.

[41] En el artículo *L'Espagne et les légendes épiques françaises*, en *Bulletin Hispanique*, XLV (1943). El mismo autor escribió en su obra posterior, el libro *Les Français en Espagne au XIe et XIIe Siècles*, Paris, 1949, pág. 310: "Cette seconde version [Bernard le neveu de Charlemagne par sa mère doña Timbor] traduit le désir de faire Bernard *l'exact pendant* de Roland par rapport à l'empereur...".

El problema de la prioridad entre las dos ramas de la leyenda, la "afrancesada" y la "castellanizada", es dificilísimo. Menéndez Pidal supone [42] aún la existencia de dos relatos juglarescos de la "Gesta de Bernardo" [43]. De tales "cantares de las gestas" nos habla efectivamente la *Primera Crónica General,* mientras que el Toledano se refiere meramente a "histrionum fabulis" [44]. La *Primera Crónica General* alude aquí quizás al *Poema de Fernán González* y a otros cantares de la misma época. Sin embargo, se supone que las dos ramas de la leyenda eran mucho más antiguas. Según Menéndez Pidal fueron conciliadas por el Tudense, por más que el cronista da por seguro el origen español de Bernardo. Fue el Tudense también quien dividió las hazañas de Bernardo en dos períodos (reinados de Alfonso II y de Alfonso III, dejando en medio un intervalo en que nada se dice sobre los reinados de Ramiro I y Ordoño I), siendo este arreglo "disparatado cronológicamente, pues hacía batallar a Bernardo durante más de setenta años". Así, los elementos propiamente "carolingios", excluidos de un modo todavía más completo por el Toledano, aparecen por primera vez en la historiografía en el relato de la *Primera Crónica General,* que acepta en principio el origen castellano de Bernardo [45], pero añade luego [46] que "algunos dizen en sus cantares et en sus fablas" que Bernardo fue hijo de doña Timbor, la hermana de Carlomagno. Por ello, Defourneaux cree que la versión "alfonsí" es más antigua que la versión "carolingia". Referente a aquélla dice que "cette tradition est sans doute la plus ancienne, c'est en tout cas celle que la *Première Chronique Générale* considère comme répondant à la vérité historique" [47].

Sabido es que todavía Cervantes no había puesto en duda la existencia de un Bernardo histórico. Recordamos el texto del capítulo XLIX de la primera parte del *Quijote:* "En lo de que hubo

---

[42] En su *Romancero tradicional,* I, págs. 149 ss.

[43] Obra citada, pág. 164.

[44] Cfr. Menéndez Pidal, *Poesía juglaresca y Orígenes de las Literaturas románicas,* 6.ª ed., Madrid, 1957, pág. 287.

[45] Ed. cit., pág. 350.

[46] Ed. cit., pág. 351.

[47] Libro citado, pág. 310.

Cid no hay duda, ni menos Bernardo del Carpio; pero de que hicieron las hazañas que dicen creo que la hay muy grande" [48]. He aquí otro rasgo particular del *Bernardo del Carpio*: según Menéndez Pidal (y otros críticos), la leyenda "no nace, como las demás leyendas españolas, a raíz de un suceso histórico..." [49]. ¿Será entonces la única de este tipo? Al parecer, esta teoría no puede apoyarse en otros ejemplos de la épica castellana. Dice Menéndez Pidal que se trata de una "necesaria réplica nacionalista a la épica francesa carolingia" [50]. No veo inconveniente en aceptar la posibilidad de este castigo sin venganza por parte de los poetas épicos castellanos, a pesar de la falta de paralelos convincentes en la épica occidental. Mientras no se pueda identificar la figura de Bernardo del Carpio con un personaje histórico, no habrá otra solución. Aunque se ha pensado ya en uno de los incidentes fronterizos postrolandianos como posible origen histórico de la leyenda [51], no ha habido hasta ahora ningún intento de identificación del personaje suficientemente apoyado en argumentos serios, como la que ha podido establecerse en cuanto a los personajes de la *Chanson de Roland*: Marsilio, Bramimunda, Ganelón, las figuras del arzobispo, de Baligant, etc. [52]. Pero, de todos modos, creo que se puede decir que, considerada desde el punto de vista político-psicológico, la personalidad nacionalista de Bernardo del Carpio, que se opone a la alianza de su rey con los francos después que éstos hubieron incorporado a su imperio el territorio conquistado en la España oriental (la Marca Hispánica), no carece de verosimilitud y realismo. Más aún: la decisión de Bernardo es convincente y está basada en motivos apremiantes, lo que no se pone de manifiesto en la venganza fabulosa de Ganelón. Tampoco hay inconveniente de principio en pen-

---

[48] También Quevedo había afirmado la existencia de Bernardo del Carpio en su *España defendida*; cfr. Menéndez Pidal, *La España del Cid*, página 11.

[49] *Romancero tradicional*, I, pág. 143.

[50] Obra citada, en la misma página.

[51] Un grave, pero típico error del autor de la versión "alfonsí" es el de creer que Alfonso el Casto ya reinaba en el año de la derrota de "Roncesvalles".

[52] Véanse sobre esto la obra citada de A. de Mandach y mi *Esprit hispanique*....

sar que detrás de la figura de Bernardo está un jefe de bandas armadas castellanas que al lado de los vascos [53] se hubiesen enfrentado con los francos en el lugar pirenaico donde murieron Roldán y sus compañeros. Como es bien sabido, había en el reino de León cristianos que, como los de Navarra [54] después de los acontecimientos de Pamplona, guardaban rencor a Carlomagno y a sus sucesores. Así, a pesar de las objeciones de varios críticos, la historicidad de Bernardo sigue siendo una posibilidad. El mismo Defourneaux no está seguro de que se trate de Bernardo de Ribagorza del siglo IX, aunque está convencido de que éste había "sans doute fourni quelques éléments à la construction de Bernardo del Carpio: il s'agit de Bernard..., comte de Ribagorza... Il joua sans doute un rôle assez important dans les luttes contre les musulmans à la frontière pyrénéenne" [55]. También el señor R. D'Abadal i de Vinyals [56] cree que la leyenda de Bernardo del Carpio es obra de un falsificador que incorporó la historia de Bernardo de Ribagorza a su trabajo de adaptación. Lo único incuestionable es el origen del nombre [57] de Bernardo, que es en efecto franco o "afrancesado" [58].

---

[53] Cfr. E. Lévi-Provençal, *Histoire de l'Espagne musulmane*, vol. I, Paris-Leiden, 1950, pág. 125: "tout invite à présumer qu'à ces Vascons se joignirent des bandes musulmanes".

[54] Ver últimamente Menéndez Pidal, *La Chanson de Roland et la tradition épique des Francs*, Paris, 1960, págs. 202 ss.

[55] Libro citado, pág. 310.

[56] En su artículo *El Comte Bernat de Ribagorça i la Llegenda de Bernardo del Carpio*, publicado en los *Estudios dedicados a Menéndez Pidal*, III (1952), págs. 463 ss.

[57] Acaso por confusión del de *Bernardo* con el de *Fernando* (el Magno) surgió la leyenda —bastante tardía— de que este último, con el Cid, 'a pessar de francesses los puertos de Aspa passó' (*Rodrigo y el Rey Don Fernando*, v. 797, según la ed. de Menéndez Pidal, en *Reliquias de la Poesía épica española*, Madrid, 1951). En la guerra contra el rey de Francia, que dispone todavía de los doce pares, y la conquista de París les ayudan muchos héroes, entre ellos también 'Almerique de Narbona, qual dizen don Quirón' (v. 815). He aquí una larga serie de relatos fabulosos y anacronismos, muy diferentes de la estructura de la leyenda de Bernardo del Carpio que no carece de algunos elementos históricos y de verosimilitud psicológica. 'Fernando del Carpio' escribe el amanuense del códice escurialense del poema de *Fernán González* (v. 132, 1; cfr. aún 139, 1-2

En cambio, el nombre de la madre francesa de Bernardo, en las versiones consideradas de influencia francesa, doña *"Timbor"* o *"Tiber"*, es desconocido en las gestas francesas y una invención española, según Horrent [59]. *"Tiber"* reaparece, sin embargo, como nombre masculino. Lo encontré en *Ponthus et Sidone*, una adaptación francesa muy tardía del *Horn et Rimel*, que relata las hazañas del hijo del imaginario rey de Galicia "Tiber", o "Tyber", "Thibor", "Tiburt", combatiendo a los moros en La Coruña [60]. Quedan en tela de juicio también las indicaciones de la quinta parte de la *Karlamagnussaga* sobre el origen del mismo Roldán. Aquí me refiero a la frase en la cual Roldán declara que nació de familia pobre en un lugar llamado "Nafari" o "Navaria", y que "Vafa" o "Vafafur" era el nombre de su padre [61]. Un adversario de Carlomagno es "Furra de Nafaria", que corresponde al "princeps quidam Furre nomine Navarrorum" del *Pseudo-Turpín* [62]. La misma *Karlamagnussaga*, en su cuarta parte, menciona al conde Roland de "Ornonia", mientras que el texto de la *Vita Karoli*, como es sabido, lo llama "Britannici limites praefectus". Llamamos aquí la atención sobre la existencia de varios topónimos celtas Ornia [63] en el noroeste de España, donde se encontraba también el antiguo arzobispado "Bretonia" o "Britonia" (Sedes Britonnorum Ecclesiae) [64]. Por otra parte hay que tomar en cuenta los topónimos franceses Orne (departamento de Normandía), el Orne (confluente

'Los poderes de França, todos byen guarnidos, Por los [puertos] de Aspa fueron luego torcidos').

[58] Defourneaux, en el mismo lugar: "Le nom de Bernard... est certainement d'origine française".

[59] Obra citada, pág. 474.

[60] Cfr. la edición por F. J. Mather, Jr., en *PMLA*, XII (1897).

[61] *Karlamagnussaga*, ed. Chr. Unger, Christiania, 1860, pág. 415. — La *Chrónica de Alfonso VII* llama *Nafarri* a los navarros y menciona a un conde *Nafarrus* (cf. *España Sagrada*, XXI, págs. 342 y 350). ¿Era Roland acaso el hijo de un franco de Navarra? (Los de Navarra fueron por largo tiempo enemigos de León y Castilla.) Cfr. mi nota 16 en la pág. 70.

[62] Ed. R. Mortier, Paris, 1946, pág. 40. Cfr. también P. Aebischer, *Textes norrois et Littérature française du Moyen Âge*, Vol. I, Genève-Lille, 1954, pág. 15.

[63] Ver nuestro *Espíritu hispánico*.

[64] *España Sagrada*, XXXVII, 156 y 161; cfr. *Espíritu hispánico*.

de la Mosela), el Ornois (Toul) y Ornon (Isère). Estos nombres de lugar podrían contribuir a resolver el problema concerniente a los indicios proporcionados por la *Karlamagnussaga*. Si comparamos la tradición épica de la leyenda de Roldán con la de Bernardo del Carpio, la cuestión del origen de uno de los personajes parece estar casi tan confundida como la del otro.

Insertamos aquí algunos trozos del relato épico sobre la expedición de Carlomagno a España y la resistencia de Alfonso el Casto y Bernardo del Carpio, contenido en el *Poema de Fernán González*, que tiene algunos rasgos comunes con la leyenda de Carlomagno y Marsilio en la *Chanson de Roland*:

128,2 Quero en el rrey Carlos este cuento tornar,
       Ovo él al rrey Alfonso mandado de enbyar,
       Que venía para Espanna, para gela ganar.
129,1 Enbyó el rrey Alfonso al rrey Carlos mandado,
       ....
    4 Sería llamado torpe en fer atal mercado.
130,1 Dixo que más quería estar commo se estava,
       Que el rreyno de Espanna a Frrançia suiusgar,
       Que non se podrrýan deso los frrançeses alabar,
       Que más la querían ellos en çinco annos ganar.

       ....
134,1 Ovo grandes poderes Vernaldo de ayuntar,

       ....
       Ovol todas sus gentes el rrey Casto a dar.

       ....
136,1 Tóvose por mal-trecho Carlos esta vegada,
       Quand vyó que por allý le tollió la entrada,

       ....
142,1 Mouió Vernaldo del Carpyo con toda su mesnada,

       ....
143,4 Contra los Doçe Pares, esos pueblos loçanos.

       ....
145,4 Fue esa a los frrançeses más negra que la primera ves.

La existencia de la leyenda medieval de Bernardo del Carpio, tal como fue conocida por el autor del *Fernán González*, y el relato histórico de la muerte de Roldán en un combate pirenaico contra los vascos dan cierto apoyo a la posibilidad, hasta ahora no propuesta por la crítica, de que Bernardo no sea una contrafigura épica de Roldán, y que la *Chanson* pueda haber sido el resultado de una transformación de las leyendas castellanas de Bernardo del Carpio y del Cid[65], lo mismo que de una parte de la obra de Ermoldus Nigellus[66], que se produjo en los círculos francos de España, Francia e Inglaterra[67] mediante refundiciones sucesivas del tiempo de la reconquista reforzada y de las primeras cruzadas. Aún suponiendo que el personaje histórico a quien se hubiera atribuido el desastre de Roncesvalles fuera Bernardo de Ribagorza, la leyenda de Bernardo del Carpio debería haber tomado su origen en un período poco distante de las hazañas del héroe ribagorzano, es decir, mucho antes de la redacción de la *Chanson de Roland*. En efecto, el Bernardo —que ha sido llamado un contra-Roldán por algunos críticos— tiene algunos rasgos antiguos, pues ambas leyendas reflejan la idea de una conquista imperialista (por parte de los francos) y todavía carecen de la idea de una reconquista aliada por interés común (prevalente desde el final del siglo XI). Sin embargo, ya que el *Roland* fue moldeado en parte según el modelo histórico-legendario de la reconquista alfonsí y cidiana, podría concebirse también como un contra-Bernardo (ver páginas 134 s. en este libro).

El mayor obstáculo que se presenta en la investigación de la épica y nos impide llegar a poner en claro estos intrincados problemas es el estado fragmentario de las noticias históricas y de los restos literarios que se conservan de la edad media, especialmente de los tiempos anteriores a la era cidiana. Referente a esto, Menéndez Pidal habla de una "enorme destrucción de libros" en España[68]. Otra dificultad que se les presenta a los estudiosos de la epopeya —no solamente castellana sino europea en general— es la extraordinaria arbitrariedad, y por lo tanto inexactitud, de la

---

[65] Cf. nuestros artículos siguientes: *Hacia una nueva cronología*, *El problema estructural del Poema del Cid*, y *Espíritu hispánico*.

[66] Véanse nuestro capítulo "Justicia: el mito de las dos espadas", y *Est. ép. med.*, págs. 245 ss.

[67] Comp. *Estilo y cronología*.

[68] En *Reliquias de la poesía épica española*, Madrid, 1951, págs. XVI ss.

historiografía medieval. Sin embargo, es precisamente esta última la que ha permitido que ella absorbiera tantas leyendas épicas y la que ha hecho que refleje en gran medida las interrelaciones entre temas tradicionales y el grado en que se tomaron asuntos de literaturas ajenas. En este sentido las crónicas castellanas (o latinas de Castilla) no son muy diferentes de los libros de historia anglo-normandos del tipo representado por Geoffroy de Monmouth o Guillermo de Malmesbury.

Antes de acabar el esbozo de esta visión de conjunto, séame permitido dar otro ejemplo característico de construcción histórica arbitraria en el campo de las relaciones franco-hispanas. En el *Bernardo del Carpio*, como ya queda dicho, hay un trueque de madres y reyes (la versión "alfonsí" y la versión "carolingia"). Ahora bien, si el *Mainete* nos sirviese de norma, el punto de partida para el desarrollo ulterior de la leyenda de Bernardo debería haber sido una base castellana (o "alfonsí"), aunque esto no corresponda a la opinión de la mayoría de los críticos. Pues hay que ver en el *Mainete* una leyenda "alfonsí" afrancesada. Llegaríamos a un resultado parecido si tomáramos por elemento de comparación el *Anseïs de Cartage* en lo concerniente a Sahagún y sus tradiciones alfonsíes. Otro punto de contacto entre las leyendas de este tipo lo encontramos en el hecho de que se nos diga que también Anseïs era hijo de una hermana de Carlomagno. Merece la pena hacer notar que el Tudense dice que la esposa de Alfonso el Casto, llamada Berta, era hermana del emperador franco.

Sin insistir en estos problemas, volvamos al tema del trueque de personajes femeninos. En el relato de la *Primera Crónica General*, la Galiana de la leyenda de Mainete fue llevada a Francia para recibir allí el bautismo. Es el destino de Bramimunda en la *Chanson de Roland*. He aquí una relación literaria de mayor interés: no se trata solamente de un mismo asunto, sino también de personajes legendarios que tienen un solo origen histórico. Si Galiana aquí representa a Zaida, y si M. Lévi-Provençal lo mismo que A. de Mandach tienen razón al afirmar [69] que "Bramimonde"

---

[69] Ver la obra citada de A. de Mandach, pág. 37. Cfr. también Menéndez Pidal, *La España del Cid*, págs. 405 ss., sobre Zaida y el príncipe Fat Al-

significa "bru-main", "viuda" + *de,* es decir, representa la viuda de
hijo del rey árabe Mutamid de Sevilla y más tarde la supuesta
esposa de Alfonso VI de Castilla, entonces esta última sería también idéntica a Zaida.

Añadimos que el texto de la variante *B* (y *U*) de la *Primera
Crónica General* nos informa de que "este Luys es aquel fijo que
Carlos ouo después de la muerte de *Seuilla Galiana*" [70]. Esta indicación corresponde al tema legendario del poema épico francés *Macaire,* que nos relata los infortunios de la "reina de Sevilla",
la esposa de Carlomagno que dio a luz a su hijo Luis, futuro emperador de los francos. Otra versión del mismo asunto lleva el título *Chanson de Sebile*; una refundición tardía fue traducida al castellano (en el siglo XIV) y titulada *Cuento del Emperador Carlos
Maynes e de la Emperatrís Sevilla* [71]. El *Macaire,* por su parte, tiene algunos rasgos comunes con el *Tristan* de Bérol, escrito pocos
años antes: la figura del enano, el adulterio aparente y la intención del rey de quemar a la reina.

Resulta así evidente el radio considerable que abarcan las relaciones franco-hispanas, estrechamente entretejidas y muchas veces casi indisolubles, enmarañadas de un modo desesperante. De
esto se podría citar un sinfín de ejemplos. En la mayoría de los
casos, sin embargo, es posible reconocer bajo un estrato legendario
una base histórica, muy frecuentemente originada por los grandes
acontecimientos y personajes de la reconquista en España, tema por
excelencia de las epopeyas castellanas y francesas.

Mamún de Córdoba. Sin embargo, hay que tener en cuenta otras posibilidades también, como la de una relación con el nombre del 'moro poderoso
Bramant... que querie casar con Galiana' (*PCG,* ed. cit., pág. 340), el
enemigo del rey Galafre de Toledo y de Mainete; se dice que de él fueron
las espadas Joyosa y Durendart (pág. 341).

[70] Ed. cit., pág. 357.

[71] Cfr. Martín de Riquer, obra citada, pág. 259, para la bibliografía.
Un artículo mío sobre las leyendas de Sevilla y figuras emparentadas está
en curso de publicación.

EL LUGAR DE LA BATALLA EN LA CANCIÓN DE ROLDÁN, LA LEYENDA DE OTGER CATALÒ Y EL NOMBRE DE CATALUÑA [1]

El relato épico de la *Canción de Roldán,* en el manuscrito de Oxford, aparece en tres estratos: 1) la leyenda fundamental, que se basa todavía en datos históricos del siglo VIII; 2) las conexiones e injertos con la idea de las cruzadas y los intereses claustrales a fines del siglo XII (por ejemplo, la liberación de Zaragoza [2], el camino de Roncesvalles, etc.); 3) la libre invención del poeta, poco versado en geografía e historia, y el influjo de palabras normandas [3]. Aislar la leyenda básica frente a esta variedad de superestratos es extraordinariamente difícil.

Aquí trataré solamente del lugar de la batalla principal [4] (cf. pág. 149, nota 5). Según los *Annales Royales* el ejército carolingio se concentraba en dos caminos: "Tunc domnus Carolus rex iter peragens partibus Hispaniae per duas vias: una per Pampilonam...". Según la *Canción,* el grueso del ejército imperial se dirige desde Aragón a través de los "porz" (desfiladeros) de España en dirección a Gascuña. En estos "porz d'Espaigne"

---

[1] Publicado en la *Revista de Filología Española,* XXXVIII (1954), páginas 282-288.

[2] Cf. *Estudios épicos medievales,* págs. 343 y ss.

[3] Cf. mis trabajos *Relaciones verbales románico-escandinavas y Fr. "aoi" con otras antiguas denominaciones románicas y analogías normandas,* en *Estudios épicos medievales,* págs. 285 ss.; 321 y ss.

[4] Sobre la leyenda de Roncesvalles ya tiene sus dudas Fernán Pérez de Guzmán cuando escribe: "Si non mienten las istorias, Si no nos han engañado Nuestras antiguas memorias" (*Loores de los Claros Varones de España,* copla 138).

(verso 824) la retaguardia del ejército franco, confiada al mando de Roldár, queda rezagada. Además de Roncesvalles, encuentran, en la *Canción*, sólo un vago recuerdo los pasos de Asp(r)e (v. 870, 1103) y Cize (v. 583, 715). Pero están evidentemente aludidos también otros, quizá todos los desfiladeros pirenaicos asequibles.

Para averiguar el lugar de la batalla según la concepción de la probable leyenda fundamental, comparemos dos indicaciones decisivas del texto. La retaguardia de Roldán es perseguida por los infieles. Sin embargo, el camino de ambos ejércitos —el franco y el pagano— lleva desde la región de Zaragoza, no en dirección de Asp(r)e y Roncesvalles, sino a través de los valles y montes de la *Cerdaña*, fr. *Cerdagne* (v. 856 "la tere *Certeine*"). En este pasaje se dice de los paganos (v. 855-859):

> Puis si chevalchent par mult grant cuntençun
> (La) tere *Certeine* et les vals et les munz.
> De cels de France virent les gunfanuns.
> La rereguarde des doze cumpaignuns
> Ne lesserat bataille ne lur dunt.

Allí en la *Cerdaña*, es aniquilada la retaguardia y herido de muerte Roldán. Para romper su espada, el héroe la golpea contra las rocas de la *Cerdaña* (v. 2312 "Rollanz ferit le perrun de *sardanie*", cfr. pág. 61), antes de tenderse para morir.

Inmediatamente después, los moros, que ante la vuelta del grueso del ejército franco de Carlomagno huyen en desbandada hacia Zaragoza, aparecen situados sobre el "*Sebre*". Este nombre es quizá contaminación de *Segre*, afluente del Ebro, que nace en las inmediaciones del probable lugar de la batalla en la Cerdaña, y *Ebro*. Según esto, los ejércitos franco y pagano se movieron desde Zaragoza siguiendo el curso del *Ebro* y del *Segre* a través de la *Cerdaña* en dirección a *Ax-les-Thermes* (Arièges)[5] y en sentido inver-

---

[5] ¿Se habría pensado originariamente en este "*Ais*" como castillo fuerte y meta inmediata de los francos, debiéndose explicar como secundaria la referencia a *Aquisgrán*? En vez de *Rol.*, v. 728 "Devers *Ardene* vit venir uns leuparz" (en el ms. de Oxford), dice el manuscrito de Venecia (igual que las versiones inglesas y holandesas) "Devers *Espagne...*". — Guillaume (de la gesta de Guillermo) tiene un palacio en *Termes* (*Chans. Guill.*, v. 2003; *Aliscans*, Ed. Rolin, v. 793; cf. v. 237 "Gautiers de *Termes*", y también

so. El camino a *Ax* pasa entre La Tour-de-Carol y el Puy de Carlitte.

Apenas habrá, por tanto, razón que justifique el título del fragmento épico español de "Roncesvalles" [6], que no menciona el lugar de la batalla. En cambio, la participación de los príncipes del sudeste francés, Reinaldos de Montalbán (en el fragmento del *Roncesvalles*) y Girart de Roussillon (en la *Canción de Roldán*), en la expedición, como compañeros de armas de Roldán, encuentra una especial explicación.

Otros grupos de la retaguardia francesa debieron de retirarse por el desfiladero de *Mounjoyo* (Pirineo central, cerca del valle del Garona), también llamado *Mounjoye*, si es que "*Munjoie*", la "enseigne" de Carlomagno, no sólo ha tenido la significación de 'insignia, bandera' y de aquí (a partir del v. 2510) también 'grito de combate' (¿símbolo de la afrenta de los "porz d'Espaigne" que había que vengar?), sino principalmente la significación de 'frontera, mojón' (en especial, v. 1260) [7]. Trátase, a mi juicio, de un após-

---

Gormond, v. 47-48: "Tierri de *Termes* Sur un cheval bai de Chastele" [= Castilla], además en *Crón. Pseudo-Turpín*, cap. XXIX: "Galterus de *Termis*"). Sobre *Termes* cf. también en la pág. 60. — Hay que preguntar también si el "*Orange*" de Guillaume será acaso idéntico a Orgaña, en las orillas del *Segre*. No está lejos de Termes (v. 3470), ni de "*Loon*" (*Chans. Guill.*, passim). Según el v. 2910 de la *Canción de Roldán* tiene Carlomagno su "chambre" en *Loün*. Este topónimo no significa necesariamente *Laon*, como fue supuesto por la crítica literaria, sino puede designar también a *Lugdunum Consoranorum* (St.-Lizier) o *Lugdunum Convenarum* (St. Bertrand de Cominges), ambos situados en el Pirineo francés central. Sobre *Lugdunum Convenarum* cf. *España Sagrada*, vol. XXXII, pág. 433 ss. *Aquisgrán* fue residencia carolingia desde el año 800 y *Laon* en el siglo X. Aún se puede pensar en la posibilidad de un reflejo de *León*, una de las residencias de Alfonso VI, el "emperador". Fernando I, una vez conquistada definitivamente Coímbra, después de un sitio de "siete años" (Toledano VI, 11, pág. 125; *PCG*, ed. cit., pág. 487), se fue a León para tener allí unas cortes (*PCG*, 488 según el Tudense). Gautier de l'Hum es llamado *de Loüm, Loon, Lion* o *Leon* en las variantes del Roldán. *Lion* designa a León en la *Prise de Pampelune* y el *Anseïs de Cartage*. (Cf. también la nota 166 de nuestro capítulo sobre Sahagún y Asturias, y la nota 257 de la parte sobre *Perceval*, etc.).

[6] *RFE* IV (1917), pág. 105 ss. — Sobre la Cerdaña véase el capítulo *Terre Certeine* en el estudio siguiente.

[7] Véanse algunos ejemplos de "*enseigne*" con la significación de mojón,

trofe de los francos a los infieles con este sentido aproximado: "Éste es el paso de Mounjoyo; aquí comienza el reino de los francos; ningún infiel debe poner en él su planta." Más tarde, en los combates librados frente a Zaragoza, se convierte en el *grito de venganza* de los francos por la derrota de la retaguardia de Roldán.

Se designa a Roldán (vs. 1846, 1850, 2320, 2912, 3709) como "*le cataigne, catanie*", y la misma denominación recibe (v. 3085) un buen grupo de otros héroes. Bajo esa palabra se oculta lat. *capitan(e)um*, que (tras la síncopa y la asimilación de la p ante *t*) se halla también atestiguado en ital. en la forma *cattano* 'jefe de un castillo, alcaide'[8]. Esta denominación aplicada a Roldán y a sus guerreros cobra extraordinaria importancia, si relacionamos con ella la leyenda de la fundación de Cataluña, transmitida por la tradición a partir del siglo XV. Aquí se da a Otger Catalò, según una versión catalana de la leyenda[9], la denominación de "*capità*",

---

frontera, meta en la antigua literatura francesa, en Tobler-Lommatzsch, *Altfranzösisches Wörterbuch* III, col. 512. Evidentemente no va descaminado E. Gamillscheg al proponer para "*Munjoie*" la significación de *zona de seguridad* (del franco **mundgawi*; cf. también R. Louis, *A propos des "Montjoie" autour de Vézelay*, Auxerre 1939, y W. A. Nitze, en *Romance Philology* IX, (1955-56), págs. 11 ss.); sin embargo, considera esta expresión como un "grito de júbilo" de los francos al contemplar las fronteras de la patria a su vuelta de la expedición a España (*Französische Bedeutungslehre*, Tubinga 1951, pág. 135). Hay que observar respecto a esto que los guerreros francos no emplean entre sí la expresión "Munjoie", sino que la gritan a los infieles cuando luchan a la defensiva. Para más ejemplos véanse las notas 26 y 31 de las págs. 60 y 155 respectivamente. Cf. también la canción de cruzada que Marcabru dirigió al "Emperaire" (Alfonso VII de Castilla), v. 45-47: "Toleta l'emperial, segur poirem cridar: Reial! e paiana gen desconfir" (= la provincia imperial de Toledo, podremos gritar seguros: ¡Real! y derrotar la gente pagana, es decir, los sarracenos que en la *Canción de Aliscans*, v. 4527 fueron llamados "li oir Tervagant", los herederos (espirituales) de Tervigant; cf. págs. 163 s.). — Por lo demás, compárense respecto a "*Munjoie*" las instructivas enseñanzas de K. Heisig en *Romanistisches Jahrbuch*, IV (1951), 292 ss.

[8] Cf. W. v. Wartburg, *Französisches etymologisches Wörterbuch* II, 1, pág. 257. A este grupo pertenece también el verbo *cadeler* "capitanear, acaudillar" (*Rol.*, v. 936, 2927).

[9] Cf. M. Coll i Alentorn, *La Llegenda d'Otger Catalò i els Nou Barons. Estudis Romànics*, I (1947-48), 7. Véase también J. Calmette, *Origines lé-*

"gran *capità* venint de *Fransa*" (gran capitán viniendo de Francia) respectivamente; y en un pasaje latino [10] se le designa "Otgerius *Gollantes Germanus,* cognomento *Cathelon*". Este Otger con nueve barones (tras los que se ocultan los "neuf preux"), según otra tradición con doce barones (tras los que hay que ver los "douze pairs"), debió de venir en la época carolingia a Cataluña y conquistar el

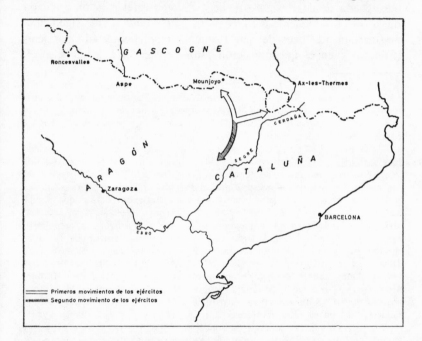

país. El mismo habría muerto allí, sobreviviéndole los barones, que no se vieron libres del poderío opresor de los infieles hasta que Carlomagno penetró en España con su ejército. Así pues, la leyenda de Otger *Catalò* puede considerarse como una leyenda derivable de la leyenda de Roldán. El nombre de *"Gollantes"* habrá

gendaires et historiques de la Catalogne, en *Études Médiévales,* Toulouse, 1946, págs. 142-155.

[10] Coll i Alentorn, 30. — Cf. mis *Estudios épicos medievales* pág. 302, nota 1.

que explicarlo como un error de audición, lectura o escritura, y considerarlo sinónimo de "*Rollantes*" (a. fr. "*Rollants*", lat. "*Rotulandus*"); "*Germanus*" vale tanto como "el franco", y el sobrenombre de "*Cathelon*", "*Catalò*" respectivamente, guarda relación con "*cataigne, catanie*". En efecto, no hay dificultad en pasar de *catan-* [11] + *-onia* (análogo a *Vasconia, Aragonia*) a la designación, atestiguada desde el siglo XII, de *Catalonia* (previa la disimilación de la *-n-* análogamente a *Barcelona* < *Barchinona*), que significaba originariamente "país del jefe (franco); país conquistado por jefes (francos) y en el que opusieron éstos resistencia a los infieles" [12].

---

[11] P. Aebischer, *Autour de l'Origine du Nom de Catalogne*, en ZRPh, LXII (1942), págs. 49 ss. y los anteriores eruditos no han tenido en consideración esta posibilidad en sus investigaciones. — Sobre *Lacetania* y demás teorías, cf. últimamente J. Corominas, *El que s'ha de saber de la llengua catalana* (1954), págs. 81 ss.

[12] En el v. 3085 de la *Canción de Roldán* ("Cent milie sunt de noz meillors *cataignes*") y también en el v. 1850 ¿hay que entender por *cataignes* los "guerreros francos destacados en *Cataluña* (y Aragón)"? La designación de las tropas de guarnición del país puede haberse aplicado después secundariamente también a los demás habitantes de esta región. Parece que a ella se refiere '*Capitanie und Arragûn*', en *Der jüngere Titurel*, v. 2206, 1 (véase *Aragón y Cataluña en algunas epopeyas y poemas arturianos*, en este libro, notas 10 y 11). — Cf. ital. *capitanato*, esp. *capitanía* (distrito de la jurisdicción del jefe), y el nombre de familia catalán *Catany* (Alcover-Moll, *Diccionari*, III, 45, col. 1). — Cf. también *Mío Cid*, v. 1002 "los francos" (= catalanes). Surge también el problema de si realmente fueron franceses todos los "Francos" de Toledo en la fórmula "Castellanos, Mozárabes atque *Francos*" contenida en los fueros de 1118 a 1174 y citada por R. Menéndez Pidal en su obra *Historia y Epopeya* (1934), pág. 283. Pueden igualmente estar aludidos antiguos habitantes ("francos") de Cataluña, como supuse en mi artículo precedente, *Interpretaciones histórico-legendarias en la épica medieval*, nota 38. Los francos franceses los designa la *Canción de Roldán*, v. 177, por "Francs de France". Según la *Karlamagnussaga* nórdica y el manuscrito alemán *n*20 de la *Canción*, Margariz es señor de "Sibilie" y de las tierras moras hasta *Katamaria* (en vez de v. 956 *Caz marine* como dice el ms. de Oxford) y la crítica solía identificarlo con *Cádiz*, pero puede pertenecer también al radical *catan*. Cf. todavía la *Capitana* = la Capitanata, antes parte de Apulia (véase Enzo Re, *Amor mi fa sovente...*, verso 59).

CATALUÑA EN LA CANCIÓN DE GUILLERMO FRANCESA [1]

NOTAS PRELIMINARES

Ya en mis *Interpretaciones histórico-legendarias en la épica medieval* pude señalar repetidas veces que en las epopeyas francesas de Guillermo y todavía en el *Willehalm* de Wolfram, si damos crédito a sus fuentes francesas, los sucesos originariamente localizados en Cataluña fueron trasladados a la desembocadura del Garona, o bien al valle del Ródano. Visto históricamente esto seguramente es un error. Ante todo resumiré y completaré los juicios que formulé en el artículo nombrado. Guillermo es considerado primo de Carlomagno, quien en el año 789 le dio en feudo el condado de Tolosa. Entre 801 y 803 tuvieron lugar las luchas con los sarracenos en el Rosellón y en Cataluña. Terminaron entre otras cosas con la conquista definitiva de la ciudad de Barcelona, que ya en épocas de Pipino había estado en constante litigio [2]. También en esta región debería ser posible localizar los lugares de la batalla a los que el poeta atribuye los nombres de los famosos parajes del Archamp, o sea de Aliscans y Orange, puesto que Arlés y Orange a orillas del Ródano, no se encontraron en manos de los sarracenos. Muchos nombres de lugares catalanes como Valsoteña,

---

[1] Publicado en *Mélanges de Linguistique et de Littérature Romanes à la Mémoire d'István Frank*, 1957, págs. 560-572.

[2] Una recopilación muy buena de todos estos datos que ha dilucidado la investigación más reciente se encuentra en M. de Riquer, *Los cantares de gesta franceses*, 1952, págs. 141 ss.

Gandía, Burriana, Barcelona, que mencionan las versiones francesas del ciclo de Guillermo, así como lugares de los Pirineos franceses como Termes [3], nos remiten a la Marca Hispánica y el dominio fronterizo del Noreste de España. Evidentemente en el siglo XII
una tradición posterior trasladó erróneamente estos sucesos en parte al territorio de la Gironda y del Ródano, después que otra tradición había afirmado que los muertos de Roncesvalles, es decir
los caídos en la batalla de Rolando, habían encontrado sepultura
en los Aliscamps, el lugar del hallazgo de sepulcros antiguos en
Arlés. Sobre la conquista de Barcelona por Guillermo de Tolosa
hace una relación medianamente verídica Ermoldo el Negro en su
poema épico, compuesto en 827 con el título de *In Honorem Hlu-*
dowici "En honor de Luis" (el hijo de Carlomagno, rey al que
servía Guillermo —Luis el Piadoso había aconsejado a Guillermo
que emprendiera la campaña de Cataluña). Otra fuente casi irre-
prochable la constituye la *Vita Hludowici* del llamado Astrónomo
del Lemosín. Un documento de la abadía de Saint-Guilhem-du-
Dézert (en la cercanía de Montpellier), firmado por Guillermo, fundador de esta abadía, menciona que tuvo dos esposas, *Vuitburgh*
y *Kunigunde* [4]. En el nombre de su primera esposa es fácil reconocer el nombre originario de *Guiburc* que en modo alguno fue
sarracena como afirmaba la canción de Wolfram, sino probablemente de descendencia merovingia. También es germánico el nombre del presunto moro y anterior esposo de Guiburc *Tedbald l'Es-*
turman ("Tiebald der Stürmer", o sea, Tebaldo el que tomaba por
asalto) [5].

---

[3] Véase mi artículo *El lugar de la batalla en la Canción de Roldán,*
la leyenda de Otger Cataló y el nombre de Cataluña, nota 5.

[4] Cf. Riquer (nuestra nota más arriba).

[5] Así en la epopeya de *Aliscans*; el atributo debe derivarse del nórd.
ant. *sturmjan*. La *Chans. Guill.* menciona a un sobrino de Tedbald llamado
Esturmi; éste posiblemente debe identificarse con el conde *Sturmio* (¿de
Narbona?), quien en 815 desempeñaba cierto cargo a las órdenes del emperador Luis (cf. *Jahrbücher d. fränkischen Reiches unter Ludwig dem From-*
men, por B. Simson, tomo I, 1874, 50). — Cf. también en la *Chans. Guill.*
v. 213, 3518, 3522 *esnecke* "navío" al nórd. ant. *snekkja* "barco de guerra"
(*REW³* 8046). Otros vocablos nórdicos en la epopeya antigua francesa aparecen consignados en mis *Estudios épicos medievales*, págs. 295 ss. 321 ss. A

Dado que la *Chanson de Guillaume* y todos los monumentos tempranos de la poesía heroica fueron trasmitidos en dialecto normando y que en su mayor parte se originaron en Normandía o el Sur de Inglaterra, es de suponer que la epopeya carolingia se originó allí en dialecto normando [6]. Un rasgo esencial de esta epo-

más de esto entran en consideración las siguientes palabras de la *Chanson de Roland*: v. 621 *helt* "mango, empuñadura" y v. 3866 *enheldé* "proveer con una empuñadura" al nórd. ant. *halda* "sostener"; v. 641 *hoese* "bota, polaina" al nórd. ant. *hose* "media"; v. 675 *veisdie* "sagacidad, astucia" ¿al nórd. ant. *visdóm*, ingl. *wisdom* "sabiduría" + lat. *verum dicere* (Jenkins, ed. *Chans. Rol.*, 376 en cambio *vegetu*)?; v. 1351 *estor* "carga (en el combate)" al nórd. ant. *storm* "carga (en el combate), ataque" (cf. Jenkins, 323); v. 2557 *brohun* "perro" al germ. *brakko* "perro braco" + nórd. ant. *hund* "perro"; v. 3151 *guige* "correa del escudo" al nórd. ant. *vida* "cuerda, maroma"; v. 3204 ss. *Torleu* al nombre de persona nórd. ant. *Thorlak(r)*; v. 916 ss. *Turgis* < *Thorgil* + -*s* (cf. Jenkins, 77 y 372); v. 3360 *Leutice* "Wilzenland (en el actual Mecklemburgo)"; v. 1561 *avoiz* "adelante", por su etimología posiblemente < *habetis*, pero por su sentido pertenece a *aoi* (cf. *Est. ép. med.*, págs. 321 s. y *REW*[3] 4122; véase también nuestro capítulo sobre *Estilo y cronología...*, págs. 126 y ss.), junto al nórd. ant. *a haugi* "(hacia) arriba!", bajo alem. *ahoi* "a bordo, a la mar!"; cf. también con el francés *alerte* al ital. *all'erta* "(hacia) arriba!"; también v. 1571 *Gramimund* junto a los demás nombres de caballos parlantes consignados en *Est. ép. med.*, pág. 325, que deberían completarse con v. 1534 *Barbamusche*. v. 1597 *Salperdut*, v. 1615 *Marmorie*, o bien los nombres de espadas v. 1463 *Halteclere*; *Est. ép. med.*, pág. 324 *Durendal* y pág. 325 *Murgleis* cf. con *Mimungr*, la espada que forjó el enano *Mime*, y *Logi* como nombre de espada ambos en la *Snorra-Edda*, Tillaeg IX, ed. F. Jónsson, 2a. ed. 1926 (sobre el origen germánico de los nombres de espada véase también P. Rajna, *Origini*, 444). Por otra parte el nombre de la lanza de Baligant posiblemente sea latino: v. 3152 *Maltét* < *malitate* (cf. Jenkins, 341); más ejemplos para *Est. ép. med.*, pág. 300: *Tervagant* (*Tervigant*), cf. el capítulo *Espíritu hispánico*, pág. 163, nota 75 en este libro; para la pág. 325; *Veillantif*, el corcel de batalla de Rolando (no el de Oliverio, como aparece erróneamente en la transmisión), puede derivarse del lat. *Vigilantivum* (cf. G. Paris, *Romania* XXIX, pág. 288); para la pág. 301: v. 2924 *Califerne* "país de los califas" (?), v. 3297 *Oluferne* "Olaf (?) + igual sufijo".

[6] Como es sabido *Turoldus* también era normando (< *Thorvald*). En base a los nuevos estudios de J. Adigard de Gautries, *Les noms de personnes Scandinaves en Normandie de 911 à 1066*, Lund, 1954, puede agregarse lo siguiente a mis *Est. ép. med.*, págs. 295 ss. nórd. ant. *Geirmund(ir)* < *geir* "lanza" + *mund* "mano", deriv. "protección", o *mundr* "don", de *Geirmund* a su vez el nombre de lugar normando *Grémonville* como también el topónimo *Grosmenil* (Gautries, 207 ss.), págs. 288 y 329 ss.; *Amun-*

peya heroica lo es el principio de continua movilidad: caballeros siempre a punto para partir o luchar; unidades que acuden o refluyen —así como el propio pueblo normando se había caracterizado por el mismo dinámico principio desde la ocupación del territorio y la invasión de Inglaterra y los preparativos para la primera cruzada. Aún creemos encontrar un eco del constante resurgimiento de este impulso intermitente en el metro de la laisse o tirada de irregular longitud que se utiliza en la poesía heroica. Ya hice hincapié [7] en el hecho de que en las tradiciones medievales en realidad no abundaban las grandes figuras. De ahí su frecuente reaparición: Teodorico-Roderico (su confusión también pueden haberla fomentado las consonancias de _Theodoricus-Rodericus_ [8], en forma semejante a como ocurrió con las consonancias de los nombres de región del Rosellón meridional y del Rosellón borgoñón, que pudieron haber originado un desplazamiento tardío de la leyenda de _Girart_ —en la que también aparece por primera vez la palabra _catalans_— a la región localizada más al Norte) [9]; además las figuras que con frecuencia se equiparan: Carlomagno con Alfonso VI de Castilla, Baligant con Yúsuf, Arturo con Marke,

---

_d(i)_ > topónimo _Amondetot_, _(E)mondeville_ (Gautries, 73); pág. 303 _brand(r)_ "(hoja de la) espada" > topónimo _Branville_ (Gautries, 96 y 199 s.). Finalmente completo _Est. ép. med._ con la indicación de las luchas de Olaf el Santo en Bretaña, descritas por Guillaume de Jumièges en su _Gesta Normannorum Ducum_ (ed. G. Marx, págs. 85 ss.); _Est. ép. med._, pág. 298 con otra indicación del escaldo Harold Sigurdarson, quien ya en el siglo XI compuso poemas sobre las expediciones guerreras de los "verdaderos" normandos en el Mar de Sicilia (cf. _The Skalds_, p. L. M. Hollander, Princeton 1947, pág. 199). — Si _Turold de Fécamp_ fuese el autor de la _Canción de Rolando_ (cf. las teorías de E. Li Gotti y M. de Riquer), sería fácil explicarse la duplicidad de la Canción: ética heroica y espíritu clerical (_Interpretaciones hist.-leg._, 18).

[7] _Interpretaciones hist.-leg._, 22.

[8] Véase _Interpretaciones hist.-leg._, 23, nota 33. — Para la leyenda de Roderico cf. ahora nuevamente R. Menéndez Pidal, _Los godos y el origen de la epopeya española_ (1955), en particular, págs. 52 ss.

[9] Cf. R. Louis, _Girart... dans les Chansons de geste_ (1947); además K. Wais en la _Festgabe E. Gamillscheg zum 65. Geb._, 194 ss. y R. Lejeune, _De l'histoire à la légende_, en _Le Moyen Âge_, LVI (1950), 1 ss. (cf. también M. de Riquer, _Op. cit._, 310 s.).

Guenhumara con Isolda [10], y paralelamente en el mismo sentido Guillermo de Tolosa y Guiburc junto al Cid y Jimena. Solamente la epopeya tardía de las cruzadas (una crónica "auténtica" todavía pronunciadamente idealizada) obtiene un cuño bastante diverso del de los poemas tempranos que todavía estaban al servicio de la exhortación y de la marcha al combate.

Es cierto que no sabemos con exactitud cuándo habían surgido las leyendas heroicas tratadas en estas epopeyas relativamente "tempranas" (en su mayor parte tienen diversos estratos) [11]. Esto vale sobre todo para sus rasgos individuales. Sólo podemos determinar con certeza la fecha de los monumentos realmente trasmitidos y existentes. Por consiguiente debe parecernos menos convincente una orientación de la investigación que se constituye en defensora de una epopeya popular meramente supuesta, retrotraída en parte a la época gótica y merovingia y que se expone así a los peligros de una crítica arbitraria. Ya he expresado en *Estudios épicos medievales* [12] mis dudas acerca de este método tan arraigado. También abarcan la suposición de D. Scheludko [13] de que la *Chanson de Guillaume* es un canto épico antiguo, así como la reciente teoría poco concreta acerca de los *Infantes de Lara* que formuló K. Wais [14], cuya crítica a la interpretación de los *Galien-Infantes* de A. Monteverdi [15] es tan infundada como la crítica de mis *Studien* [16]. Pude demostrar en éstos cómo el relato de los *Infantes de Lara* fue ampliado en su posterior forma legendaria con elementos de la *Thidrekssaga* nórdica [17]. A mi juicio el motivo de este influjo

---

[10] Véase *Interpretaciones hist.-leg.*, passim (cf. también la reseña de Ch. V. Aubrun en el *Bull. Hisp.* LVII, 1955, 346 s.).

[11] Sobre la multiplicidad de estratos de la *Canción de Rolando* cf. en especial mis artículos mencionados en nota anterior.

[12] P. ej., págs. 337 ss.; también en la revista *Die Neueren Sprachen*, año 1952, págs. 384 ss.

[13] *Über das Wilhelmslied*, en *ZfSL* L (1927), 5.

[14] En su libro *Frühe Epik Westeuropas und die Vorgeschichte des Nibelungenliedes*, I (1953).

[15] *Il cantare degli Infanti di Salas*, en *Studi medievali*, N. S. VII (1934), 137 ss.; por otra parte Wais, 138.

[16] *Studien zur romanischen Heldensage des Mittelalters*, Halle, Niemeyer, 1944; reproducida también en *Est. ép. med.*

[17] *Op. cit.*, 100 ss.; en particular 106, esquema núm. VI; 124 ss.

literario debía buscarse en el casamiento de la princesa noruega Cristina, la hija de Hákon Hákonarsonar, con un hermano del rey español Alfonso X [18]. El fastuoso casamiento de príncipes constituyó un acontecimiento en gran estilo: toda una corte se movilizó durante seis meses enteros hacia España y a través de ella. En aquella época tanto la corte nórdica como la castellana tenían una vida literaria sumamente intensa [19]. Pero antes del acontecimiento nombrado no pudo comprobarse en España la existencia del asunto de los elementos adicionales en la leyenda de los Infantes y con toda probabilidad fue desconocido [20]. La situación sólo cambia

---

[18] Y no en la presencia de los embajadores de Hákon en la corte de Alfonso, Wais ha leído mal si supone esto, pág. 154, nota 3.

[19] A incitación del rey Hákon se habían escrito la _Tristramssaga_ y la _Thidrekssaga_, a incitación de Alfonso el Sabio la _Primera Crónica General_ con la nueva versión de la historia de los Infantes. ¿Cómo imaginar que las altas personalidades que acompañaban a la princesa noruega y la propia Cristina que quedó en España no estuvieran familiarizadas en el año 1256 con los asuntos de la _Thidrekssaga_? Esto hasta llega a relatarse en la _Blomstrvallasaga_. Las partes relativas de la _Thidreksaga_ se remontan a la _Edda_ y otros poemas nórdicos semejantes más antiguos, que como es sabido estaban todavía libres de influencias españolas. Tales afirmaciones concretas no pueden negarse sin cerrarse a la vez a la realidad histórica. Para los pormenores cf. mis _Studien_ (en nota 16, pág. 57 cit.), así como la reseña crítica de M. R. Lida de Malkiel, en _Romance Philology_, VIII (1954), en especial pág. 55, también la de Ch. V. Aubrun, en _Bulletin Hispanique_, LVII (1955), 346 ss. — Las interpretaciones de Wais difieren fundamentalmente de mis estudios en lo siguiente: adhiriéndose a la opinión del germanista H. Schneider (véase mi crítica en _Studien_, 101; 113 ss.), Wais intenta descubrir un acervo de leyendas tempranas góticas y merovingias en los países románicos, así como influencias romances en la poesía épica de los Nibelungos y de Thidrek en siglos posteriores, mientras yo me proponía aclarar en algunos casos importantes las relaciones literarias y lingüísticas que fueron la consecuencia de las expediciones normandas, los peregrinajes y los viajes de visita entre el Norte germánico y el Sur románico de la Europa del siglo IX al XIII.

[20] En _Studien_, 106 así como en _Est. ép. med._, 167, hice una neta diferencia entre los antiguos elementos (españoles) y las adiciones posteriores (escandinavas) que sólo aparecen en la _Primera Crónica General_ (alrededor de 1289). Si el préstamo se hubiese efectuado a la inversa ¿en qué tradiciones españolas habría de haberse inspirado el refundidor nórdico? Se puede objetar a M. de Riquer (_Rev. Fil. Esp._, XXXVIII, 1954, 330) que los elementos que entran en consideración en la recopilación de la _Thi-_

cuando se establecen estrechas relaciones culturales entre las cortes "literarias" muy alejadas de Hákon Hákonarsonar de Noruega y Alfonso el Sabio de Castilla (y Federico II de Sicilia). A mediados del siglo XIII la mayor parte de las leyendas españolas sufren ampliaciones o cambios considerables (así ocurre con *Rodrigo, Bernardo del Carpio*, los *Infantes de Lara*).

TERRE CERTEINE

En mi última contribución al estudio de las epopeyas *El lugar de la batalla en la Canción de Roldán*[21], conforme a la tradición básica del *Rolando*, pude comprobar que el probable teatro de la batalla de Rolando era la Cerdaña[22] a orillas del río Segre, con

---

drekssaga proceden en su mayor parte de la tradición germánica —más temprana— de Harlungen y Velent, y en cualquier caso se conocían en Noruega en 1256. Como origen de un desarrollo temprano de leyendas en Francia y otros países, España entra en cuenta en lo referente al *Rodrigo*, el *Mainet* y la *Condesa traidora* (aún en el caso de que ya en 1170 hubiese existido un *Beuve*, como sostiene Riquer, *loc. cit.* 327 —pues la *Condesa* sería anterior por un decenio o más—). De otra índole son los motivos españoles que penetraron en la *Chans. Guill.* y el *Rol.*, que expongo en este libro. — Es posible que con la solemne ocasión del casamiento del príncipe español con la princesa nórdica los huéspedes hayan recordado una historia que todavía menciona Mariana (*Hist. Esp.*, Bibl. Aut. Esp. XXX, 1931, págs. 222 ss.), según la cual el peregrino "alemán" de Santiago, *Nuño* (= "Mundus", ¿Siegmund?) Belchides, quien más tarde habría fundado la ciudad de Burgos junto con Diego Porcellos (Diago Porcer —cf. *PCG*, ed. cit., 473 y pág. 195 de estos estudios), contrajo matrimonio con Sulla Bella, de un linaje de condes españoles, y de este matrimonio nació Gustio Gonzales, el "abuelo" de los Infantes de Lara. También Menéndez Pidal habla ahora de una 'leyenda de tipo germánico, la de los Infantes de Lara' (*Los godos y el origen de la epopeya española*. Madrid, 1955, 79).

[21] Ver artículo anterior.

[22] En 778, el mismo año de la muerte del conde Rolando en la frontera de los Pirineos, Abderrahman sometió la Cerdaña (véase Abel-Simson, *Jahrb. d. fränk. Reichs unter Karl d. Gr.*, I, 307, tomando en cuenta Fauriel III, 348 s., Dozy I, 381; cf. los Anales de Einhard). — Las actas de congreso de los *Coloquios de Roncesvalles* en Pamplona, agosto de 1955, nos orien-

Ax-les-Thermes (Arrièges, Aquitania) como (¿principal?) punto de
apoyo cerca de la Marca Hispánica[23] (Cataluña) para las fuerzas
militares del ejército franco y las luchas en Cataluña[24]. Para los
francos los sucesos de 778 significarían la amenaza de pérdida o
bien la pérdida de una parte de *tere Maior,* la cual no es necesariamente idéntica con el reino de Carlomagno, como suele suponerse,
antes bien sólo con la región de los Altos Pirineos (en especial
los occidentales)[25], frente a la *tere Certeine* que se extiende hacia
el Este, como una zona que se disputaban ambos bandos para ase-
gurar el dominio militar sobre el Norte de España, inclusive Cataluña. En los Altos Pirineos se hallan los importantes pasos de
Cizer, Mounjoyo[26], la localidad de *Porte* cerca del *Puy Carlitte,* y
al Norte, la ciudad de *Ax-les-Termes.* Aquí es preciso señalar que
en el *Rol.* dice el emperador de Marsilius: v. 188 "Il me siurat

---

tan acerca de la absoluta diversidad de opiniones que todavía reinaba hace
poco en lo referente a una localización de la batalla de Roncesvalles.
    [23] *El lugar de la batalla,* nota 5. — Parece que fue en *Ax* donde sufrió
el martirio el vencedor de Atila, Udaut, que más tarde fue canonizado.
    [24] Para el mito de Roncesvalles en la epopeya de la baja Edad Media,
para las visiones del 'veltre' de Carlomagno en el *Rol.* y de Guillermo en
el *Cour. Louis,* así como para la metafísica del derecho del episodio de
Tierri al final del *Rol.* (v. 3818 ss.) y la transmisión de elementos a dicho
episodio del período de reinado y la vida de Luis el Piadoso, el duelo
entre el conde Bero de Barcelona y el noble carolingio Sanilo, cf. entre
otros los capítulos correspondientes en mi libro *Veltro und Diana — Dantes mittelalterliche und antike Gleichnisse,* Tubinga, Niemeyer, 1956. La
visión de Carlomagno del *Rol.* 727 ss. ("El destre braz li morst uns vers
si mals...") ¿podría ser el tema del "enigmático" *Mors de l'Espaule?* Entonces también Chrétien habría compuesto una epopeya de Rolando.
    [25] Cf. *España Sagrada,* tomo XXXII, 212 ss. sobre la atribución, en otro
tiempo disputable, de territorios de Cantabria y Vasconia, así como de Navarra y Guipúzcoa a Gascuña.
    [26] Cf. *El lugar de la batalla,* 50, nota 7 y Jenkins, 95: "Most war-cries
are place-names" con alusión a breton. *Malo!,* también K. Nyrop, *Den
oldfranske Heltedigtning* (1883), 99, nota 1: *Antona! (Daurel), Nerbone!
Orenge!, Geronde!, Brubant! (Aliscans), Nanteuil! (Gui);* así como *Rol.*
v. 3093-95 "l'orieflambe; Seint Piere fut, si aveit num *Romaine.* Mais de
Munjoie iloec out pris eschange". También W. A. Nitze consideró como la
más satisfactoria la etimología propuesta por Gamillscheg *mundgawi* (en
Romance Philology IX, 1955-56, 11-17).

ad *Ais* a mun estage", a lo cual responde Ganelón: v. 435 "Al siege ad *Ais* en serez amenét", v. 478 "Menét serez dreit ad *Ais* le siét", v. 583 "Li reis serat as meillors *porz de Sizer*" (= "allí se encontrará"); el emperador sueña con esto en v. 719, 726, 728: "Sunjat qu'il eret as greignors *porz de Sizer*, ...Qu'il ert en France a sa capele ad *Ais*; ...Devers Ardene (otras versiones dicen "de España") vit venir uns leuparz"; cuando los francos alcanzan la *tere Maior* ven la Gascuña (que entonces era casi todo el territorio situado hacia el Norte, al pie de los Pirineos): v. 818-819 "Puis që il venent a la *tere Maiur*, Virent Guascuigne, la tere lur seignur".

En el artículo mencionado había partido en primer lugar de *Rol.* 2465, 2642, 2728, 2758, 2798 *Sebre* < *Segre + Ebro*[27], de v. 856 *tere Certeine* = "Cerdagne" y de v. 2312 *perrun de sardanie* = "piedra de la Cerdaña". A esto último debo observar que el manuscrito *O* trae *sardonie*, el *T* en cambio *cartaine* (probablemente un error ortográfico en *certaine*). Pero la variante *O* no entra en consideración, porque la palabra está al final del verso y la vocal asonante de la tirada 171 es *a* (por ello escribe por ejemplo Rohlfs[28] *sardanie*). Ya por esta razón debería descartarse la hipótesis de *sardanie* = *sardoine* "tipo de roca sarda"; en la transmisión en francés antiguo la palabra *sardoine* que aparece tantas veces ni una sola vez presenta una forma que contenga *a*. Ya O. Schultz-Gora[29] apoyó con razones su interpretación de que sólo puede referirse a la Cerdaña.

En lo que concierne la *tere Certeine* en primer lugar en el *Rol.*, casi todos los investigadores de epopeyas, en particular M. Milá i Fontanals[30], P. Boissonnade[31], y T. A. Jenkins[32], vieron en

[27] Cf. G. Baist, *ZRPh*, XXXIX (1915), 141. — Además *Rol.* 2640-42: "Issent de mer, venent as ewes duces, Laisent Marbrise et si laisent Marbrose, Par *Sebre* amunt tut lur navires *turnent*" "volver, torcer, hacer girar".
[28] *Das altfranzös. Rolandslied n. d. Oxforder Handschrift*, pub. por A. Hilka y G. Rohlfs (4.ª ed. 1953), 63.
[29] Franc. ant. *sartaigne*, en *ZRPh*, XXIII (1899), 334 ss.
[30] *De la poesía heroico-popular castellana* (1874), nueva edición publ. por M. de Riquer y J. Molas, Barcelona, 1959, 203, nota 2.
[31] *Du nouveau sur la Chanson de Roland* (1923), 113; 130 ss.
[32] *La Chanson de Roland* (ed. 1924), 72. Con la misma orientación F.

ella un nombre con que se designaba la Cerdaña (< *Cerritania*). Se presenta cierta dificultad cuando consultamos el texto de la *Chanson de Guillaume*. En él se ha trasladado la *terre Certeine* (v. 229, 1096, 1117, 1687, 1704) a la cercanía de *Burdele sur Girunde*. En el *Rol.*, *Burdele* aún designaba sin excepción la ciudad de "Burdeos", en cambio *Girunde* sólo en v. 3688 designa la "Gironde" y no en v. 2991, donde "escut de *Girunde*" significa escudo de "Gerona" [33] (ciudad en Cataluña, al Sudeste de la Cerdaña). Por otra parte, en la *Chans. Guill.* el *amund Girunde* (v. 14) y *Burdele sur Girunde* (v. 935) indujo una y otra vez a la investigación, desde la edición de H. Suchier [34] hasta la más reciente de D. McMillan [35], a interpretarlas como "Gironde arriba" y "Burdeos sobre la Gironde", si bien no faltaban otras referencias e interpretaciones [36]. Se

Lot, *Études sur les légendes épiques françaises*, IV, en *Romania*, LIII (1927), 456; ahora A. Burger, *La géographie du Roland*, en *Romania* LXXIV (1953), 161: "La Terre Certeine' est sûrement la Cerdagne"; cf. también M. Delbouille, *Sur la genèse de la Chanson de Roland* (1954), 123. — Para la diversidad de las hipótesis anteriores véase E. Hoepffner, *Les rapports littéraires entre les premières Chansons de geste*, en *Studi medievali*, N. S. IV (1931), 233 ss.

[33] También en su edición Rohlfs se decide por *Girunde* = "Gerona" (pág. 115).

[34] *La Chançun de Guillelme* (ed. 1911).

[35] *La Chanson de Guillaume* (1949-50).

[36] En oposición a McMillan observa J. Frappier en su libro *Les Chansons de geste du Cycle de Guillaume d'Orange*, I (1955), 170: "il est probable cependant que la tradition ancienne se rapportait réellement à la région de Barcelone, à la Catalogne, et que le nom de Gérone, ville appelée fréquemment Gironde dans les chansons de geste, a entraîné une méprise qui pourrait expliquer le transfert d'une partie de l'action vers l'embouchure de la Gironde". También los *Annales Petaviani* (completos hasta 799) aluden a la región nombrada en Cataluña, al referirse a la expedición a España de Carlomagno en el año de la batalla de Rolando: "Eodem anno (778) domnus rex Karolus... accepit obsides in Hispania de civitatibus... quorum vocabulum est Osca et Barzelona" (var. 'nec non et *Gerunda*'); cit. según la ed. de G. H. Pertz en *Mon. Germ. Hist. Script.*, I (1826), 16. — También considero posible que ya el autor normando hubiera provocado la confusión con Burdeos; cf. también la transmisión del mito de Roncesvalles a la leyenda de Rolando (para el tema de las construcciones históricas véanse mis *Interpretaciones hist.-leg.*, passim.). En *Burdele* (nom. *Burdeles*) *sur Girunde* reconozco "Bordils más arriba (en el sentido de más allá) de Ge-

seguía sosteniendo una hipótesis que se consideraba cómoda y plausible, ya que Burdeos se encuentra junto a la Gironde.

En general esto también llevó a que se localizara el campo de batalla, *l'Archamp*, en la cercanía de Burdeos, que se encuentra al Noroeste de los Pirineos y muy alejado de la Cerdaña. De ahí que se buscara otra explicación para *terre Certeine* y se creyó haberla encontrado al tomarla sin más ni más por "tierra firme" [37]. Pero *certein, -e* no aparece en el francés más antiguo en el sentido supuesto [38]. La misma inseguridad en la argumentación se daba al intentar explicar la palabra *marches, marchez* (v. 16, 42, 112, 964, 1020, 1344) = "marcas", que se buscaban en la Gironde o en la costa gascona, y aún en la Bretaña [39]. Estas conjeturas se fundaban en las suposiciones poco probables de que los sarracenos que habían partido de Córdoba o de Zaragoza aparecieron con sus barcos en Vizcaya y (¡haciendo un rodeo por la Bretaña!) [40] habían penetrado en la Gironde: v. 14, 40 *amund Girunde*. Ahora bien, junto al significado de "hacia arriba" *amund, amont* puede tener el de "arriba, más arriba de" [41]. Sin duda el poeta épico normando se refería a Burdeos; pero detrás de esta confusión se ocultará el escenario histórico a poca distancia de Bordils en Cataluña.

Nosotros partimos, pues, de una suposición totalmente distinta: viniendo con una flota desde el Sur, posiblemente de la desembocadura del Ebro [42], los sarracenos navegaron a lo largo de las

---

rona" (cf. lo siguiente!). Para la grafía *Burdel* (= Bordils) véase pág. 155, nota 31. Cf. tb. pág. 73, nota 31 (*Gironde sor mer*).

[37] Suchier, XLIII ss.

[38] Cf. Tobler-Lommatzsch, *Altfranzös. Wörterb.*, II, 131-133.

[39] Así ya en Suchier, VII y LIII ss. Pero cf. pág. 74 en este libro.

[40] Suchier, LIV. Aquí tampoco se trata de una fusión con una leyenda vikinga, como éste supone. Pero evidentemente los normandos introdujeron en la acción española las hazañas del conde bretón Vivianus.

[41] Cf. *Rol.* 2692 "Cum il aproisment en *la citét amunt*", y pág. 72, nota 21.

[42] V. 221 "Les Sarazins de *Saraguce terre*", v. 1108 "de *Segune tere*" (< *Segre* + -ona, como *Barcinona*?). Cf. también la dirección que toman las fuerzas de Baligant en el *Rolando*, 2641: "Laisent *Marbrise* et si laisent *Marbrose*", pero de acuerdo con el manuscrito *T*: "Si trespasserent *Serinde* et *Bessenconde*" (= "*Gerunde*" y "*Barcinona*").

Marches [43], o sea la "Marca Hispánica" franca, la actual Cataluña, que destruyeron en parte por incursiones en la costa, acercándose también al territorio fronterizo franco-catalán [44] antes de entrar en el Riu Ter [45], donde desembarcaron al Nordeste de Gerona en Bordils en la Riera de Palagret. De allí avanzaron hacia el territorio de los Pirineos Orientales [46], donde al Noroeste de Prats del Mollo se encuentra el *Pla Guilhem* ("plateau de Guillaume") y al Este la pequeña ciudad de Arles (cf. *Archamp* en la *Chans. Guill.* y *Aliscans* en las demás epopeyas de Guillermo) [47]. Es posible que hubieran utilizado también el paso de Le Perthus y avanzado por la llanura que allí se abre hasta Céret y hasta el terreno montañoso de Arles-sur-Tech [48]. En una noche de cabalgata se cubre la distan-

---

[43] Cf. McMillan, I, 174: "*Marches*, 1020, 1344, *marchez*, 16, 42, 112, 964. Mot dont le sens précis est douteux; aux vv. 1020, 1344 il semble signifier "terres", tandis qu'aux vv. 16, 42, 112, 964 il semble indiquer plutôt une région frontalière". A esto debo observar que la Marca Hispánica era considerada por sarracenos y francos como una especie de región fronteriza. Véase la pág. 74 por "Ceridanie *marchiae*".

[44] McMillan, II, 134: "Nous sommes donc enclins à donner à *alués* le sens *d'alleu*, terre frontalière, mais située en dehors du domaine royal ou impérial, par opposition à la *marche*, terre frontalière, mais dernier bastion du domaine royal." Remito además a Philippe de Beaumanoir, *Les Coutumes du Beauvoisis*, e. Beugnot (1842), 24: "on apele *alues* ce c'on tient sans rendre a nului nule redevance". — Acaso se podría relacionar *alués* (v. 16, 42, 964) con los Montes *Albères* (Rosellón), pero es dudoso. En el comentario de R. Weeks al trabajo de Hawickhorst sobre la geografía en Andrea Magnabotti se encuentra una alusión al río Tet en Perpiñán (*RF*, XIII, 1902, págs. 689 ss.), en *Romania* XXXIV (1905), 237 ss.

[45] V. 82, 1599. Por causa de una equivocación del poeta (cf. nota anterior o por descuido del copista, encontramos *Rin* en lugar de "Riu" (ésta también era la suposición de Suchier; cf. Schultz-Gora, *ZRPh*, XXXVIII (1914), 366); sea como fuere tiene el significado de "río" (no el de "Rin"!), siendo *riu* la palabra catalana.

[46] V. 229, 1117 "Si (se) purpristrent defors (a) la *Certeine terre*" ("entonces tomaron desde fuera los montes de la Cerdaña").

[47] Arles poseía el convento benedictino más antiguo del Rosellón. Fue fundado en 778, destruido en 858 por los normandos y reconstruido en el siglo XI por los cluniacenses.

[48] Cf. también el valle de *En Camp* en la cercanía de Andorra y el pueblo de *Orgaña* sobre la margen derecha del Segre (la "Orange" de Guillermo?).

cia que separa el *Archamp*[49] de Barcelona[50], donde Guillermo permaneció corto tiempo después de la batalla de *Burdele sur Girunde*[51] (por lo demás Barcelona es su capital, desde donde gobernó y defendió la Marca hispánica). Así en la *Chans. Guill.* la *terre Certeine*[52] recibió el significado más amplio de terreno elevado[53] al pie de los Pirineos (Orientales), tal vez en oposición a la *tere Maior* en el *Rol.* (?); pero en lo esencial sigue designando la Cerdaña. Es probable que los sucesos descritos en la *Chans. Guill.* tuvieran lugar en la primera década del siglo IX[54] y que el poeta del Guillermo tuviera presente las legendarias reminiscencias de otras invasiones sarracenas, como la batalla junto al Orbieu ante Narbona (793)[55], en la que Guillermo de Tolosa participó en igual medida que en la conquista de Barcelona (801)[56], así como las insurrecciones posteriores en la Marca Hispánica que se efectuaron con ayuda de los sarracenos, por ejemplo la de Aizo junto al río Ter (826)[57] y la de Bero de Barcelona en la Cerdaña (827)[58]. Tam-

---

[49] D. Scheludko (*ZRPh*, L, 1927, pág. 36 aludiendo a *Rev. Ét. anc.* XXV, 379) repite la hipótesis dudosa de que *Archamp* < *Liricantus*; por el contrario, R. Weeks (*Étude sur Aliscans*, suite, en *Romania* XXXIV, 1905, 237 ss.) ya creía que el *Archamp* tenía que encontrarse en España, aunque lo imaginaba entre Barcelona y Tortosa.

[50] McMillan, II, 139 s.; Riquer, 169.

[51] V. 375 "bataille as *prez de Girunde*".

[52] En cambio A. Terracher (*Notes sur l'Archant*, en *Annales du Midi*, XXII, 1910, pág. 5 ss.) creía en la *Sardañola*, a 8 Km. al Norte de Barcelona, con *Argentona* por campo de batalla; a esto se adhiere Riquer, 169 s. Sin mencionar expresamente a Terracher, también Ph. A. Becker situó los hechos en la misma región (en su disertación sobre *Das Werden der Wilhelms- und der Aimerigeste*, 1939, 12-13 y ss.).

[53] En la obra tardía de *Waldef*, v. 16992 aparece *terre Certaine* en el sentido figurado de "tierra firme" para designar "tierra alta, montañosa", en el *Folque de Candie* (ed. H. Leduc, 1860, pág. 137, v. 6-7) *terre Certaine Bacle* para designar "terreno vasco al pie de los Pirineos".

[54] Después de la conquista de Barcelona (801) y antes de la muerte de Guillermo (no antes de dic. de 807).

[55] Cf. B. Simson, *Jahrb. d. fränk. Reiches unter Ludwig dem Frommen*, I (1874), 331.

[56] Simson, I, 267 ss.; véase también Ermoldo el Negro, *In Honorem Hludowici*; v. 103 ss. (cf. v. 172 "Duxque Tolosana... Vilhelmus ab urbe").

[57] Simson, I, 267 ss.

[58] Simson, I, 273; véase también Ermoldo el Negro.

bién la *Chans. Guill.* tiene diversos estratos. En medio de los elementos adicionales puede descubrirse, como en el *Rol.*, una leyenda básica que a duras penas logra revelar el núcleo histórico originario. En su forma presente, no obstante, la *Chanson de Guillaume* es el producto tardío ya influido por la leyenda y la construcción histórica, compuesto desde la perspectiva, distanciada en el tiempo y el espacio, de un poeta épico normando [59].

---

[59] Por más detalles véanse las págs. 71 a 80 de este tomo, y pág. 155, n. 31.

NOTAS SOBRE TEMAS ÉPICO-MEDIEVALES [1]

PARA UN FUTURO ESTUDIO DEL GUITALIN

Af Guitalin Saxa es el título de la quinta parte de la *Karlamagnússaga* en prosa noruega [2], compuesta hacia la mitad del siglo XIII en la corte del rey Hákon Hákonsonar. No existe todavía ninguna traducción a otra lengua [3], y el original francés [4], probablemente un poema épico, está perdido. Narra la campaña de Carlomagno en Alemania contra los sajones y su rey Guitalin (= Widukind), hechos también relatados, aunque de modo diferente, en la *Chanson de Saisnes* de Jean Bodel [5] (que se conserva). Algunos detalles interesarán, sin duda, a los hispanistas.

---

[1] Publicado en *Boletín de Filología*, XI (1959), págs. 337-354.

[2] Ed. Chr. Unger, Christiania, 1860. El *Guitalin* se encuentra en las páginas 371 a 432.

[3] Poseo una traducción alemana incompleta, amablemente proporcionada por Ph. Aug. Becker, quien había traducido la leyenda de Guillermo, según el relato de la *Karlamagnússaga* (en *Der Quellenwert der Storie Nerbonesi*, Halle, 1898). Como texto básico usó la versión contenida en los manuscritos *B, b,* que prefirió a *A, a,* usados por P. Aebischer en su traducción de la derrota de Roncesvalles según la obra nórdica (en *Rolandiana borealia*, Lausanne, 1954).

[4] El refundidor noruego se sirvió sin duda de una fuente francesa, pues cita dos frases enteras en francés antiguo (cf. la ed. de Unger, pág. XXIX), que, por lo tanto, ya fueron eliminadas del texto por los amanuenses del tipo *B.*

[5] Cfr. Ph. A. Becker, *Jean Bodels Sachsenlied,* en *ZRPh.* LX (1940), páginas 324 ss.; Ch. Foulon, *L'Oeuvre de Jehan Bodel,* Paris, 1958, passim. Este último (págs. 401 ss.) compara el contenido del *Guitalin* con el de la *Chanson de Saisnes.*

El relato épico del *Guitalin de Sajonia* se caracteriza por contener numerosas construcciones históricas arbitrarias [6]. Figura como héroe Roldán, caído ya antes de la conquista de la baja Sajonia por el emperador de los francos, y se dice, además, que el rey Widukind era mahometano (p. 376: "Guitalin konungr... Maumet gud sinn"). Un reflejo de esto se puede señalar en la *Primera Crónica General*, variante *E*: "E Carlos entonçes mouió de Francia con grant hueste, et quando fue aquiende de los montes Pirineos llególe mandado que vn moro que auía nonbre *Guiçeclin* le entrara en Alimaña et que le destruyera la çibdat de Colonia" (ed. cit., pág. 357). El hecho recuerda al "Gormond li Arabi" en la *Chanson de Gormond et Isembart* [7] y la historicidad deliberada del *Roman de Thèbes* [8]. También el autor del *Guitalin* parece atribuir a los sajones una costumbre árabe (p. ej., Yúsuf en Sagrajas) [9], cuando dice que los francos pierden 1.500 hombres en las orillas del Rin y que Dorgant [10], el mensajero del rey pagano, lleva consigo 300 caballos cargados de cabezas en prueba de la veracidad de lo acontecido [11]: "Their gerdu ok 300 hrossklyfia af höfdum kristinna manna" (pág. 382). Este detalle nos aproxima a la leyenda castellana de los *Infantes de Lara* [12].

Merece recordarse también la construcción de una nave de guerra por dos jóvenes españoles: *Elspalrad* (B: Espaldar [13], b: Es-

---

[6] Véase sobre esto *Interpr. hist.-leg.*, en este libro.

[7] Véase *Est. ép. med.*, pág. 107.

[8] En él aparecen: mercenarios turcos y etíopes, búlgaros, condes venecianos, un caballero de Benevento. Pancracio de Rusia, el inglés Godrico y un noble navarro del reino de Alfonso de Castilla. También se habla de Sajonia, de "Frise" (= Phrygia + Frisia), de "Sardeine" (= Cerdaña), de los almorávides, de Turpín, de Ogier el danés, de Roldán y de Oliveros, y se grita "¡Monjoie!".

[9] Cf. R. Menéndez Pidal, *La España del Cid*, 4.ª ed., 1947, pág. 338.

[10] Del antiguo nórdico *Thor + gand* (cf. *Est. ép. med.*, pág. 301).

[11] Sobre esta costumbre musulmana cf. Menéndez Pidal, *op. cit.*, página 338.

[12] Lo mismo vale para el episodio del ciclo francés de Guillermo, en donde se cuentan las crueldades de Viviano, que corta pies, manos, etc., en el campo de batalla, para mandarlos como regalo al rey Deramed de Córdoba. En la *Chevalerie Vivien*, v. 63, matan incluso a mujeres y niños.

[13] Un Espaldar de Gormasia (Worms en Alemania) fue matado por el

palrat) y *Emalraad* (B: Einaldar, b: Emalrat) *af Spáni(alandi)*
(pág. 396). La guerra termina con la victoria de Roldán sobre El-
midan, hermano de Guitalin, resumida en la fórmula épica ya conocida de la *Chanson de Roland,* de *Gormond et Isembart* y del
Poema de Mio Cid [14]: "si fueras cristiano, tu muerte sería muy la-
mentable" (pág. 430: "ef thu vaerir kristinn, sá vaeri daudi thinn
mjoek harmandi"). De modo parecido habla Carlomagno del hijo
de Agolant después de la muerte de éste en la cuarta parte de la
Karlamagnussaga (y de la *Krönike*).

Citamos por último una frase en la cual Roldán declara que
nació de familia pobre en un lugar llamado *Nafari* (o *Navaria*) y
que *Vafa(fur)* era el nombre de su padre: "Ek em alinn í stad
theim er Nafari heitir; fadir minn er Vafa (Vafafur en la versión
a), ek em ok lítillar aettar at kyni ok frá fátoekum mönnum ko-
minn" [15]. ("Jeg er född af fattigt Folk i en Stad, hedder Navaria") [16].

Caballero del Cisne, según el texto de la *Gran Conquista de Ultramar,*
cap. XCVI.

   [14] *Rol.,* v. 3164 "Deus! quel baron, s'oüst crestïentet!"; v. 3764 "S'il fust
leials, ben resemblast barun"; v. 899 "Fust crestïens, asez öust barnét";
Cour. Louis, v. 2173 "Deus! quel barnage, se rescos poeit estre!"; *Gormond,* v. 541 a 542 "Se creissiez al creator, meudre vassal ne fust de vos";
Cid, v. 20 "¡Dios, qué buen vassallo, si oviesse buen señore!". Véase sobre
esto M. de Riquer, en *Revista bibliográfica y documental,* III (1949), página 260, y A. Badía Margarit, en *Archivum,* IV (1954), págs. 149-165.
Los ejemplos franceses no confirman la opinión de A. Alonso (*Rev. Fil.
Hisp.,* VI (1944), págs. 187-191) y Menéndez Pidal (*Cantar de Mio Cid,*
ed. 1946, pág. 1221): que el poeta del *Cid* usaba *si* como adverbio opta-
tivo ("así", que corresponde a fr. ant. *si* y no a *se*).

   [15] *Karlamagnussaga,* ed. Unger, pág. 415. Cf. mi nota 61 en la pág. 42.

   [16] *Keiser Karl Magnus's Krönike,* ed. C. Elberling, Copenhague, 1866,
pág. 96. En la cuarta parte de la *Karlamagnussaga,* un adversario de Carlomagno es Furra de *Nafaria;* corresponde al "princeps quidam Furre nomine *Navarrorum*" de la *Crónica de Turpín* (véase sobre esto *Turpín,* ed.
cit., pág. 40, y P. Aebischer, *Textes norrois et Littérature française du
Moyen Âge,* I, Genève-Lille, 1954, pág. 15; para *Ornonia* como patria de
Roldán, cfr. *Relaciones franco-hispanas*). En vez de Navarra —por lo que
se refiere a la patria de Roldán, según el *Guitalin*—, se podría pensar
en Nevers, llamado *Navers* en la epopeya de *Aiol* (v. 8086 y 8176), pero
también este *Navers,* aunque pasa por Nevers, parece traducir Navarra (+ *-s*).
Además, el poema *Aiol et Mirabel* contiene varios nombres de origen
(mauro-)hispánico, por ejemplo, los de los mismos protagonistas; cf. el

Otros temas curiosos del *Guitalin* son: Carlomagno hiere a Roldán en la nariz (pág. 372), las huestes del emperador y de su paladín conquistan a *Garmasie* (*Garmaise*) en las orillas del Rin (páginas 381 ss.), que parece corresponder a Worms, ciudad famosa por las leyendas de los Nibelungos y de Doon de la Roche (*Gormaise* en el poema de este último); la reina Sibilia —normalmente la esposa de Carlomagno— es aquí la mujer de Guitalin. Perífrasis épica: Balduino baña su espada en la sangre del corazón de su enemigo Estorgant (pág. 427: "hann laugar sverd sitt í hjartablódi hans"; *Krönike*, pág. 102; "han farvede alt sit Glavind i hans Hjerteblod"). De otros aspectos del *Guitalin* tratará un capítulo de *"Traditionalism", "individualism", and positivism, in research on the epic and the novel* (artículo mío de publicación próxima).

LOS FRANCOS EN CATALUÑA Y EN EL ROSELLÓN

En algunos artículos recientes he llamado la atención sobre la importancia de Cataluña como primer bastión cristiano contra la expansión islámica en el nordeste de la Península Ibérica. La *Marca Hispánica* [17] de los francos tomó más tarde el nombre de *Barc(h)inona* y *Cataluña* [18]; allí, a fines del siglo VIII y a comienzos del IX, tuvieron lugar los acontecimientos relatados en la *Chanson de Guil-*

---

rey moro *Ayolas* (*PCG*, ed. cit., pág. 383), "Regem *Aiolam*" (*Chronicón de Sampiro*, en *España Sagrada*, vol. XIV, pág. 448), y la muchacha árabe *Mirabel, Mirable* (ms. *M*; *PCG*, 740). El Aiolas histórico fue vencido y hecho prisionero por el rey García de León en el siglo IX, mientras que el poema nos dice que Aiol conquistó a Pamplona con la ayuda de *Gras(s)ien, -an*, rey de "Venecia", en la época de Luis el Piadoso. Un *Mirabel* de Tabor aparece en la *Gran Conquista de Ultramar*.

[17] Véase *Cataluña en la canción de Guillermo...*, págs. 53 y ss.

[18] Cf. *El lugar de la batalla*, donde hemos explicado el nombre de *Cataluña* < capitan(e)um + -onia (cfr. Vasconia, Aragonia, etc.). Todavía en América, durante la dominación española, llamaron *capitanía* a una "extensa demarcación territorial gobernada con relativa independencia del virreinato a que pertenecía" (*Dicc. Ac.*, 16.ª ed., pág. 246). Cfr. tb. *Canfranc*, "*Campo franco*" (M. Alvar, *Toponimia del alto valle del río Aragón*, en la revista *Pirineos*, v, 1949, págs. 389-496).

laume [19]. Se trataba, en realidad, de incursiones musulmanas por
vía marítima, que afectaron a las costas de *Cataluña* y del *Rosellón*,
incluso al territorio situado al norte de *Gerona* y a la ciudad de
Barcelona. Veinte años antes y un poco más al oeste, en la antigua *Cerritania* (hoy *Cerdaña*), los francos habían sido derrotados
por las tropas terrestres de los moros —hecho narrado en la *Chanson de Roland* [20].

Además de los muchos nombres de lugar [21] que recuerdan estos
acontecimientos históricos, y que ya he mencionado en otra ocasión, añadiré aquí que el historiador catalán Tomich, y, siguiendo
a éste, el padre Mariana dijeron que Carlomagno sometió a su
corona Cataluña la Vieja, en la parte antiguamente ocupada por
los cerretanos. Allí venció a los musulmanes "en el valle que
desta batalla tomó el nombre de *Carlos*" [22]. Con ello parece que se
refiere al valle del *Riu de Carol*, no lejos de *Puigcerdá* [23] y al oeste
de *Ax-les-Thermes*. En el valle que se abre hacia el sur se encuentran, desde el siglo XIII, las dos torres de Carol (hoy *Latour-de-
Carol*). Esta toponimia "carolingia" se puede completar con *Saillagouse* [24], situada en un collado a orillas del *Segre*, contribuyendo [25]
tal vez la creencia del poeta normando de que Zaragoza 'est en
une muntaigne' (*Rol.*, v. 6).

Al norte de Cerdaña se halla *Ax-les-Thermes* [26], en donde Guillermo de Tolosa, el héroe de la *Chanson de Guillaume*, poseía un
palacio [27]. Allí también fue Viviano armado caballero por el mis-

---

[19] *Cataluña en la canción de Guillermo...*

[20] *El lugar de la batalla*, págs. 47 y ss., en este libro.

[21] *Ax, Termes, Loün, Monjoie, Cazmarine, Marches, Alues, Rin, Archamp,
Aliscans, Prez de Girunde, Tere Certeine, Tere Maior, Bordele sur (amont)
Gironde*. Para *amont* cfr. aún *Aymeri de Narbonne*, vv. 2210 a 2211: "Si
assaudrons ce roi desmesuré Là sus amont en son palais listé".

[22] J. de Mariana, *Historia general de España* (Bibl. Aut. Esp. XXX, Madrid, 1931), pág. 205.

[23] ¿Sería éste quizás el "perrun de sardaigne" del *Rol.*, v. 2312? Cfr.
El lugar de la batalla.

[24] Al este de Puigcerdá y *Llivia*, la antigua *Julia Livia*, capital de Cerdaña hasta el siglo XI.

[25] Cfr. la nota 5 de *El problema estructural del Poema del Cid*.

[26] Véase *El lugar de la batalla*, nota 5.

[27] ¿El mismo palacio en que se detuvo Carlomagno después de la con-

mo conde-duque (*Aliscans* [28], vv. 767 y 784). Al sudeste del *Pla-Guilhelm* [29], entre Puigcerdá y la costa mediterránea, se encuentra la *Ermita de San Guilhelm*, no lejos de *Arles-sur-Tech*. La abadía benedictina de *Arles* se conoce desde el año 778, fecha que concuerda con la de "Roncesvalles" (batalla fronteriza repetida años después en el 'Archamp' o en 'Aliscans' = Arlis campis). En el v. 5131 de *Aliscans* se usa el nombre de *Geronde* (= Gerona) como *enseigne* [30] (= insignia, bandera; también: grito de guerra).

Parece que los adversarios moros de Guillermo desembarcaron cerca de *Bordils*, al nordeste de *Gerona* (en dirección a la montaña, versos 14 y 40 *amund Girunde*); cf. *Burdele sur Girunde* (Bordils sobre Gerona, en el sentido de más allá, del lado de los Pirineos) [31]. No obstante el poeta o el amanuense de la *Chanson de Guillaume* puede haber pensado en Bordeaux, a orillas de la Gironde; pero las demás indicaciones geográficas del poema así como la historia rebaten esta equivocación ostensible. De la provincia de Gerona las tropas mahometanas marcharon rumbo a *Cerdaña* (versos 229, 1096, 1117, 1687, 1704 *terre Certeine*) [32], al este de la cual habrá que buscar el 'Archamp' o 'Aliscans', no muy lejos, al parecer, del lugar de la batalla en la *Chanson de Roland*. Ya en trabajos anteriores [33] he puesto de relieve que el

---

quista de Zaragoza? No podía haber ido a Aquisgrán, que escogió como residencia muchos años más tarde.

[28] En la edición de E. Wienbeck. W. Hartnacke y P. Rasch (Halle, 1903).

[29] Cfr. *Cataluña en la canción de Guillermo...* Como es sabido, Guillermo había fundado también el famoso monasterio de Saint Guilhem du Désert, no lejos de Montpellier. La parte construida en el siglo XIII se encuentra hoy en Nueva York, en el museo *The Cloisters*.

[30] Véase *El lugar de la batalla*, nota 1, y *Cataluña en la canción de Guillermo...*

[31] Cfr. *Cour. Louis*, v. 822; "Gironde sor mer"; v. 2400 (ms. B) "Paris soz Montmartre". Véase *Cataluña en la canción de Guillermo...*; *Espíritu hispánico*, I, n. 20. — En el *Couronnement Louis*, después de haber combatido en el Poitou y antes de ir a *Pierrelate* (E. Langlois: "Probablement Peralada, sur le versant espagnol des Pyrénées-Orientales") y *Annadore* (Langlois: "Probablement Andorre"), Guillermo "S'en est tornez vers *Bordels sor Gironde*" (v. 2021).

[32] Véase cap. anterior.

[33] *El lugar de la batalla*, y *Cataluña en la canción...*

verso 856 de *Rol.* menciona la *tere Certeine,* y el verso 2312 de la misma obra dice que "Rollant ferit el perrun de *sardanie*" [34]. Es verdad que el manuscrito de Oxford tiene *sardonie* y el de Venecia (4) *sardegne,* pero no hay la menor duda de que la vocal de la asonancia de la tirada 171 es *a*; por consiguiente el ms. P dice *sartaingne,* y el T *cartaine* (quizás por *çartaine).* En cuanto a la hipótesis de algunos críticos de que haya que leer *sardoine* = "especie de roca sarda", observamos que este término no se halla escrito con *a* (sard*a*ine), tal como lo exige la asonancia de dicha tirada, en textos del francés antiguo [35]. En cambio podemos señalar hoy que la Cerdaña fue llamada *Sardaniensi* [36] en un diploma de Reims del año 952, y que, en otro diploma carolingio se encuentra *Cardonensi* [37]. Además, los diplomas catalanes no mencionan solamente las *Ceridanie marchiae* [38] (cf. las *marches, marchez* de la *Chans. Guill.)* [39], sino también el *comitatu Cerdaniae alodium* [40] (cf. los *alues, aluez* de la misma canción, del lat. *alodium,* fr. mod. *alleu)* [41]. De ello, como de las averiguaciones anteriores, se infiere que los poetas normandos del *Roland* y del *Guillaume* han entreverado la geografía de sus obras al reemplazar en ciertos puntos, aunque no en todas partes, la Cerdaña por Roncesvalles (que en la literatura

[34] Según el texto de la ed. A. Hilka y G. Rohlfs.

[35] Se ha pensado también en *tere certeine* = "tierra firme", pero no hay ejemplos de este significado de *certein, -e* en fr. ant.; cfr. *Cataluña en la Canción...*

[36] *Catalunya carolingia,* vol. II: *Els diplomes carolingis a Catalunya,* per R. D'Abadal i de Vinyals, Barcelona, 1954, pág. 98, lín. 9.

[37] Op. cit., pág. 172 (Ms. E.: *In comitatu Cardonensi).*

[38] Op. cit., pág. 89, lín. 4.

[39] *Cataluña en la Canción de Guillermo...*

[40] *Catalunya carolingia,* II, pág. 243, lín. 21. La Cerdaña llegó a ser un condado colindante con la antigua Gascuña (que comprendía casi todo el terreno situado al pie de los Pirineos septentrionales). Sobre la parte mediterránea de la *Vasconia,* véase *España Sagrada,* vol. XXXII, págs. 91 ss.

[41] *Cataluña en la canción de Guillermo...* Cfr. *Chans. Guill.,* verso 16 "Les *marchez* guaste, les *alues* comence a prendre"; y también los versos 42 y 964. Sobre el *alodium* de la *Marca (Barchinonensi)* véase *Espíritu hispánico* (I), pág. 155, nota 31. Nótese también el texto contenido en el *Libro del Caballero Cifar* (ed. por Ch. P. Wagner, 1929, pág. 504): "por la tierra de Gascueña, e por *los albes* [ms. *M] de Burdel,* e por las tierras de España".

y en los documentos conocidos, vinculados a la leyenda de Roldán,
no aparece antes del año 1086 ó 1070) [42] y por la Gironde, respectivamente (no estando esta última tan cerca de Barcelona que las
tropas de Guillermo pudiesen haber llegado hasta allí en una sola
noche).

Se sabe que el jefe árabe Abd al-Malik ibn Mughit, en el último decenio del siglo VIII, conquistó *Gerona* y también *Narbona*.
Luego marchó sobre *Carcasona*, pero fue atacado por las fuerzas
de Guillermo a orillas del *Orbieu* (año 793). La batalla fue un desastre para las tropas francas, que sólo cinco años después lograron ocupar la región montañosa entre Gerona y el valle del Segre.
Desde allí emprendieron la conquista de Barcelona en 801, y la
tomaron en 803. Poco después, en 804, Luis el Piadoso hizo su
primera tentativa contra *Tortosa* [43], teniendo a Barcelona como base
de ataque. Un último combate, en una llanura cerca de Barcelona
tuvo lugar en el otoño de 813 (o 815) [44].

Con sobrada razón se consideraron estos hechos tan importantes como el desquite de la derrota de Roldán y como las hazañas
y conquistas del Cid; se explican así los numerosos poemas épicos
del ciclo de Guillermo. Dante glorificó [45] a Guillermo junto con
Renoardo, Carlomagno, Roldán, Godofredo y Roberto Guiscardo
como a defensores del cristianismo contra el Islam. Si se admite
mi hipótesis de que Dante conoció un texto de la *Chanson de Ro-*

---

[42] La crítica se ha fijado poco en esta circunstancia significativa, que
puede ser de gran alcance; tan poco como se ha fijado en la asonancia de
la tirada 171 del *Rol*. Noto la falta de una correspondiente aclaración también en el último libro del insigne maestro Menéndez Pidal (*La Chanson de
Roland*, Madrid, 1959).

[43] Cfr. L. Auzias, *L'Aquitaine carolingienne*, Toulouse-Paris, 1937, página 60: "Sa conquête devait assurer aux Francs la possession de tout le
pays situé entre l'Ebre et le Sègre".

[44] Sobre todos estos acontecimientos relatados por historiadores árabes,
véanse J. M. Millás Vallicrosa, *Els Textes d'Historiadors Musulmans refe-
rents a la Catalunya carolingia*, Barcelona, 1922, y E. Lévi-Provençal, *Histoire
de l'Espagne musulmane*, I, Paris-Leiden, 1950, págs. 179-181 y 185. Para la
Marca Hispánica en general, cfr. también J. Calmette, *La Question des
Pyrénées et la Marche d'Espagne*, Paris, 1947, y R. d'Abadal i de Vinyals,
Els primers Comtes Catalans, Barcelona, 1958.

[45] En el *Paradiso* XVIII, 46.

land[46], no sería del todo imposible que hubiese conocido también el *Aliscans*, en donde se narran las hazañas de Guillermo y de Renoardo[47], por ser éste un texto muy divulgado del cual existen todavía nada menos que 13 manuscritos.

Se ha pensado en la influencia del ciclo de Guillermo sobre la épica española. Así, M. de Riquer[48] señala que en el *Aymeri de Narbonne* el héroe tiene siete hijos, igual que el padre de los Infantes de Lara. Pero Aymeri tiene, además, cinco hijas, la última de las cuales, Blanchefleur, es la supuesta esposa del emperador Luis de Francia, hijo de Carlomagno. Por otra parte, el hijo segundo, el Guillermo histórico, y el cuarto, Hernaut de Gironde (= Gerona, v. 4547)[49], no fueron muertos. Véanse los vv. 4504 a 4507[50]: "VII fiz gentis li cuens engenoi; Tuit furent conte et prince seignori, Et si conquistrent comme fier et hardi Les granz marches d'Espegne" (= la antigua Marca Hispánica, Cataluña). Por todo esto, yo no relacionaría la leyenda de los Infantes de Lara con el poema francés[51].

---

[46] Véase en *Veltro und Diana. Dantes mittelalterliche und antike Gleichnisse*. Cf. también págs. 103 y ss. en este libro.

[47] Según M. Catalano (*Le statue di Guiglielmo e Renoardo al duomo di Verona*, Florencia, 1940), los dos héroes eran populares, incluso aún en Italia. Pero si se pensaba que las estatuas de la catedral de Verona representaban a Roldán y Oliveros durante la Edad Media, no es probable que Dante hubiese reconocido en ellas a Guillermo y Renoardo. La mención de los dos personajes caballerescos en la *Commedia* no significa necesariamente que Dante se refiera a las estatuas.

[48] En su libro *Los cantares de gesta franceses*, Madrid, 1952, pág. 183, nota 8, y en *RFE* XXXVIII (1954), págs. 330 y ss.

[49] Aparece bajo el nombre de Arnalt von Gerunde también en el *Willehalm* (v. 238, 22, etc.). Hernaut de Gerona y su hermano Bernardo de Brusban son las figuras principales del *Fragmento de la Haya*, que hace suponer la existencia de un poema perdido, *Le Siège de Gérone*.

[50] Ed. L. Demaison, Paris, 1887 (Soc. Anc. Textes Frç.).

[51] Tampoco creo en la hipótesis de Martín de Riquer, publicada en el *Boletín de la Real Academia de Buenas Letras de Barcelona*, XXV (1953), págs. 127-144, sobre *Balçan* o *Bauçan* (el caballo de Guillermo) > *Babieca* (el caballo del Cid). La explicación de *Bauçan* < *balteus* "cintura" ya fue dada por Meyer-Lübke (en *REW*, 919) y otros. Significa "caballo con manchas blancas y negras". *Babieca* proviene de *bava, babea(do)r* (Diez, *EWb*; Meyer-Lübke, *REW*. 852 a 853); la significación "necio" es secundaria,

Admitiría, en cambio, cierta relación literaria entre las dos oraciones del *Couronnement Louis* (también del ciclo de Guillermo) y el *Poema de Mio Cid*[52], aunque me parece que la del *Couronnement*[53] es más tardía que la del *Cid*. En todo el ciclo de Guillermo aparecen ya motivos fantásticos (incluso gigantes, amazonas, etc.)[54] que hablan en favor de una fecha tardía (según P. A. Becker[55] y D. McMillan[56] después de 1165), probablemete un poco posterior a la del *Poema de Mio Cid*.

Sabemos que la influencia de la épica castellana sobre la francesa comienza hacia el año 1160 (*Condesa traidora*)[57]. No creo que sea imposible que también el *Mio Cid* fuese conocido en Francia ya por ese tiempo. En el capítulo siguiente hablaré de la cobardía de los Infantes de Carrión. Cobardes semejantes a ellos reaparecen en la épica de Guillermo, cuando Guiborc se encarga de la defensa de Barcelona[58]. También podría pensarse en establecer algún pa-

---

como lo es también la etimología popular dada al caballo del joven Cid en el cuento epigónico de la tardía *Crónica particular del Cid*, cap. 2 (comentado por Menéndez Pidal, *Cid*, pág. 501).

[52] Cfr. L. Spitzer, *Zu den Gebeten im "Couronnement Louis" und im "Cantar de Mio Cid"* (*Zeitschrift für frz. Sprache u. Lit.*, LVI (1932), páginas 196 ss.), y D. Scheludko, *Über das altfrz. Gebet* (*ibid.*, LVIII, 1934), págs. 65 ss. y 171 ss.). — Sobre el problema de las oraciones véanse las observaciones del cap. *Estilo y cronología*, págs. 123 y ss.

[53] E. Langlois en su edición (París, 1925) cree que el texto fue escrito en 1130: el contenido y el estilo del poema da, sin embargo, la impresión de haber sido compilado hacia fines del siglo.

[54] Para más detalles, véase J. Frappier, *Les chansons de geste du cycle de Guillaume d'Orange*, Paris, 1955.

[55] *Das Werden der Wilhelms- und der Aimerigeste*, Berlin, 1939.

[56] *La chanson de Guillaume*, Paris, 1949 s., Soc. Anc. Textes Frç. También queda el problema de si el amanuense de la *Crónica de Turpín* en el códice de Santiago de Compostela (escrito antes de 1173) pensó en el *Mio Cid*, v. 268 "barba tan complida" (como ya he supuesto en *ZRPh.* LXIX, 1953, págs. 414 ss.), cuando hizo al emperador Carlos llamar "barba óptima" a Roldán caído, variante o añadidura que no se encuentra en el manuscrito de París.

[57] *Est. ép. med.*, págs. 75-88; *Cataluña en la canción de Guillermo...* Los acontecimientos históricos influyen ya en el *Roland* desde la toma de Toledo y la batalla de Sagrajas (años 1085 y ss.); después lo harán el *Mainete* y el *Rodrigo* (*Anseïs de Cartage*).

[58] Véanse las notas 65 y 66. En las *Enfances Vivien* el héroe cae en

rentesco literario entre la figura de Guiborc, la esposa de Guillermo (que según la leyenda [59] le ayuda en las conquistas de "Orange",

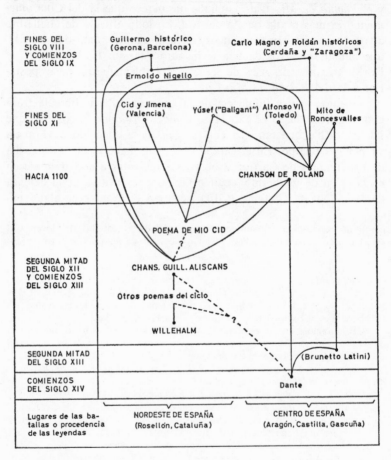

poder de Gormond, que lo vende a unos mercaderes (destino parecido al de Tristán, Haveloc y de Olaf Tryggvasonar; véase *Est. ép. med.*, páginas 113 y ss.).

[59] Véase W. Cloetta, *Les deux rédactions en vers du Moniage Guillaume*, II, Paris, 1911; Soc. Anc. Textes Frç., págs. 126 ss.: "l'histoire reste absolument muette pour Guibourc... Les auteurs des chansons de geste n'au-

Narbona y Barcelona), y Jimena, quien, como es bien sabido, toma
parte activa en la defensa de Valencia, incluso después de la muerte del Cid. Es de notar que en la épica francesa más antigua del
tipo *Roland, Gormond,* etc., ninguna mujer desempeñaba un papel
notable y significativo. La primera que aparece es Guiborc. Algo
más tarde veremos también a Galiana, trazada según la pauta de la
mora Zaida, del *Mainete* [60].

Llamamos la atención del lector de la *Chanson de Guillaume*
también sobre el "bone fut l'ore que" (en el verso 948) que, con
otros rasgos estilísticos, recuerda el *Poema del Cid,* y ante todo
sobre el realismo de las descripciones en el *Guillaume,* mucho más
fuerte que en el *Roland* y comparable solamente con el de la épica
castellana.

Aunque los autores y la lengua del ciclo de Guillermo no proceden del sur de Francia (sino de Normandía) [61] y el poeta del *Mio
Cid* no es catalán, los acontecimientos principales que relatan ocu-
rren en estas regiones, y las obras poseen algunos rasgos comunes a esta épica "oriental" [62] francesa y castellana, que bien mere-

---

raient donc guère pu trouver le nom des femmes de Guillaume que dans le
testament".

[60] Véanse R. Menéndez Pidal, *Historia y epopeya,* Madrid, 1934, páginas 263 y ss. y mis *Est. ép. med.,* págs. 89 y ss. Tb. *Interpretaciones hist.-leg.*
El amor constante de la mujer que acompaña a su marido es también el
tema del *Poema de Fernán González,* de fecha más tardía que la del *Mio
Cid,* mientras que los recios caracteres femeninos de la *Condesa traidora,*
el *Rodrigo,* los *Infantes de Lara* (doña Llambra) y el *Cerco de Zamora*
(doña Urraca) son demasiado violentos en sus pasiones para ser comparables a la idealización femenina en el *Mio Cid* y en los poemas del ciclo de
Guillermo.

[61] Véase *Cataluña en la canción de Guillermo...*

[62] Junto con la reconquista del territorio cristiano vemos dos movimien-
tos casi independientes hacia el sur: los francos en Cataluña —los españoles
en Navarra, Asturias y Castilla; más tarde, el Cid en Barcelona y Valencia—
Alfonso VI en Toledo. También la épica literaria se concentró en dos regiones y ámbitos separados: la del Cid y la de Guillermo en el este de
la península— la de los dos "Imperatores" Alfonso y Carlomagno en el
centro del país (Toledo y Zaragoza). A la épica franco-hispana del Este
pertenece también el *Folque de Candie,* que trata principalmente de Barcelona y la región de Gandía al sur de Valencia. El título *Guillaume
d'Alicante* (véase A. M. Zanetti, *Latina et Italica D. Marci Bibl. Codicum*

cerían ser puestos de relieve e investigados en el futuro partiendo
de este punto de vista. Por ahora, me limitaré a dar un cuadro de
las posibles relaciones entre los poemas más importantes [63].

JUSTICIA: EL MITO DE LAS DOS ESPADAS DEL CID [64]

El cantar tercero del *Poema de Mio Cid,* que cuenta la afrenta
de Corpes, comienza con el episodio fabuloso del león en el palacio de Valencia. El miedo de los Infantes de Carrión parece ridí-
culo, pues uno de ellos, Fernando González, "metiós sol esçaño,
tanto ovo el pavor" (v. 2287), mientras que el otro, Diego González, "tras una viga lagar metiós con grant pavor, el manto e el brial
todo suzio lo sacó" (vv. 2290-91) [65]. A Fernando le llaman *lengua
sin manos* (v. 3328), es decir hablador cobarde, fanfarrón poco
activo (sin manos, por ejemplo, en el campo de batalla). Cobardía
igualmente grotesca muestran en la lid, cuando se dan por vencidos al ver las espadas Tizona y Colada en manos de Pedro Ver-
múdez y Martín Antolínez (vv. 3644, "antes que el colpe esperasse
dixo: vençudo so"; 3665, "valme, Dios glorioso, señor, cúriam
deste espada" [66]. La inverosimilitud de ambos episodios es muy evi-

manuscriptorum... Con appendice d'alcuni manuscritti in lingua francese an-
tica, Venezia, 1741, pág. 258) es confusión con *Aliscans.*

[63] Para García Ordóñez y Ganelón y para el *Willehalm* véanse las notas respectivas de los capítulos siguientes, para la *Chanson de Roland* y la
Divina Comedia, cfr. mis *Est. ép. med.* y *Veltro und Diana.* Para este último (págs. 25 y ss.) añado aquí que Luis el Piadoso está pintado con manto
real en el manuscrito de la obra de Hrabanus Maurus (Fulda, años 831 a
840); cfr. *Frankfurter Allgemeine Zeitung,* 13 de junio de 1956, pág. 8.
El famoso Thierry de Ripuaria, el "galgo" de la visión de Carlomagno en
el *Roland* (que venga la muerte de Roldán venciendo en duelo a Pinabel,
el pariente de Ganelón), era hermano de Guillermo de Tolosa y fue también muy estimado por Luis el Piadoso, quien, en 816, le nombró "missus"
en los condados de Autun, Nevers y Auxerre; véase E. Mabille, *Les inva-
sions normandes dans la Loire,* Chartres, 1869, pág. 9.
[64] Una parte de este capítulo aparece también en mi artículo *La justice
dans l'épilogue de la Chanson de Roland et du Poème du Cid,* en los *Cahiers
de Civilisation Médiévale,* III, Poitiers, 1960, págs. 76 ss.
[65] En las *Enfances Guillaume* es Tiebaut, el primer esposo de Guiborc,
quien tiene miedo a los leones, osos, etc.
[66] En la *Chanson de Guillaume* Tiebaut y Esturmí huyen cobardemente

dente [67]. Ya he puesto de relieve anteriormente [68] que el relato de la afrenta de Corpes hace pensar en una fecha tardía para el tercer canto, pues en él no predomina el carácter histórico de lo anteriormente narrado. Una parte de la trama y las circunstancias del castigo de los infantes parecen ser reminiscencias del proceso de Ganelón en la *Chanson de Roland*. Para dar un carácter propio y adecuado a su relato, el poeta (o refundidor) inventó el tema de las dos espadas.

Aparte de otras espadas que poseía, el Cid ganó Colada y Tizona [69]; esta última, en la batalla contra el 'rey' Búcar de Ma-

---

y dejan a Viviano y a Gerardo con sus menguadas tropas en el Archamp. Cfr. los versos 380 "Tedbald le cuard conte" y 346 "De la pöur en ordeiat sa hulce" (por el miedo que tenía ensució la cubierta de la silla de caballería).

[67] R. Menéndez Pidal (en su respuesta a la polémica de L. Spitzer), *Poesía e historia en el Mio Cid* (*NRFH*, III, 1949), pág. 114, admite algunos "episodios puramente ficticios, por ejemplo... el león escapado de su jaula..., es seguramente ficción antihistórica el decir que los Infantes de Carrión quedaron por traidores ante el rey, vencidos en duelo". Cfr. tb. A. Castro, *Poesía y realidad en el Poema del Cid*, artículo contenido en el volumen *Hacia Cervantes*, Madrid, 1957.

[68] *Interpretaciones hist.-leg.*, nota 13, *Cataluña en la canción de Guillermo...*, *Est. ép. med.*, págs. 278 ss. El sentido de la indicación dada por el autor del canto segundo en el verso inicial queda explicado —de una manera no completamente satisfactoria— por Menéndez Pidal. Dice que "el verso 1085 del poema de *Mio Cid* indica que éste no se recitaba entero: "Aquís conpieça la gesta de Mio Çid el de Bivar", dice el juglar para empezar a referir la conquista de Valencia; allí [comienza] una recitación, prescindiendo de todo lo anteriormente escrito por el poeta; y un anuncio así de comienzo puede repetirse delante de cualquier parte del poema" (*Romancero hispánico*, I, Madrid, 1953, pág. 197). — Ahora hay que comparar también el artículo importantísimo (cf. mi capítulo *Hacia una nueva cronología*) de Menéndez Pidal, *Dos Poetas en el Cantar de Mio Cid*, en *Romania*, LXXXII (1961), págs. 145 ss. Según esta concepción, el "plan de la obra" (pág. 191) pertenece al "poeta de Gormaz". Uno podría preguntarse, sin embargo, si el episodio esencialmente legendario de los Infantes, indudablemente embarazoso, se escribió todavía durante la vida de ellos, de Jimena y de una de sus hijas. Podría ser ampliación del "poeta de Medinaceli", que conocía probablemente la leyenda de Roldán tal como la contó el autor de la *Chanson*.

[69] Nombre (= "la ardiente espada") que según Menéndez Pidal "corresponde bien al antiguo nórdico brandor" (*Cantar*, ed. cit., pág. 663).

rruecos (v. 2426), que había venido a atacarle en Valencia ("este nombre es sin duda el del famoso general almorávide Sir ben Abu-Beker, pero éste sobrevivió al Cid y no se sabe que haya atacado a Valencia") [70]. El poeta se la hizo ganar después del episodio del león, pero todavía al principio del cantar tercero en un momento mítico muy a propósito. El Cid, en vez de conservar las espadas, las da a sus yernos, los Infantes de Carrión (2575) —lo que es psicológicamente incomprensible, pues éstos ya habían dado muestras de su fantástica cobardía en el incidente del león. Después de la afrenta en el bosque de Corpes, el Cid reclama sus espadas en la corte del rey y le son devueltas. Luego serán entregadas a quienes combatan por el Cid, aunque los Infantes pretendan excluirlas de la lid.

La justicia y el procedimiento de la lid, tanto en el castigo de los Infantes de Carrión como en el de la estirpe de Ganelón, corresponden todavía al "mos... antiquus Francorum", en el relato épico del duelo entre Bero y Sanilo (año 820, cerca de Aquisgrán), según lo describe Ermoldo Nigello en su poema *In Honorem Hludowici* [71] sobre la conquista de Barcelona y las expediciones de los francos al norte de Francia. El texto dice: "Ut quicumque fidem regi servare perennem Abnegat ingenio, munere sive dolo, Aut cupit in regem, sobolem seu sceptra misellus Arte inferre aliquid, quae sonat absque fide, Tum si frater adest, qui se super haec quoque dicat, Tunc decet ut bello certet uterque fero Regibus et Francis coram cunctoque senatu... Judicioque dato Francorum ex more vetusto Arma parant, trepidi currere [72] in arma volunt" [73].

---

[70] R. Menéndez Pidal, *Cantar de Mio Cid* (Madrid, 1945), pág. 516. La propia espada del Cid, sin la cual la primera de las otras dos no podía ser conquistada, no tenía nombre. Parece que fue olvidada por el autor del poema en el curso de la narración.

[71] Ed. E. Faral, Paris, 1932 (Les Classiques de l'Histoire de France au Moyen Âge), pág. 136, v. 1796.

[72] Lo que no hacen los Infantes de Carrión, muy al contrario que Pinabel en la *Chanson de Roland*.

[73] Op. cit., págs. 136-138, vv. 1798-1804; 1822-1823. La influencia del episodio de Bero y Sanilo en el poema de Ermoldo sobre el epílogo de la *Chanson de Roland* es muy evidente y ha sido ya puesto de relieve por G. Chiri (*L'epica latina medievale e la Chanson de Roland*, Génova, 1936), y R. M. Ruggieri (véase la nota siguiente); otras semejanzas entre los dos

Con el castigo de los Infantes de Carrión el autor (o los autores) de *Mio Cid* pone(n) término a su poema, conforme a la pauta de la *Chanson de Roland* (castigo de Ganelón) [74]. Las dos espadas (la segunda de ellas probablemente inventada con tal fin, lo mismo que la muerte de Búcar) adquieren una gran significación [75], y la acción queda adaptada a un esquema convencional. En el cantar de la afrenta de Corpes las dos espadas constituyen el símbolo de la justicia (humana y divina) [76], o el derecho y la fuerza al servicio de éste. La justicia es uno de los temas centrales en la épica románica medieval (*Chanson de Roland, Divina Comedia*) [77], que sobrevivió particularmente en España, en donde continuó presente en la literatura del Siglo de Oro (Cervantes [78], Lope [79], Calderón [80]).

---

poemas fueron estudiadas también por mí (*ZRPh*, LXVI, 1950, págs. 249 ss. y *Est. ép. med.*, págs. 246 ss.).

[74] Véanse R. M. Ruggieri, *Il processo di Gano nella Chanson de Roland*, Florencia, 1936, y mi libro *Veltro und Diana*, págs. 11-23. Cfr. también la figura del conde Garci Ordóñez, el enemigo del Cid, quien aconseja y defiende a los infantes, y que ya aparecía en el *Carmen Campidoctoris* (después de 1090), que podría haber influido en la figura de Ganelón (mi observación en *Interpretaciones hist.-leg.*, pág. 28).

[75] Sobre estas reliquias, véase también E. Huerta, *Poética del Mio Cid*, Santiago de Chile, 1948, págs. 208 ss.

[76] Las explicaciones de Menéndez Pidal (*Cid*, págs. 517, 658-668, 1218; *Esp. Cid*, pág. 581), tendrán que ser completadas con estas observaciones.

[77] Véase *Veltro und Diana*, passim. El tema del castigo (mediante la lid) fue desarrollado también en la leyenda de los Infantes de Lara (Mudarra: Ruy Velázquez), lo mismo que en la *Thidrekssaga* noruega (Thidrek: Sifka; Thidrek: Heime) y en las *Dietrichs Flucht* y *Rabenschlacht* alemanas (Eckhart: Ribstein y Sibech), pero aquí falta el proceso legal; el derecho es "lógico" e impulsivo, la venganza, primitiva. Cfr. *Est. ép. med.*, páginas 179-182.

[78] *Don Quijote*.

[79] *El castigo sin venganza; El alcalde de Zalamea*.

[80] *De un castigo tres venganzas; A secreto agravio, secreta venganza; Las tres justicias en una; El alcalde de Zalamea; La vida es sueño*. Cfr. mi artículo *Der gegensätzliche Parallelismus westromanischer Dramentechnik* (Estudios dedicados a Menéndez Pidal, IV, Madrid, 1954, págs. 509-534).

TOLERANCIA: EL CID EN CASTEJÓN

Según las coplas XXV y XXVI del *Poema de Mio Cid*, el héroe se decide a abandonar Castejón de Henares, que había conquistado, y después de haber cobrado el quinto del botín, conforme a lo ordenado por el rey Alfonso VI [81], trata a los vencidos con tantos miramientos, que éstos por fin le dan su bendición. He aquí el texto de los versos 517 y 527-541 (en la edición crítica de Menéndez Pidal): "nin cativos (= cautivos) nin cativas non quiso traer en su conpaña... Moros en paz, ca escripta es la carta (= la capitulación por escrito), buscar nos ie el rey Alfonsso, con toda sue mesnada. Quitar quiero Castejón, oíd, escuelas (= séquito) e Minaya! Lo que dixiero non lo tengades a mal: en Castellón non podriemos fincar; çerca es el rey Alfonso e buscar nos verná (= vendrá). Mas es castiello non lo quiero hermar (= yermar); çiento moros e çiento moras quiero las i quitar, por que lo pris dellos que de mí non digan mal. Todos sodes pagados e ninguno por pagar. Cras a la mañana pensemos de cavalgar, con Alfons mío señor non querría lidiar. Lo que dixo el Çid a todos los otros plaz. Del castiello que prisieron todos ricos se parten; los moros e las moras bendiziéndol están". El proceder mesurado del Cid será reconocido incluso por Ben Alcama, historiador árabe "malévolo de costumbre" [82], en cuanto hace respetar la propiedad (y la religión) de los moros de España, con quienes quiere convivir en jus-

---

[81] Véase Menéndez Pidal, *Cantar,* pág. 1046, nota: "Alfonso amparaba a los moros que se le habían sometido, defendiéndolos contra toda violencia de los cristianos; así, algo después de esta correría del Cid, el rey desató su ira contra los cristianos de Hita, que atacaron a los moros de Guadalajara...; y Rodrigo Toledano cuenta que hasta quiso quemar a la reina, su mujer, y al arzobispo de Toledo, porque habían atropellado la mezquita de los moros de esta ciudad". El mismo autor dice en *Poesía e Historia en el Mio Cid,* pág. 122: "el Cid... infunde la más reverente admiración no sólo a cristianos sino a musulmanes que veían en el odiado héroe castellano 'un milagro de los grandes milagros del Creador"'... frase de Ben Bassam". Mi interpretación de *hermar* = yermar, véase en *Interpr. hist.-leg.,* nota 13.

[82] Menéndez Pidal, *La España del Cid,* pág. 601.

ticia y tolerancia [83] —a excepción de los almorávides de Yúsef, lle-
gados más tarde, después de la conquista de Valencia [84].

Opina Menéndez Pidal que nos hallamos "a cien leguas del
Carlomagno que en el *Roland* exige a fuego y espada la conversión
de los sarracenos" [85]. En los versos 3662-3664 y 3668-3670 de la

---

[83] El Cid tiene por "amigo el moro Avengalvón" (v. 2636). La tolerancia del Cid sólo será superada por la moral de la ficción, ya casi enteramente poética, del *Willehalm* alemán, en que se pide misericordia para los
judíos, paganos y heréticos (162, 28-30 de la ed. de Lachmann, Berlín, 1872).

[84] *Esp. Cid*, págs. 601-602.

[85] *Op. cit.*, pág. 618. En *La épica francesa y el tradicionalismo* (Barcelona, 1958) encontramos la observación siguiente (pág. 19): "Si el *Roland*
hubiera sido concebido dentro del ideario del siglo XI, Carlos hubiera pasado a cuchillo a todos los de Zaragoza" —lo que en la mente del autor
parece efectivamente que el rey había hecho, exceptuando sólo a los moros
que se convertían al cristianismo. La polémica importante, y necesaria en
parte, contra Bédier, contenida en el mismo tratado de Menéndez Pidal, pone
de relieve que "en el principio era la historia" (pág. 70), y luego la "historia cantada" (pág. 73), cosa que nosotros subrayaríamos también, aunque
esto no excluya la existencia de diversos estratos formados por la lenta
evolución de las leyendas, las añadiduras constantes y las combinaciones, a
veces muy arbitrarias, de hechos diferentes. Por ello, no eliminaría la idea
de la cruzada (del siglo XI) de la versión de Oxford (cfr. M. P., págs. 15 y
siguientes), si bien en esta época los pueblos cristianos no intentasen el
bautismo de los vencidos a la fuerza (este elemento de la canción pertenece
a un sustrato temprano de la leyenda), ni aproximaría las fechas en que se
originaron los episodios de Tierri y Pinabel y de Baligant. (M. P., pág. 89),
que muy probablemente estaban separados por más de 250 años: la época
lejana de Luis y Ermoldo (véase Ruggieri, *Il processo di Gano*, págs. 75 y
siguientes) y la época tardía de Alfonso VI y Yúsuf (véanse Boissonnade,
op. cit. en la nota 87, y *Est. ép. med.*, passim), respectivamente. (Tampoco
afirmaría la conclusión referente a Eginhardo en la pág. 54 de M. P.; ¿dónde estaría la historia cantada de Eggihardus y de Anshelmus?). Es intere-
santísimo el relato sobre el prodigio del sol detenido (M. P., págs. 41 ss.) en
los *Anales Anienses* (siglo X), detalle de origen bíblico, que, sin embargo,
no había de pertenecer necesariamente a la leyenda de Roldán ya por ese
tiempo (si bien pertenecía a un episodio histórico-legendario de las campañas de Carlomagno en España); el autor del poema épico podría haber
tropezado con él para insertarlo en su obra aún más tarde. El valor esencial
de la *Nota Emilianense* me parece consistir en la mención de Roncesvalles
y de Roldán y Oliveros, pareja que podría proceder de la pauta dada por
Virgilio (Euryalus y Nisus; cfr. *Veltro und Diana*, pág. 35). Hacia 1070 existía quizá una leyenda de Roldán y Oliveros, y alguna breve canción (¿latina?), pero probablemente ningún poema épico al estilo del *Roland*.

canción francesa se lee [86]: "Les sinagoges et les mahumeries: A
mailz de fer et a cuignées qu'il tindrent Fruissent les ymagenes et
trestutes les ydeles... Meinent paiens entresqu'al baptestirie. S'or i
ad cel qui Carle voillet cuntredire, Il le fait prendre o ardeir ou
ocire". Según Ermoldus, Luis el Piadoso, después de la conquista
de Barcelona, purificó los templos donde los moros solían rendir
culto al "demonio" (v. 568, "Mundavitque locos, ubi daemonis alma colebant"). Cumple decir, sin embargo, que esta cruel intolerancia atribuida en el poema al emperador Carlos podría muy bien
reflejar algún episodio de la guerra que el otro "emperador", Alfonso VI, hacía contra los almorávides venidos del continente afri-
cano, en el caso de que la batalla de Baligant constituya un reflejo
de la incursión de Yúsuf y el autor del *Roland* haya combinado
la historia de Carlomagno con la de Alfonso VI de Castilla [87]. La
conducta intolerante de los francos en "Zaragoza" habría de corresponder entonces a la nueva táctica de los jefes castellanos, adop-
tada únicamente frente a los musulmanes extrapeninsulares. Sin embargo, se han señalado actos de intolerancia también contra los judíos de Toledo [88].

Aparte de esta situación particular frente a los almorávides,
que según la concepción alfonsí y cidiana exigía medidas extraor-
dinarias, la postura básica de ambos pueblos era de convivencia y
de tolerancia. Dice A. Castro que los españoles cristianos vivían
"bajo un horizonte de tolerancia trazado por el Islam" [89] hasta que
ya en el siglo XIV los mahometanos "dejaron de ser temibles y admi-
rables" [90]. Habría, por consiguiente, que destacar otro factor im-

---

[86] En el texto de Hilka-Rohlfs, 4.ª ed., Tübingen, 1953.

[87] P. Boissonnade, *Du nouveau sur la Chanson de Roland*, Paris, 1923,
passim.— M. de Riquer, *Los cantares de gesta franceses*, Madrid, 1952, páginas 81 ss. — *Est. ép. med.*, págs. 343 ss., *Interpr. hist.-leg.*, passim.

[88] J. Amador de los Ríos, *Historia social, política y religiosa de los Judíos en España*, Madrid, 1960, cap. IV.

[89] *La realidad histórica de España*, México, 1954, pág. 219. Ver tb., página 222: La tolerancia "no era un aspecto del orden teológico y metafísico
de la Edad Media... La tolerancia española era expresión de un 'modus
vivendi' y no de una teología". En cambio, C. Sánchez-Albornoz en su obra
España, un enigma histórico, Buenos Aires, 1956, tomo I, págs. 291 ss.
opina que los árabes no eran tan tolerantes como Castro cree.

[90] Op. cit., pág. 222.

portante, cuyo sentido podría resumirse así: tolerancia en vista de un propósito político y religioso determinado. Los documentos históricos, la legislación y los dogmas revelan casi uniformemente que la idea de tolerancia se originó también por una hábil táctica política[91] así como por el deseo de proselitismo. El hundimiento total de estos ideales se produjo cuando los moros y los judíos fueron desterrados, después de la derrota definitiva de los adversarios, antes muy temidos pero ya no peligrosos, y después de haberse hecho evidente que la idea de convertir a los infieles en amplia medida no se realizaría nunca.

En cuanto a los mahometanos, parece ser que los califas no se sintieron llamados a "salvar" las almas de los cristianos (no tenían que ser convertidas necesariamente)[92]. Su deseo de establecer un mundo de creencias uniformes fue menos intenso entre ellos que entre los pueblos cristianos. En cuanto a los cristianos, valía en general lo escrito por el apóstol Santiago: "qui converti fecerit peccatorem ab errore viae suae, salvabit animam ejus a morte, operit multitudinem peccatorum" (*Jacobo*, v. 20), frase citada también por Bernardo de Claraval (*Sermones in Cantica* LXIV, 8).

El mismo Bernardo subraya en su *Epístola* CCCLXIII del año 1146: "Non sunt persequendi Judaei"[93], y la ley VI de la última de las *Siete Partidas* de Alfonso el Sabio dice: "Fuerza nin premia non deben facer en ninguna manera a ningunt judío porque se torne cristiano, mas con buenos exemplos et con los dichos de las santas escrituras et con falagos los deben los cristianos convertir a la fe de nuestro Señor Jesucristo; ca nuestro Señor non quiere nin ama servicio quel sea fecho por fuerza". Esto corresponde casi exactamente al capítulo *De infidelitate* en la contem-

---

[91] Ésta, más bien que la idea humanitaria de tolerancia, parece determinar la clemencia del Cid con los moros de Alcocer, según el texto del *Poema del Cid*, v. 619-622: "Los moros e las moras vender non los podremos, Que los descabeçemos nada non ganaremos; Cojámoslos de dentro, ca el señorío tenemos; Posaremos en sus casas e dellos nos serviremos".

[92] Cfr. A. S. Tritton, *The Caliphs and their Non-Muslim subjects,* Oxford 1930.

[93] Ya según el enunciado de Gregorio el Grande (año 598) los judíos habían de ser tratados como iguales

poránea *Summa theologica* de Santo Tomás de Aquino, que dice: "eis (= Judaeis) invitis non sunt baptizandi" (artículo 12) [94]. El autor cuenta "plures infidelitatis species" (art. 5): la ""infidelitas paganorum sive gentilium", la "infidelitas Judaeorum" y la "infidelitas haereticorum". Según un párrafo del texto (art. 11), "ritus infidelium sunt tolerandi... ad vitandum scandalum... vel impedimentum salutis eorum, qui paulatim sic tolerati convertuntur ad fidem".

Aunque la tolerancia en España fuese más bien una práctica que una doctrina, la tolerancia de la cruzada cidiana parece también reflejarse en algunas otras observaciones de Santo Tomás: "Peccatum mortale tollit gratiam gratum facientem, non autem totaliter corrumpit bonum naturae. Unde cum infidelitas sit quoddam peccatum mortale, infideles quidem gratia carent sed remanet in eis aliquod bonum naturale", aunque (según San Agustín) "in infidelibus nulla actio potest esse bona" [95] (art. 4); "Distinctio autem fidelium et infidelium est ex iure divino. Ius autem divinum, quod est ex gratia, non tollit ius humanum, quod est naturali ratione. Ideo distinctio fidelium et infidelium secundum se considerata non tollit dominium seu praelationem infidelium supra fideles" (art. 10) [96].

EMISARIOS DIVINOS (BERCEO Y DANTE)

La luminosa aparición de Santiago y de San Millán sobre los ejércitos cristianos es descrita así por Berceo: "Vinien en dos caballos plus blancos que cristal... descendíen por el aer... espadas

---

[94] Conforme a la bula *Sicut Judaeis* de Calisto II.

[95] Una huella de esta concepción inicial que caracteriza los primeros tiempos de la Edad Media se encuentra en el poema latino sobre la victoria de Pipino, anónimo del siglo IX que nos cuenta cómo se convirtieron los avaros por miedo a ser aniquilados. Para el texto cfr. *Mon. Germ. Hist., Poet. Lat. Aevi Carol.* Vol. I, págs. 116 ss., o F. J. E. Raby, *A history of secular latin poetry in the middle ages,* Oxford, 2.ª ed., 1957, tomo I, páginas 210 ss.

[96] Por lo demás, remitimos al lector interesado a la obra fundamental de Castro.

sobre mano" (*Vida de San Millán,* vv. 437 ss.). A. Castro [97] ve en esto una supervivencia de la antigua leyenda de los Dioscuros, fundida ahora con la imagen de Santiago (de Galilea y de Galicia) *Miles Christi.* No veo ningún inconveniente en admitir esta posibilidad [98], a pesar de la reacción de algunos críticos [99]. Tropezamos, en efecto, con huellas de algunas reminiscencias paganas todavía en Dante. Ejemplo de éstas es Júpiter crucificado (*Purgatorio VI*, 118 a 119: "o sommo Giove Che fosti in terra per noi crucifisso"). Se trata de una metáfora en la cual las creencias antiguas y cristianas están entrelazadas [100]. Por ello, no negaría lo plausible de una fusión del mito de los hijos de Júpiter con la venida milagrosa de Santiago y San Millán [101]. Además de ser significativa, creo que la conjetura de Castro está bien documentada [102].

Por mi parte, sólo me propongo hacer algunas referencias al tema de los Dioscuros y de Santiago en la época medieval. El mito de los Dioscuros no era ignorado por los autores del *Roman de Troie* (en donde aparecen al servicio de Hércules) [103] y de la *Divina Comedia* (*Purg.* VI, 61). Tampoco lo desconoció San Lucas, quien, en los *Hechos* (28, 11) dice que San Pablo navegó de Alejandría

---

[97] En sus libros *La realidad histórica de España,* México, 1954, y *Santiago de España,* Buenos Aires, 1958.

[98] Más que en la imagen ecuestre de Santiago (véase Castro), me fijo en el texto de Berceo.

[99] Véase Castro, *Santiago de España.*

[100] Para otras metáforas del mismo tipo, cfr. *Veltro und Diana,* pág. 73.

[101] Me refiero a la posibilidad de un enlace literario en la obra de Berceo. El "culto" de Santiago ya es otra cosa; parece que "no deriva del mito dioscórido" (C. Sánchez-Albornoz, en *Cuadernos de Historia de España,* Buenos Aires, 1958, págs. 1-42). Por ello, la supuesta vinculación de la antigua leyenda de los Dioscuros con la creencia de la venida luminosa de Santiago y San Millán es más bien una cuestión literaria que un problema "histórico" (cfr. también la nota 280, pág. 209 de *Espíritu hispánico* I).

[102] De todas maneras preferiría reminiscencia a supervivencia, en el sentido de las "légendes hagiographiques ornées de quelques débris mythologiques" mencionadas por H. Delehaye, en *Castor et Pollux dans les Légendes hagiographiques,* publ. en *Analecta Bollandiana,* XXIII (1904), págs. 427-432, y *Les Légendes hagiographiques,* 4.ª ed., Bruxelles, 1955, pág. 180.

[103] Puede ser que también la leyenda de Loherangrin (de fuente francesa), en el *Parzival* de Wolfram y en el poema épico *Lohengrin,* tenga algo que ver con el mito de los Dioscuros. Cfr. pág. 256 en este libro.

a Siracusa bajo el lema de los gemelos (probablemente un figurón
de proa), llamados *Dioscuri* o *Castor y Pollux* en algunas versiones
y también en Beda (eran aún considerados salvadores de náufragos).
Otros los consideraban dioses de la luz[104] (cfr. Berceo en el citado
texto). En la *Divina Comedia,* dos grandes luminarias[105] son San
Pedro y Santiago que originaron la fundación de los dos santuarios cristianos más importantes: uno en Roma y el otro en Santiago de Compostela.

Ya en *Hechos* 1,13 y 12,2 s. se les menciona juntos. En *Paradiso* XXV, 13-27, San Pedro y Santiago se detienen delante de
Dante y Beatriz: "Indi si mosse un lume verso noi Di quella spera
ond'uscì la primizia Che lasciò Cristo de' vicari suoi; E la mia
donna, piena di letizia, Mi disse: 'Mira, mira: ecco il barone Per
cui là giù si visita Galizia'. Sì come quando il colombo si pone
Presso al compagno, l'uno all'altro pande, Girando e mormorando,
l'affezione; Così vid'io l'uno dall'altro grande Principe glorïoso
essere accolto, Laudando il cibo che là su li prande. Ma poi che'l
gratular si fu assolto, Tacito *coram me* ciascun s'affisse, Ignito sì
che vincea il mio volto". Según el texto de Dante, los dos apóstoles
son los emisarios de Cristo, venidos a la tierra para el bien del
mundo cristiano[106]. En esta escena del *Paradiso,* el poeta reúne a
los dos gloriosos Milites Christi, antes separados por la muerte pre-
matura de uno (Santiago), el cual, ocho siglos después, hizo mila-
grosamente por la España cristiana en Compostela lo que el otro
(San Pedro) había conseguido para Italia en Roma.

---

[104] Pauly-Wissowa, *Real-Encyclopädie,* IX, Stuttgart, 1903, págs. 1.087 siguientes; 1.107 ss.

[105] En el evangelio de *San Lucas* 24,4 y en *Hechos,* 1,10 aparecen dos
hombres con vestidos lucientes y blancos, que quizás corresponden a los dos
ángeles vestidos de blanco en *San Juan,* 20,12. Castro (refiriéndose al artículo *Dioskuren* del *Reallexikon für Antike und Christentum*) ya había citado
el texto de los *Hechos* 28-11 en *Santiago de España,* págs. 151-152.

[106] Por lo general fueron santos y pontífices los considerados vicarios
de Cristo (así también en Dante); sin embargo había reyes llamados "Dei
vicarius et minister in terra" (entre los años 1200 y 1300). Cfr. sobre estos
últimos St. Gagner, *Studien zur Ideengeschichte der Gesetzgebung,* Stock-
holm-Uppsala, 1960, págs. 338 ss.

El ejemplo dantesco puede servir de paralelo a lo dicho por Castro y demostrar que la idea tan antigua de los dos emisarios luminosos que aparecen en pareja para el bien de la humanidad —aunque transformada como la de Júpiter— ha quedado viva en la épica cristiana medieval (Berceo y Dante) [107]. Subrayo que aquí no hablo sino de poesía, con miras a aclararla.

---

[107] Para otros emisarios (antiguos y cristianos) en la obra de Dante, cfr. *Veltro und Diana*, págs. 43 ss. Véase también el ejército de Cristo que "a sua sposa" (la iglesia) "soccorse con due campioni" (Santo Domingo y San Francisco) en *Paradiso* XII, 44, lo mismo que la visión del Cid (San Pedro y la ayuda de Santiago) en la *PCG*, pág. 633.

LOS GEMELOS DE LATONA

Y OTROS SÍMBOLOS SIMÉTRICOS DE LA JUSTICIA EN DANTE
(PARTICULARMENTE EN SU RELACIÓN CON EL MITO DE
RONCESVALLES) *

Dante, que nació bajo la constelación de Géminis, tiene una marcada tendencia a expresarse en símiles que designan pares o parejas. A este grupo de imágenes pertenece la de los hijos de Latona y otros símbolos simétricos que reflejan algunos aspectos fundamentales de la compleja concepción de la justicia en Dante [1].

Comenzaré con un breve comentario sobre la técnica característica del poeta, que consiste en contrastar geométricamente polos extremos. Lo hace ya sea con el propósito de armonizarlos, por ejemplo el poder papal y el imperial, o con el de oponerlos como expresiones irreconciliables del bien y del mal, como "veltro" y "lupa", el lebrel y la loba. La mayoría de las imágenes revela una multiplicidad de aspectos. Otros ejemplos los constituyen el par tantas veces discutido y que, no obstante, sigue en tela de

* Publicado en el volumen conmemorativo al séptimo centenario de Dante: *The world of Dante* (Toronto University Press, 1966), págs. 117-127.
[1] Este breve análisis resume estudios que he publicado anteriormente. Su propósito esencial, empero, es el de presentar algunas consideraciones adicionales. Puesto que en gran medida se han desarrollado independientemente de A. Gilbert, *Dante's Conception of Justice* (1925), y G. Ursini, *La Giustizia nel Poema di Dante* (1955), es de esperar que proyecten más luz sobre el tema tratado en estas obras básicas de información.

juicio, de "tra Feltro e Feltro" en *Inferno* I, 105, así como el "tra Saturno e Marte" en el *Sonetto* XXVIII, 3, refiriéndose a la "temprata stella" ("una estrella de complexión templada") en *Paradiso* XVIII, 68. Esta última representa a Júpiter reinando sobre la parte del cielo donde habitan las almas de los justos, entre el planeta Saturno que se supone frígido y el cálido planeta Marte. Antítesis o paralelos semejantes son los de Marte, el dios de la antigüedad, y San Juan Bautista, en "tra Marte e 'l Batista" (entre la estatua de Marte en Florencia y el baptisterio de San Juan Bautista), que simboliza el perverso espíritu pagano de la guerra y la confusión en oposición al amor auténtico entre los cristianos en *Par.* XVI, 47. Se mencionan como par a Apolo y Diana, "ambedue li figli di Latona" (ambos hijos gemelos de Latona) en *Par.* XXIX, 1, también llamados "li due occhi del cielo" (los dos ojos del cielo). En *Purgatorio* XX, 132, esta imagen alude a la identificación de Apolo con el sol y de Diana con la luna; en *De Monarchia*, I, 11, es un símbolo contrastante entre el poder del Papa y el del emperador. Hay también las dos figuras luminosas de san Pedro y Santiago en *Par.* XXIV-XXV; en un tiempo eran emisarios de Cristo en la tierra y a su memoria se erigieron los santuarios de Roma y Santiago de Compostela respectivamente, las principales metas de peregrinaje durante la Edad Media [2]. Entre las parejas que se mencionan más brevemente encontramos a Carlomagno y Rolando, Guillermo de Orange y Rainouart; Godofredo de Bouillon y Roberto Guiscardo. Todos ellos se distinguieron en las luchas contra los enemigos de la Cristiandad [3], y en forma significativa hallan su recompensa en *Par.* XVIII, 43-48.

La mayor parte de estas imágenes demuestra la familiaridad de Dante con la mitología de la antigua poesía griega y latina, como con las leyendas de la epopeya medieval. Están generalmente unidas al concepto de justicia del autor, constituyendo un importante aspecto de éste. Éste es el caso con la frecuente refe-

---

[2] Véase nuestro capítulo sobre "Emisarios divinos", en *Notas sobre temas épico-medievales*, págs. 88 y ss.

[3] Ya anteriormente Carlomagno había ido en auxilio de la Iglesia en Lombardía: "E quando il dente longobardo morse La Santa Chiessa, sotto le sue ali Carlo Magno, vincendo, la soccorse" *Par.* VI, 94-96.

rencia de Dante a los gemelos de Latona. La titana griega Leto, que Virgilio y Ovidio llaman Latona, era hija de Koios y Foibe. Se la conocía principalmente por ser la madre de Apolo, el dios del sol, y la cazadora Artemisa, con la que Diana fue identificada antiguamente. Antes de su nacimiento, Hera, a quien los romanos llamaban Juno, estaba celosa del amor de Zeus, o sea Júpiter, por Latona; de ahí que persiguiera a ésta, quien terminó por trasladarse a Delos. Anteriormente Delos había sido una isla flotante, pero más tarde Júpiter la había fijado firmemente al fondo del mar. Dante compara el sacudimiento del Monte Purgatorio con el sacudimiento de Delos antes que Latona diera nacimiento a los gemelos: "Certo non si scotea sì forte Delo, Pria che Latona in lei facesse 'l nido A parturir li due occhi del cielo" (*Purg.* XX, 130-132). Éstos son naturalmente Apolo y Diana, también llamados Delius y Delia, porque nacieron en la isla de Delos. La montaña tiembla cuando finalmente se hace justicia a un alma que, después de expiadas sus culpas, asciende del purgatorio al cielo (*Purg.* XXI, 37 s.).

La condición más favorable bajo la cual es posible la justicia parece estar indicada en *De Monarchia,* así como en *Paradiso.* En épocas del equinoccio los dos hijos de Latona alcanzan el equilibrio en los extremos opuestos del horizonte. Son Apolo y Diana, a los que se identifica con el sol y la luna, y que representan al Pontífice y al emperador en una de las epístolas de Dante (VI, 8). Esto se explica en *Par.* XXIX, 1-3: "Quando ambedue li figli di Latona, Coperti del Montone e della Libra, Fanno dell'orizzonte insieme zona", estando el sol en el signo de Tauro y la luna en el signo de Libra; ésta también se considera un símbolo de justicia. El texto correspondiente en *De Monarchia* dice: "Ubi ergo minimum de contrario iustitie admiscetur et quantum ad habitum et quantum ad operationem, ibi iustitia potissima est; ...est enim tunc Phebe [bajo este nombre también se conoce a la luna] similis, fratrem diametraliter intuenti de purpureo matutine serenitatis" (I, 11). En esta condición —poco frecuente— la verdadera justicia humana alcanza el grado de posibilidad más elevado. El concepto de la justicia humana de Dante puede condensarse en este símil, que también sugiere la imagen de la balanza de la justicia. No obstante, así como la luna recibe la luz del sol, el emperador depende del Pontífice, en algunos aspectos, dado que la sabiduría terrena está subordinada a la eterna.

No nos concierne directamente la pregunta de si este concepto está basado en la idea de Dante sobre el Imperio Carolingio, en Justiniano, o acaso en Averroes. Consideremos otro aspecto del mismo símil. El propio Dante había iniciado su peregrinaje por los dominios del más allá, que le hacía digno de la gracia y le familiarizaba con la justicia divina, precisamente bajo el signo del sol y de la luna en su total plenitud en el momento del equinoccio de Pascua. Esto lo explicó retrospectivamente a Forese Donati en *Purg.* XXIII, 118-121: "Di quella vita mi volse costui Che mi va innanzi, l'altrier, quando tonda Vi si mostrò la suora di colui, E 'l sol mostrai' (El que me precede [es decir, Virgilio] me apartó de aquella vida el otro día, cuando en toda su plenitud se mostró la hermana de aquél. Y yo señalé el sol).

En la *Divina Comedia,* que prefigura el mundo del más allá después del juicio de Dios, el término de "giustizia" aparece nada menos que treinta y seis veces. En las obras en latín "iustitia" aparece cuarenta y cinco veces. Designa ya sea la aptitud de juzgar con justicia, ya sea la justicia divina. Dios mismo es llamado "la giustizia sempiterna" en *Par.* XIX, 58; y los espíritus que se destacan por su justicia se manifiestan en luces que forman las letras de la frase latina *Diligite iustitiam... Qui iudicatis terram* (Ama la justicia, tú que juzgas la tierra) en *Par.* XVIII, 91 y 93. La frase entera, que copia el comienzo del *Liber Sapientiae* (*El libro de la sabiduría*) es la única de la *Divina Comedia* escrita comúnmente en letras mayúsculas, aparte de la inscripción a la entrada del infierno en *Inf.* III, 1-9, en la que encontramos, entre otras, v. 4 *Giustizia mosse il mio alto Fattore* (La justicia movió a mi alto Creador). Además "iustitia" es el tópico de varios capítulos de la obra de Dante *De Monarchia*. En este tratado el autor emplea el símil de Foibe y Febo (para la luna y el sol), que hemos comentado.

La justicia divina fue el acto principal del que fue testigo el viajero en los dominios del más allá, mientras la justicia cívica se había convertido en un asunto de la mayor inquietud para los ciudadanos exiliados de Florencia. "Iustitia... revirescet" (la justicia

renacerá), leemos en *Epístola* V sobre la misión divina del emperador Enrique VII; y "Iustitia potissima est solum sub Monarcha",
"quemadmodum cupiditas habitualem iustitiam... obnubilat"[4], están entre las numerosas afirmaciones semejantes en *De Monarchia*,
I, 11. Sustancialmente reflejan el pensamiento aristotélico tal cual
lo transmitieron los escolásticos, en particular Santo Tomás de
Aquino. Como Dante se refiere al emperador cristiano —como
Carlomagno— que es iluminado por la Iglesia, su concepto del
monarca implica la asistencia divina en las actividades de su poder
terrenal, entre las cuales descuella la justicia.

En la *Divina Comedia*, después de los cantos de Cacciaguida,
donde también aparecen mencionados Carlomagno y Rolando
(*Par.* XVIII, 43), Dante asciende al cielo del planeta Júpiter situado "tra 'il padre e 'l figlio" (entre su padre [Saturno] y su hijo
[Marte], según *Par.* XXII, 147). Es aquí donde los espíritus que
sobresalen por su justicia se ocultan en luces que asumen la forma de las letras *Diligite iustitiam ... Qui iudicatis terram* y
luego transforman la *-m* final de la última palabra en el diseño
de un lirio y de un águila. Este último es más que el mero símbolo de un imperio terrenal; y su función se amplía en forma
análoga a la de Beatrice en la *Divina Comedia*, quien representa
más que las meras virtudes femeninas. Esto también parece estar
de acuerdo con el desarrollo interno por el cual la "comedìa",
como Dante originariamente llamó la obra (en *Inf.* XVI, 128;
XXI, 2) se transforma en "poema sacro", como se la llama en una
etapa posterior (en *Par.* XXIII, 62; XXV, 1). ["*Sacri poëmatis*"
había sido aplicado una vez por Macrobio a Virgilio]. En *Purg.*
IX, 70-72, leemos: "Lettor, tu vedi ben com'io innalzo. La
mia matera, e però con più arte Non ti meravigliar s'io la
rincalzo" (Lector, tú ves bien cómo enaltezco mi asunto, y por
ello no te maravilles si exalto mi arte). El águila imperial afirma
que la justicia divina puede diferir de lo que se entiende por justicia en la tierra. Análogamente (en *Par.* IV, 67-69) Beatrice había
explicado a Dante: "Parere ingiusta la nostra giustizia Nelli occhi
de' mortali, è argomento Di fede e non d'eretica nequizia" (Que

---

[4] Cf. también "Cum... cupiditas ipsa sola sit... iustitiae praepeditiva" (*De
Monarchia*, I, 13).

nuestra justicia [o sea, en el cielo] parezca injusta a los ojos de los mortales es argumento de fe y no de inicuidad herética). A esto corresponde el "Trasumanar significar per verba Non si porìa..." (El ir más allá de lo humano no podría expresarse con palabras) de *Par.* I, 70-71.

Con frecuencia se menciona, pues, la justicia divina como incapaz de ser comprendida totalmente y, por consiguiente, inefable, o está circunscrita por la introducción de símbolos aparentemente oscuros y tomados con preferencia del lenguaje bíblico, litúrgico o semejante [5]. Analogías correspondientes también se establecen en símiles que designan la justicia humana, donde parecen prevalecer las referencias a mitos antiguos y oráculos, aunque sigue implicándose la asistencia divina. Esta técnica de la expresión poética se hace evidente en las imágenes constrastantes de Marte y San Juan Bautista en la *Divina Comedia*, como también en las de los gemelos de Latona —Apolo y Diana— en *De Monarchia* y en la *Divina Comedia*. Si estos últimos pueden estar en perfecta armonía (representando así el momento apropiado para la justicia en la tierra), aquéllos se mantienen en extrema desarmonía (y representan, respectivamente, la calamidad destructiva y el pacífico bienestar cristiano).

En la *Divina Comedia* las imágenes clave se completan a menudo retrospectivamente con referencias posteriores, o son introducidas en una mención más breve en un pasaje anterior, con el fin de preparar su aparición posterior en un primer plano y en un contexto más amplio. Frecuentemente también están relacionadas con otros símiles que ilustran, o bien conceptos paralelos o sus antónimos, estableciendo así una interrelación entre un grupo más amplio de ideas. En ocasiones se yuxtaponen símiles sinónimos de significado más limitado, así como términos utilizados con una connotación más extensa o más específica. Así se alude a Apolo como "delfica deità" en *Par.* I, 22, a causa de su famoso oráculo en Delfos, donde se encontraba su templo más importante. El nombre de

---

[5] Una de las excepciones: cuando Dante compuso el último verso de la *Divina Comedia* "L'amor che move il sole e l'altre stelle" —*Par.* XXXIII, 145—, puede haber recordado el "amor, Quo caelum regitur" en *De Consolatione Philosophiae*, VIII, de Boecio, citado en *De Monarchia*, I, 9.

Diana, que generalmente se refiere a "la figlia di Latona" (*Par.* X, 67; XXII, 139), también fue atribuido a un río que se suponía existía debajo de la ciudad de Siena. Esta corriente legendaria nunca fue hallada, pero en el tiempo de Dante los habitantes de Siena aún guardaban "la speranza... a trovar la Diana" (*Purg.* XIII, 153). El supuesto río subterráneo debía su nombre a la creencia de que en un tiempo una estatua de la diosa se había alzado en la plaza del mercado de Siena.

Otro templo y estatua legendarios que se mencionan repetidamente en la *Divina Comedia* son los del dios de la guerra, Marte. Dante, refiriéndose a los ciudadanos de Florencia, dice: "Molti han giustizia in cuore, e tardi scocca, Per non venir sanza consiglio all'arco; Ma il popol tuo l'ha in sommo della bocca" (*Purg.* VI, 130-132), queriendo expresar que muchos que albergan en sus corazones el concepto de la justicia sólo hablan de ella, en lugar de ejercerla. Florencia es la ciudad que cambió a su primer patrón (Marte) para escoger a San Juan Bautista, aunque el mal espíritu sigue visible en la orilla del Arno, donde fue colocada la estatua de Marte después de la destrucción de Florencia. En las crónicas se le había atribuido esto a Atila, rey de los hunos, a quien se confundió con Totila: "I' fui de la città che nel Batista Mutò il primo padrone; ond' e' per questo Sempre con l'arte sua la farà trista; E se non fosse che 'n sul passo d'Arno Rimane ancor di lui alcuna vista, Que' cittadin che poi la rifondarno Sovra 'l cener che d'Attila rimase, Avrebber fatto lavorare indarno" (*Inf.* XIII, 143-150). La expresión de Cacciaguida "tra Marte e 'l Batista" también se refiere a la estatua ecuestre que solía encontrarse donde se construyó el Ponte Vecchio, y al Baptisterio de San Juan. El propio Battistero di San Giovanni es un templo de Marte transformado. Cuando en el siglo IV se dedicó la iglesia a San Juan, es posible que se desplazara a orillas del Arno la estatua de la divinidad pagana. (No obstante, Marte bien pudo ser una corrupción de Marco, representando en dicho caso una estatua ecuestre de Marco Aurelio, que más tarde se tomó equivocadamente por la del dios de la guerra) [6]. En el tiempo de Totila la imagen cayó al río; en la era

---

[6] Cfr. E. von Richthofen, *Veltro und Diana — Dantes mittelalterliche und antike Gleichnisse,* Tubinga, 1956, pág. 5.

carolingia se situó sobre un pilar cerca del Arno, y durante la inundación de 1333 desapareció en el agua. Boccaccio afirma que fue recobrada más tarde muy destruida por los elementos. Pero esto corresponde a lo que ya indicó Dante, quien se refirió a ella como "pietra scema" (piedra derruida): "Ma convenìesi a aquella pietra scema Che guarda 'l ponte che Firenze fesse Vittima nella sua pace postrema" en *Par.* XVI, 145-147. El símil "entre Marte y San Juan Bautista" se refiere a la situación de Florencia —y por consiguiente de sus modos de vida— entre el bien y el mal, mientras no se restablezca la justicia en cumplimiento de la profecía inicial del "veltro" que, en el notable símil de *Inf.* I, 101, aparecía contrastado con la alegoría de la "lupa", una encarnación de la avidez humana que todavía dominaba Italia en época de Dante.

El enigmático oráculo del "veltro" también es una expresión del concepto de justicia en Dante. La mayoría de los intentos por identificarlo llevaron hacia un emperador de origen humano o divino o, como sugerí anteriormente, personifica la figura de un paladín que ayuda a restablecer un imperio cristiano como el de Carlomagno. Este enfoque de la *Divina Comedia* está determinado por un esfuerzo por considerar a Dante no sólo como un exponente de la teología escolástica y como el sumo poeta del período medieval en Italia, sino por verlo particularmente en su relación con la poesía épica del mundo occidental, así clásica como medieval, incluyendo los recursos estructurales, símbolos y el estilo que estas obras tienen en común. En un libro publicado en 1956 [7] dije que la única obra en la que un "veltro" tenía una función semejante a la indicada por Dante era la *Canción de Rolando,* compuesta dos siglos antes que la *Divina Comedia.* Otros críticos ya han supuesto una posible relación entre las dos alegorías correspondientes, pero jamás se había estudiado este problema a la luz de la idea de justicia también relacionada con el antiguo mito de Diana, representada frecuentemente con su perro de caza. La misión de Diana se parecía a la de Opis, a quien encomendó una tarea Latona, la madre de Diana, en el episodio de Camila de Virgilio. Dante se refiere a ello inmediatamente después de formular la profecía del "veltro"

---

[7] *Veltro und Diana,* véase nota 6.

en *Inf.* I, 101-111: "...infin che 'l Veltro Verrà, che la farà morir
con doglia. ... Di quella umile Italia fia salute Per cui morì la ver-
gine Cammilla, Eurialo e Turno e Niso di ferute. Questi la caccerà
per ogni villa, Fin che l'avrà rimessa nello 'nferno, Là onde invi-
dia prima dipartilla" (hasta que llegue el lebrel que la hará morir
en medio de tormentos [es decir, a la loba]. ...Salvará la abatida
Italia por la que murieron Camila, Eurialo y Turno, y Niso. La
perseguirá por cada ciudad hasta volverla al infierno, de donde
salió llevada por la envidia). La codicia es el peor enemigo de la
justicia: "quod iustitiae maxime contrariatur cupiditas" (*De Monarchia*, I, 11). No obstante, una vez que se ha desterrado la codicia, ya nada es adverso a la justicia: "Remota cupiditate omnino,
nihil iustitiae restat adversum" (*Mon.*, I, 11). En *De Consolatione
Philosophiae*, IV, de Boecio, que fue uno de los poetas latinos pre-
feridos de Dante, éste había hallado la comparación de "avaritia"
con un lobo: "Avaritia fervet alienarum opum violentus ereptor:
lupus similem diceris". El paralelismo entre la profecía medieval
del "veltro" y el episodio antiguo de Camila directamente conectado con ella resulta evidente; éste último sirve para explicar el
primero, que no puede valorarse independientemente del otro.

El propósito de la misión del lebrel en Dante, como de Opis
en Virgilio (*Eneida*, XI, 532 s.; 588 s.), era de restablecer el derecho en cumplimiento de la voluntad divina. También era el del
"veltre" en la *Canción de Rolando* —un símbolo para Thierry
de Ripuaria[8] que estaba haciendo por el imperio al que servía
exactamente lo que llevó a cabo el auxiliador de Latona en Virgilio y lo que se espera llevará a cabo el lebrel en favor de Italia en
Dante, que es restablecer la justicia y el orden. En *Rolando*[9] esto
se logra por medio de un duelo que provoca y obtiene la justicia divina. Dante dedica un extenso pasaje a esta costumbre en
De Monarchia, II, 9, con referencia a *San Mateo*, XVIII, 20.

No es posible entrar aquí en los numerosos detalles y la variedad de aspectos que revelan estas comparaciones. Pero puedo re-
ferirme a otra obra de la literatura medieval que Dante conocía

---

8 Véase *Veltro und Diana*, págs. 31 s.
9 Comp. *Notas sobre temas épico-medievales*, y el capítulo sobre "Justicia: El mito de las dos espadas del Cid", pág. 80, nota 63.

muy bien y que se refiere directamente a Roncesvalles, el paraje donde fue hecha una injusticia a Rolando, el brazo derecho del emperador cristiano, y vengada por Thierry, simbolizado por el lebrel. Es el *Tesoretto* de Brunetto Latini. Después de cavilar acerca de las luchas entre güelfos y gibelinos en Florencia, el autor pierde su camino cerca de Roncesvalles, entra en un bosque y se encuentra con algunos animales antes de tener una visión de la Naturaleza, la Virtud y sus hijas, la Sabiduría, la Templanza, la Fuerza y la Justicia. Resulta obvia, pues, la familiaridad de Dante con el mito de Roncesvalles no sólo a través de la *Canción de Rolando*, de la que se conservan importantes manuscritos en Venecia, sino también a través del *Tesoretto* de Brunetto Latini.

Si las polémicas teóricas acerca de la idea de la justicia, particularmente en *De Monarchia*, manifiestan que las obras de los escolásticos, incluyendo el Derecho Canónico, son el fundamento de su concepción, los símiles poéticos que emplea Dante están tomados preferentemente de la mitología antigua y las epopeyas medievales. Esta técnica armonizadora o contrastante, que combinó e integró la plasticidad de las imágenes virgilianas, reestructuradas y ampliadas por Dante, fue ciertamente una realización única en este período de la Edad Media tardía, que también produjo innovaciones métricas como el verso endecasílabo del soneto y la terza rima. El nuevo método y técnica se convirtieron en los modelos de las generaciones posteriores de poetas, desde Petrarca a Miguel Ángel en Italia, y llegando hasta Milton en Inglaterra [10].

A más de los elementos bíblicos, hagiográficos o litúrgicos asimilados en la *Divina Comedia*, así como la influencia aristotélica o el platonismo medieval trasmitido por los Escolásticos, Dante también revivió o transformó determinados aspectos de los autores romanos Virgilio, Estacio, Lucano, Ovidio, Boecio, etc., los

---

[10] Hasta en nuestro siglo un autor como Gerhart Hauptmann se aventuró a componer en terza rima una visión dantesca del más allá en su *Der Grosse Traum* (cf. mis artículos *Gerhart Hauptmann und Dante*, en *Archiv f. d. Stud. d. Neueren Sprachen*, vol. 187, 1950, págs. 76 ss.; y *Italienische and mögliche spanische Einflüsse in Gerhart Hauptmanns Traumdichtungen*, en *Studia Philologica*, Homenaje a Dámaso Alonso, vol. III (1963), págs. 161 ss.).

mitos de la esfinge, de Lethe, de Themis [11], Camila, Diana, Apolo, Odiseo, Castor y Pollux y otros, Análogamente utilizó como fuentes de inspiración las leyendas épicas medievales francesas e italianas. La influencia del *Rolando* y el *Tesoretto* lo demuestran, así como la mención que hace, entre otros, de Lanzarote, Tristán, Hugo Capeto, Rolando, Guillermo de Orange y Arnaut Daniel. Más que cualquier otro autor medieval, Dante relacionó las tradiciones de la teología y la literatura. Aquí se borraron las fronteras, de modo que ambas pudieron asimilarse y desarrollarse ulteriormente. Una típica combinación poética del elemento cristiano con el mitológico es la invocación del "sommo Giove... per noi crucifisso" (el supremo Júpiter por nosotros crucificado), en *Purg.* VI, 118-119. En esta fusión, o contrastamiento, de los conceptos tomados de ambas esferas —que afectan toda la gama de variados sentidos que se da a sus símbolos— Dante sobrepasó ampliamente la técnica de otros autores épicos medievales, tanto en latín como en romance. Bajo su inspiración la poesía dio un importante paso hacia adelante, no sólo dentro de la evolución de los escritos medievales sino, en un sentido más extenso, al preparar el terreno para un nuevo período en la trayectoria que recorrían las Musas del Renacimiento. Un trabajo extenso sobre esta materia se publicará próximamente con el título *Dante "apollinian"*.

---

[11] La profetisa griega y representante de la ley y justicia firmemente establecidas aparece mencionada en Ovidio, *Met.,* I, 379-380, y Dante, *Purg.* XXXIII, 37-51.

LAS VISIONES DEL LEBREL EN LA *CANCIÓN DE ROLANDO* Y EL *INFIERNO* DE DANTE I, 1C1 ss.

Con referencia a la *Canción de Rolando* debemos acentuar en primer término el hecho concreto de que sólo en este monumento de la literatura aparece un "lebrel" ("veltre") al que fue impuesto un papel semejante al que más tarde obtuvo el "veltro" de la *Divina Comedia*: la función de salvador de un gran reino cristiano de sus enemigos en el interior del país. A insinuación de K. Witte, E. Boehmer [1] ya había aludido brevemente a la posibilidad de una relación entre la idea del "veltro" de Dante y las descripciones en la *Canción de Rolando,* pero sin penetrar en los problemas de la crítica del *Rolando* y el estudio de Dante relacionados con aquello. Por consiguiente, habían pasado casi inadvertidos estos argumentos esquemáticos e incompletos, si prescindimos de las alusiones aún más sucintas al artículo de Boehmer que de tanto en tanto aparecían, como —a insinuación de J. Frappier— las de P. Renucci [2] y H. Gmelin [3]. El problema se ha tratado extensamente por primera vez en un libro nuestro [4].

Aquí nos limitaremos a exponer y completar algunos puntos que están desarrollados con mayor detalle en el escrito mencionado.

---

[1] *Deutsches Dante-Jahrbuch* II, 1869, 363-66.
[2] *Dante, Disciple et Juge du Monde gréco-latin,* 1954, 90 y 174, nota 532.
[3] Dante, *La Divina Comedia, Comentario 1.ª parte,* 1954, págs. 40 s.
[4] *Veltro und Diana: Dantes mittelalterliche und antike Gleichnisse,* 1956. Cfr. en especial, págs. 7-52, y las reseñas de H. Lausberg, en *Archiv,* tomo 194, pág. 90; A. Buck, en *Romanistisches Jahrbuch,* VIII, 253 s.; P. Groult, en *Les Lettres Romanes,* XIII, 332 s.; Th. G. Bergin, en *Romance Philology,* XIII, 185 ss.

El texto de las visiones de Carlomagno en la *Canción de Rolando* dice: "Aprés li vien(t) un' altre avisiun: Qu'il ert en France ad Ais a un perrun; En dous chaeines si teneit un brohun (en los manuscritos *L, P, T*: "lyon"). Devers Ardene veeit venir trente urs (en el manuscrito *Z*: "leons"). Cascun parolet altresi cume hum, Diseient li: Sire, rendez le nus! Il n'en est dreiz que il seit mais od vos; Nostre parent devum estre a sucurs. — De son paleis vint uns veltres le curs, Entre les altres asaillit le greignur Sur l'erbe verte, ultre ses cumpaignuns. Là vit li reis si merveillus estur; Mais ço ne set li quels veint ne quels nun". (V. 2555-2567). El mismo, cuyo significado sólo se explica después del combate de Baligant (V. 3806 ss.), ya se le había aparecido en sueños a Carlomagno antes de la derrota de Rolando. El contenido de este sueño era semejante al de la visión nombrada: "Aprés iceste altre avisiun sunjat: Qu'il ert en France a sa capele ad Ais (en la versión inglesa: "In a wild forest"); El destre braz li morst uns vers si mals (en todas las demás versiones, incluso la veneciana: "un ors"). Devers Ardene (en la versión veneciana *V*4, el manuscrito de Chateauroux, la versión inglesa y el texto alemán de Stricker: "Devers Espagna [Espaigne]; from low Spain; von Spanje")[5] vit venir uns leuparz, Sun cors demenje mult fierement asalt. D'enz de sale (en las demás versiones: "del palais") uns veltres avalat, Que vint a Carles le(s) galops et les salz, La destre oreille al premer ver (en las demás versiones: "felon ors") trenchat, Ireement se cumbat al lepart. Dient Franceis que grant bataille i ad, Il ne sevent li quels d'els là veintrat". (V. 725-735).

Por el brazo derecho de Carlomagno debe entenderse Rolando, el jefe más destacado de su ejército, a quien en el manuscrito parisiense del *Pseudo-Turpín* Carlomagno califica de "bracchium dextrum corporis mei, decus Galliorum"[6]. En la epopeya en francés antiguo que se originó posteriormente, *La Chevalerie Ogier*, Car-

---

[5] Cfr. las ediciones de E. Stengel (1900) y A. Mortier (1940 y después). "In a wild forest... from low Spain (Devers Espaigne)" es aquí mucho más lógico que "ad Ais... Devers Ardene", lo que acaso originariamente no se quiso decir.

[6] Cfr. *ZRPh* LXIX (1953), 415.

lomagno sueña (V. 12446 ss.) de un lebrel que tiene en sus brazos, cuando cuatro leopardos le quieren arrancar el corazón y los miembros. Aquí el lebrel representa a Ogier, que socorre al monarca y bate a los sarracenos. En la *Chans. Rol.* el lebrel designa al paladín Thierry des Argonnes, que acompañaba a Carlomagno, quien restablece el derecho en el imperio cristiano gracias a un duelo en el que sale vencedor.

La alegoría del "veltre" vuelve a aparecer en un derivado tardío en la forma de un "levrier". Aquí se trata en primer lugar del motivo central que es la expiación del perro de caza en el *Macaire*, que ha llegado a nosotros en un solo manuscrito de origen franco-italiano y procedente de Venecia. El traidor Macaire había provocado la expulsión de la inocente reina Blanchefleur del reino de Carlomagno y había dado muerte en el bosque a su acompañante, el caballero Auberi. A consecuencia de ello varias veces es atacado y herido a mordiscos por el fiel perro de caza de Auberi, que se había deslizado dentro del palacio del Emperador. Después del descubrimiento del cadáver de Auberi, Carlomagno reconoce la culpa y el crimen de Macaire. Se organiza un duelo entre Macaire y el perro de caza, en el que el perro resulta vencedor (V. 1-1240 del *Macaire*)[7]. Más tarde se repitió y varió docenas de veces esta narración[8].

Se ha relacionado la figura del perro de caza del *Macaire* con el perro de Pirro de Plutarco[9]. Pero indudablemente también está íntimamente conectado con el "veltre" y con el duelo entre Thierry y Pinabel en el *Rol.* Finalmente, en una vaga reminiscencia de las visiones de Carlomagno en el *Rol.* el autor del *Aymeri de Narbonne* introduce treinta mil osos y leones contra una jauría de "levriers" en las tiradas XIII-XIV[10]. En el *Macaire* además merece mención otro pasaje en donde se alude al extraño hecho de que el hijo de Carlomagno, bautizado con el nombre de Luis (el Piadoso), llevara una señal en el hombro derecho (V. 1434): "Sor destre

---

[7] Ed. A. Mussafia, (1864); F. Guessard (1866).
[8] Ver los ejemplos en el prefacio a la edición de Guessard.
[9] Guessard, LXXXIII ss.
[10] Según la edición de J. Couraye du Parc (1884).

espaule une crois blanchoiant" [11]. En forma parecida relatan los *Reali di Francia* italianos que Fioravante (= Floovant), hijo de Fiorello, nació con una cruz del color de la sangre en el hombro derecho —con toda probabilidad una reminiscencia de la citada visión de Carlomagno en el *Rol.*, donde un jabalí (u oso) muerde a Carlomagno en el brazo derecho. En los *Reali di Francia* el pasaje es el siguiente: "nacque con uno sengno in sulla spalla ritta, cioè con una croce di sangue tra pelle e pelle... quello sengno fu poi chiamato el neiello (niello)" [12], y en el *Libro delle Storie di Fioravante* [13] dice: "nacque con una crocietta vermiglia in sulla spalla ritta. E quando le balie lo viddono dissono: Questi non può fallire che non sia re di Francia". El mencionado "nacque tra pelle e pelle", que posiblemente ya se encontraba en una de las primeras versiones perdidas, es un notable paralelo con el "veltro" de Dante, del que se dice que: "E sua nazion sarà tra feltro e feltro" (*Inf.* I, 105). ¿Habría de significar esto que el lebrel nacería bajo el signo de la Cruz cristiana, como los sucesores del Emperador carolingio (o bien del rey merovingio Clodoveo I)? Si bien no en italiano, está comprobado que en francés antiguo "feltrez" se relaciona con la piel infantil (en realidad, "prepucio" en los niños) [14]. No hay razón para suponer que Dante hubiera encontrado una forma correspondiente en italiano; pudo haberlo encontrado en un texto francés, adoptándolo. Finalmente aludamos al hecho de que Macaire aparece como un pariente de Ganelón. Con él pertenece a la raza de los maguntinos, que en v. 195, como también en otras epopeyas, es tachada de "malévola". El autor cuenta además entre ellos a Renaut de Montauban, quien desempeñó un papel en la región de las Ardenas o del Bajo Rin. El propio Macaire parece proceder de Lausana. Según esto se tendría la impresión de que por los enemigos del Imperio carolingio hay que entender a

---

[11] Cfr. F. Wolf, *Über die Leistungen der Franzosen für die Herausgabe ihrer Nationalheldengedichte* (1833), 138, y Guessard, *XCII*.

[12] Ed. G. Vandelli (1900), 4-5.

[13] Ed. P. Rajna (1872), 366.

[14] Cfr. *Les Gloses françaises de Raschi dans la Bible*, p. p. A. Darmesteter (1909), 64 y Tobler-Lommatzsch, *Altfranzös. Wörterb.*, III (1954), 1797.

los vasallos a lo largo de la línea renana, que no estaban particularmente interesados en que Carlomagno fortaleciera su poder, y que
quizá desearan la destrucción del ejército dominador en la frontera
de los Pirineos, más aún, contribuyeran a prepararla. A juzgar por
esto la principal oposición habría provenido de la raza de los
maguntinos que estaban situados en el recodo del Rin. Sus enemigos son los argonas que se encuentran a poca distancia hacia el
Oeste, donde Thierry [15] había tenido su fortaleza ("Tierri le duc
d'Argone"; *Rol.* 3083, 3534), el mismo territorio desde donde qui-
nientos años más tarde el monarca luxemburgués Enrique VII
—en quien Dante tenía puesto en aquella época su anhelo de sal-
vación— había marchado a Italia para hacerse coronar emperador
del Sacro Imperio Romano, una expedición que se vio dificultada
varias veces por conspiraciones y revueltas. Antes de las operacio-
nes del otro lado del Rin y durante su trascurso también se habían
tramado conspiraciones, como la del conde Halstrade de Turingia.
El peligro sólo pudo eliminarse con la sumisión de los sajones,
que se logró el mismo año de 785 (y de los bávaros en 787) —exactamente 515 años antes de la fecha de la ficción poética del peregrino del más allá en la *Divina Comedia.* De ahí que no pueda
negarse sin más cierta historicidad a los datos del *Macaire,* como
tampoco del *Rol.,* aunque no poseyera más valor que el de una
construcción histórica que puede explicarse por medio de relaciones
lógicas. En cuanto a la figura del traidor, también Dante utilizó
una que se asemeja más al tipo de Ganelón que de Macaire: la
figura del "falso Sinon greco da Troia" (*Inf.* XXX, 98 ss.).

Visto desde otras fuentes [16], la profecía del "veltre" en el *Rol.*
por el arcángel Gabriel —quien según *Lucas* I, 11 ss. había anunciado a Zacarías el nacimiento de San Juan Bautista y a la Virgen
María el nacimiento del Redentor— no sólo se referiría a Thierry,
sino también a Luis el Piadoso. Esto se nos hace tanto más eviden-

---

[15] Sobre Thierry cfr. también *Notas sobre temas épico-medievales,* nota
63. — De manera sorprendente vuelve a aparecer "Terrín d'Ardena" (en
la variante del manuscrito Escorial confusión con "Cardeña"!) en el *Poema
de Fernán González,* 518, 3.
[16] Cfr. *Veltro und Diana,* capítulo sobre la figura del Patricio, páginas 24-31.

te cuando prestamos atención a la indicación en *Historia septem Sapientium*, según la cual el perro de caza es el hijo del Emperador que lucha con la serpiente o con el lobo. Por último en *Ponthus y Sidone* sueña Brodas, el hijo del sultán de Babilonia y conquistador de "Galicia", que adopta la forma de un lobo y que lo somete un lebrel: "I dremed this nyght that I become a grete, black wolfe, and that sett upon me a grete, whyte grehounde and a brachete, and the grehounde sleve me" [17].

Indudablemente Dante conocía el *Pseudo-Turpín* y las refundiciones italianas de la epopeya carolingia, y es posible que también conociera algunos cantos heroicos franceses, entre ellos la *Canción de Rolando*, de la cual hasta el día de hoy se conservan manuscritos en Venecia. Fue Brunetto Latini, que había redactado el *Trésor*, una obra extensa y prestigiosa en lengua francesa, quien introdujo a Dante a la literatura francesa. También en la obra de Brunetto Latini encontró el mito de Roncesvalles, incorporado a su *Tesoretto* de una manera muy peculiar.

En este librito relata Latini que viajó a España para cumplir un encargo. Efectivamente los güelfos florentinos le habían enviado a la corte de Alfonso el Sabio de Castilla con un pedido de auxilio. Afirma en el *Tesoretto* que a su regreso pasó por Roncesvalles: "...nel paese Di terra navarrese, Venendo per la calle Del pian di Roncisvalle" (v. 141-144). En este valle Brunetto medita acerca de su ciudad natal Florencia con sus luchas entre gibelinos y güelfos, de cuya derrota y expulsión acabó de enterarse en esta época. Sumido en estas cavilaciones se aparta del camino y se pierde en un bosque, donde tiene varias visiones, familiares al conocedor de Dante [18], v. 180-201: "Certo lo cor mi parte Di cotanto dolore, Pensando 'l grande onore E la ricca potenza Che suole aver Florenza Quasi nel mondo tutto. Ond'io in tal corrotto Pensando, a capo chino, Perdei lo gran cammino, E tenni ala traversa D'una selva diversa. Ma tornando ala mente Mi volsi e posi mente Intorno ala montagna, E vidi turba magna Di diversi animali Che

---

[17] Ed. F. J. Mather, Jr., en *PMLA* XII (1897), pág. 113.
[18] Fueron tratados por N. Delius, *Dantes Commedia und Brunetto Latinis Tesoretto, DDJ*, IV (1877), 1 ss. y otros críticos.

non so ben dir quali, Ma omini e mogliere, Bestie, serpent' e fiere, E pesci a grandi schiere, E di tutte maniere Ucelli voladori..." [19]. Después que en su peregrinaje visionario Brunetto tuvo un encuentro con la naturaleza en una de sus personificaciones alegóricas, sigue avanzando y al salir del bosque va a dar a un páramo vecino: "E non fui guari andato, Ch'i fui nella deserta Dov'io non trovai certa Nè strada nè sentero. Deh, che paese fero Trovai in quella parte! Chè, s'io sapesse d'arte, Quivi mi bisognava. Chè, quanto più mirava, Più mi parea salvagio. ...Me ricontar non oso Ciò ch'io trovai e vidi" (v. 1188-1197; 1224-1225), una descripción que vuelve a traernos vivamente a la memoria los versos del comienzo de la *Divina Comedia* de Dante.

Lo que forma parte del evidente contexto general que aquí tratamos de descubrir y dilucidar, es el hecho de que Brunetto Latini sitúa su visión precisamente en la comarca de Roncesvalles que figura en la epopeya carolingia y que también está señalada por las visiones del lebrel del monarca cristiano. Es probable que Latini, que en efecto había visitado el Sur de Francia y España, tuviera menos conciencia de esto que Dante, quien —como nos parece probable por varias razones— combinó diversos monumentos de la epopeya heroica y de la poesía alegórica relacionados con el valle de Roncesvalles como material para configurar, en creación independiente y magistral, algunos motivos esenciales del preludio a su *Divina Comedia*.

---

[19] Cit. según la ed. de B. Wiese (s. a.).

ESTILO Y CRONOLOGÍA DE LA TEMPRANA EPOPEYA ROMANCE *

INTRODUCCIÓN

¿Es posible que el estudio de las formas estilísticas contribuya al problema de establecer una cronología más exacta de la temprana epopeya romance? Esta cuestión se ha planteado recientemente[1]. Puede llevar a algunos resultados de importancia y merece, pues, una discusión más detallada. Lo que se necesita de urgencia y lo que la mera investigación de los asuntos y formas lingüísticas sólo puede establecer en parte, son o los años exactos de composición, o fechas más precisas que nos permitan hablar de los diversos poemas en correcto orden cronológico, es decir, el *Cid* presupone el *Rolando*, el *Pseudo-Turpín* presupone el *Rolando* y el *Cid*, y el *Couronnement Louis* también presupone tanto la *Canción de Rolando* como el *Poema de Mio Cid*, o quizá a la inversa[2].

* Publicado en *Saggi e Ricerche in Memoria di Ettore Li Gotti*, vol. III (1962), págs. 83 ss.

[1] E. von Richthofen, *Some open Problems in the Medieval Epic*, una ponencia dada en la Conference of Learned Societies del Canadá (Kingston, 1960) y publicada en su anuario *Thought*, Scarborough-Toronto, 1961. El presente artículo es una ampliación de la última parte de este coloquio.

[2] Estos problemas pueden ser embarazosos y pueden impedir el progreso de la investigación, especialmente en el plano comparativo. Se hace más y más necesario saber cuándo fue escrita la versión original del *Rolando*. El lapso entre 1095 y 1170 es demasiado amplio. Así también el lapso entre 1140 y 1170 es demasiado extenso para la composición del *Cid* (para la teoría de un poema más temprano del Cid véase el artículo de este libro *Hacia una nueva cronología*). Todavía más vaga es la fecha de composición de la conocida versión del *Pèlerinage de Charlemagne*. G. Paris sugiere el siglo XI tardío y L. Moland el siglo XII o principios del XIII.

Podemos aventurar un paso en esta dirección enumerando algunas observaciones acerca de los aspectos estilísticos de estos antiguos poemas. Este enfoque también podría contribuir a facilitar la determinación de las fechas, dado que el estilo es —aparte de las características del poeta individual— una expresión de tradiciones existentes en la mente del escritor, así como en el lenguaje de un determinado período.

ESTUDIOS PREVIOS

La mayor parte de los ejemplos recopilados por W. Tavernier[3], M. Wilmotte[4], G. Chiri[5], E. R. Curtius[6], y mí[7] ponen de manifiesto las influencias de la poesía latina —Virgilio, Lucano, Ermoldo y el *Waltharius*— sobre el estilo del autor de la *Canción de Rolando*. Como indiqué entonces la técnica de Virgilio es menos evidente en la temprana epopeya romance que la de Ermoldo y del *Waltharius*. No obstante, por más interesante que por sí puedan ser estos resultados, difícilmente contribuyen al problema específico que nos planteamos aquí. Prueban solamente que el *Rolando* no fue escrito antes de la época del *Waltharius*.

El poeta del *Rolando* también parece estar familiarizado con el estilo de la *Chanson d'Alexis*. Si así fuera, se situaría en la segunda mitad del siglo XI o principios del XII. La relativa frecuen-

---

[3] *Aeneis, Pharsalia und Rolandsepos*, en *Zeitschrift für französische Sprache und Literatur*, XXXVI, 1910, págs. 71 s.

[4] *L'Épopée française. Origine et Elaboration*, París, 1938, págs. 90 s.

[5] *L'Epica latina medievale e la Chanson de Roland*, Génova, 1936, passim.

[6] *Rolandslied und epischer Stil*, en *Zeitschrift für romanische Philologie*, LVIII, 1938, págs. 215-232. (Tópicos establecidos de acuerdo con los modelos que dan E. Faral y otros).

[7] *Zu den poetischen Ausdrucksformen in altromanischer Epik*, en *Zeitschrift für romanische Philologie*, LXVI, 1950, págs. 241-302; *Estudios épicos medievales*, págs. 231-294. El hecho de que no me ocupara de Curtius en un volumen anterior (*Studien zur romanischen Heldensage des Mittelalters*, Halle, 1944) y que reservara las observaciones sobre el estilo para el citado artículo, llevó a su precipitada reacción crítica en una reseña del libro.

cia con que aparece la parataxis, las frases breves, repeticiones, apóstrofes y metonimias es aproximadamente la misma en ambos poemas [8]. Por otra parte el autor del *Rolando* emplea el verso decasílabo del *Alexis*, pero la laisse o tirada de irregular longitud parece ser una invención de su tiempo, si no suya propia. Varias características del estilo épico no deben derivarse únicamente de los poemas latinos y vidas de santos medievales, sino que posiblemente tengan otro origen [9]. La fórmula demostrativa "là veissiez" [10] del *Rolando* ("veríedes" en el *Cid*), y las frecuentes oposiciones que ponen de relieve diferentes conceptos mediante el uso de la antítesis y otros recursos simétricos, aunque ya utilizados por Lucano y Séneca, parecen corresponder a técnicas esculturales y arquitectónicas romanas tardías evidentes en esta época. La parataxis, que no fue causada solamente por la pérdida de conjunciones latinas, así como las enumeraciones de ejemplos, a veces parecen corresponder a la serie de escenas en las pinturas medievales y en los ventanales de las iglesias [11].

Otro rasgo del estilo del autor de la *Canción de Rolando* es la descripción de los gestos y otros rasgos característicos de los principales personajes del poema. Constituyen un aumento considerable de la narración de Ermoldo y el autor del *Alexis*. Un ejemplo de esto es la transformación de "Florida canities lactea" (Erm., 666) en "Blanche ad la barbe e tut flurit le chef" (*Rol.,*

---

[8] F. J. Vising, *Les Débuts du Style français*, en *Rec. de mém. phil. à M. G. Paris*, París, 1889, págs. 175 s. — C. Segre, refiriéndose al constante uso de repeticiones, está convencido de que el estilo de los cantares de gesta debe derivarse esencialmente de las vidas de santos. Véase su estudio *Il Boeci, i Poemetti agiografici e le Origini della Forma epica*, en *Atti della Accademia delle Scienze di Torino*, LXXXIX, 1954-55.

[9] Acaso la poesía oral o popular desaparecida. Sólo la poesía latina sobrevive.

[10] Este tópico fue estudiado por Curtius, art. cit., y por J. Rychner, *La Chanson de Geste*, Ginebra-Lille, 1955, págs. 151 s. Este también presenta ejemplos de epopeyas francesas más recientes.

[11] Véase para estos últimos E. Auerbach, *Mimesis*, Berna, 1946, páginas 117 s. Comparó las diversas estrofas del *Alexis* así como el texto del supuesto modelo latino con la distribución romana tardía de los personajes en los sarcófagos. También G. Paris y Curtius compararon el estilo del *Alexis* con el arte románico de la temprana Edad Media.

117). La familiaridad del autor francés con la obra de Ermoldo puede haber inducido al error de representar a Carlomagno, a los 36 años —cuando no era más que rey y aún no había establecido su residencia en Aix—, como el anciano y respetable emperador descrito en el poema latino. Un reflejo de este "Carolus sapiens" (Erm., 70) o "Caesar venerabilis" (Erm., 654) puede verse en la figura del monarca creada por el poeta francés. También el lugar que se escoge para el juicio de Ganelón —Aquisgrán— es exactamente el mismo que el teatro del combate en el poema de Ermoldo que es de una notable semejanza [12]. Una expresión popular parece ser "Pluret des oilz" (*Rolando*, 3645, etc.; y análogamente *Alexis*, 222, etc.) que también se encuentra en el *Cid*, por ejemplo, verso 1 "De los sos ojos tan fuertemientre llorando" [13]. Aparece en el *Tristán* de Thomas (fragm. Douce, 1737), encontrándose más ejemplos en la literatura italiana del siglo XIII. Marie de France utiliza tópicos semejantes —"dormir de l'ueil" (*Aüstic*, 90)— y tam-

---

[12] Cfr. mi artículo *La Justice dans l'Epilogue de la Chanson de Roland et le Poème du Cid,* en *Cahiers de Civilisation Médiévale,* III, 1960, páginas 76 s.

[13] Más citas de la literatura española medieval en el *Cantar de Mio Cid,* por R. Menéndez Pidal, Madrid, edición de 1944, pág. 92. Nótese también que el lenguaje de los lamentos de Eufemien (en el *Alexis*) y Carlomagno (en el *Rolando*) se asemeja notablemente. Ver particularmente *Al.,* 387; 401-403; 406: "Ad ambes mains deromt sa blanche barbe... O filz, cui ierent mes granz ereditez, Mes larges terres dont jo aveie assez, Mi grant palais in Rome la citet? ... Blanc ai le chief e la barbe ai chenude". Por consiguiente el problema de la prioridad concerniente a estos textos no aparece resuelto aún, si se le contempla desde el punto de vista estilístico. Tampoco es totalmente convincente la opinión generalmente aceptada de que la versificación del *Alexis* debe haber precedido a la del *Rolando* y ésta a la del *Cid.* La perfección del *Alexis* reside en su forma artística elaborada que no han igualado los otros autores de poesía épica decasílaba, no obstante asimilar algunas de las mejores perífrasis en boga en la época; la grandeza del verso cidiano reside en que se usa como instrumento para la expresión del lenguaje viviente, lo cual explica las irregularidades métricas (que el lector no influido por más que impresionado no considera como tales); en estos sentidos el *Rolando* parece ocupar un lugar intermedio. Debería repararse más en estas diferencias bastante básicas de las formas interiores del estilo expresadas también por el metro, ya que pueden indicarnos algo sobre las etapas del desarrollo de la epopeya, contribuyendo así a establecer una cronología.

bién el poeta del *Cid* —"diziendo de la boca" (2289, etc.), "son-
rrisándose de la boca" (1518).

E. Lommatzsch [14], R. Hoppe [15] y R. Menéndez Pidal [16] han exa-
minado gestos del tipo de "Li empereres en tint son chef enclin, De
sa parole ne fut mie hastifs" (*Rolando*, 139-140) que aparecen también en el *Cid*, pero según se dice pierden originalidad en esta obra.
Estas acciones contribuyen a producir un retrato más vívido de los
personajes principales en la imagnación del oyente. En cuanto a
la interjección "Deus!" expresando extrema sorpresa, consternación o temor, como en *Rolando* 716, "Deus! quel dulur que li
Franceis nel sevent!" y *Cid* 1052, "Comiendo va el comde, ¡Dios
qué de buen grado!", no se ha logrado ningún modelo literario
totalmente convincente (Lucano, *De Bello Civili*, I, 510 es difícilmente aceptable) [17]. Puede haber sido tomado del habla informal y
familiar.

Una manera de interrumpir violentamente la atmósfera de tre-
gua y orden en el campamento de Carlomagno es el empleo de
una frase breve interpuesta en el texto del *Rolando*: "Guenes i
vint ki la traïsun fist" (178) seguida por una declaración lenta y
particularmente prolongada "Des ore cumencet le cunseill que mal
prist" (179). Nada que se le parezca por su fuerza puede encontrarse en la epopeya posterior (antes de Dante) y sólo en menor
medida en el *Cid* español. En este sentido el *Rolando* y el *Cid*
parecen superiores al poema narrativo de Ermoldo y a los cantos
de *Alexis, Guillaume, Aliscans, Gormond*, el *Pèlerinage* y todas

---

[14] *Deiktische Elemente im Altfranzösischen*, en *Kleinere Schriften zur
Romanischen Philologie*, Berlín, 1954, págs. 3-56.

[15] *Die romanische Geste im Rolandslied*, Koenigsberg, 1937.

[16] *Cantar de Mio Cid*, vol. I: *Gramática*. — Sobre los medios de expresión que se emplean en el poema español cfr. también D. Alonso, *Ensayos
sobre Poesía Española*, Madrid, 1944, págs. 69-111 (capítulo "Estilo y creación en el *Poema del Cid*"); y S. Gilman, *Tiempo y Formas temporales en
el Poema del Cid*, Madrid, 1961. Ver ahora también E. de Chasca, *El arte
juglaresco en el "Cantar de Mío Cid"* (en la misma editorial Gredos, Madrid).

[17] "O faciles dare summa deos eademque tueri, Difficiles". — Adviértase
que ¡Dios! es de uso particularmente frecuente en el *Cid*, también el "llorar
de los ojos" y expresiones semejantes.

las epopeyas subsiguientes. Si estos dos poemas se han situado entre el *Alexis* y los otros cantares de gesta, el desarrollo manifestaría una repentina culminación entre el final del siglo XI y mediados del XII, seguida por una decadencia o entorpecimiento temporario de las formas estilísticas. Esto dio a la épica cortesana la primacía sobre los cantares de gesta, aportando nuevos medios de expresión y nuevos conceptos a la literatura. Los motivos para este cambio son diversos, entre ellos el de un cambio del tópico de la descripción de las hazañas de los héroes *de facto* de la Reconquista española que variaba en intensidad, y de las tempranas cruzadas, a tópicos que se concentraban en la armonía, el desarrollo gradual y las aventuras amorosas de futuros caballeros.

REEXAMINACIÓN: AMPLIACIONES EN EL ROLANDO Y EL CID

La estructura de los tempranos poemas medievales nos hace conscientes de un proceso lento pero bien visible en el desarrollo de la poesía épica narrativa. En adición a las ampliaciones retóricas o pleonásticas muy frecuentes recogidas por Curtius y otros [18], entre las que yo distinguiría el tipo paralelo o tautológico (redoublement) —"dolor et pesance" (*Rolando*, 2335), "curanz e aates" (3876)— del tipo antitético (atenuación) —"ne a dreit ne a tort" (2293), "et derere et devant" (3118)—, hay otros dos grupos. Uno de ellos se caracteriza por frases amplificatorias didácticas, algunas de las cuales contienen repeticiones y parecen servir como meros rellenos de verso. En el *Rolando* su aparición es relativamente poco frecuente —por ejemplo "Morz est li quens, de sun tens ni ad plus" (1603). "Fuiant s'en vint, qu'il n'i pout mes ester" (2784)—, pero abundan en el *Cid*. Partiendo de esta fuente, a través de las

---

[18] J. Rychner, op. cit., y M. Delbouille, *Les Chansons de Geste et le Livre*, en *La Technique littéraire des Chansons de Geste*, Lieja, 1959, páginas 295-407, estudian en especial las asonancias y las mutaciones de hemistiquios (repeticiones) y, como Curtius, los clichés. Sobre las amplificaciones en la poética latina véase H. Lausberg, *Handbuch der literarischen Rhetorik*, Munich, 1960, págs. 226 s. Sobre otros empleos comunes cfr. ahora P. Zumthor, *Langue et Techniques poétiques à l'Epoque Romane*, París, 1963.

adaptaciones de las Crónicas Castellanas, pueden haber contribuido a la formación de la prosa didáctica española de la Edad Media tardía [19]. Entre los numerosos ejemplos citamos: "El abbat don Sancho, cristiano del Criador" (237), "El uno es en paradiso, ca el otro non entró allá" (350), "A Dios lo prometo, a aquél que está en alto" (497), "Venido es a moros, exido es de cristianos" (566), "Esto feches agora, al feredes adelant" (896), "Aquí feremos la morada, no nos partiremos amos" (1055), "Pesa a los de Valencia, sabet, non les plaze" (1098), "Hyo las engendré amas e criástelas vos" (2086), "Catamos la ganancia e la pérdida no" (2320), "Por muertas las dexaron, sabed, que non por bivas" (2752), "Más nos preciamos, sabet, que menos no" (3300), "Los unos le han miedo e los otros espanta" (3274). El autor del *Cid* está ansioso por explicarse por entero. Esta es una de las razones por las que utiliza a tal punto las amplificaciones antitéticas y los paralelos. Aquí vemos cómo el *Cid* se vuelve un vínculo que une el estilo de ministriles con el didáctico. Análogamente, el uso ocasional de frases proverbiales, como "Qui a buen señor sirve, siempre bive en deliçio" (850), se vincula con una tradición de escritos españoles en prosa que se desarrollaron más ampliamente desde el siglo XIV hasta Cervantes y que por corto tiempo también constituyeron una tendencia característica de las epopeyas cortesanas francesas de fines del siglo XII, por ejemplo, *Perceval*. También abundan en *Aliscans* [20], un producto del mismo período que *Perceval*.

El otro grupo de ampliaciones que no se mencionan en el estudio de Curtius comprende una cantidad de fórmulas que responden al deseo del autor de expresarse con más precisión o realismo. Aparecen en el *Rolando* y en el *Cid* con mayor frecuencia que en la *Chanson de Guillaume*; ejemplos típicos de los poemas primeramente nombrados son: "Li reis est fiers e sis curages pesmes" (*Rolando*, 56), "Cors ad mult gent e le vis fier et cler" (895),

---

[19] A este estilo también pertenece la fórmula "Mas yo vos diré..." (*Cid*, 2764), mientras que "odredes lo que fablava" (188) y "Oíd lo que fabló el que en buen ora nasco" (2350) más bien pertenecen al "tono juglaresco". Véase también nota 46.

[20] Véase F. W. Fischer, *Der Stil des Aliscans-Epos*, Rostock, 1930, páginas 57 s.

"Eschiez e barges e galies e nefs" (2625), "Issent de mer, venent
as ewes dulces" (2640), "Asez i ad evesques e abez, Munjes, ca-
nonjes, proveires coronez, Sis unt asols e seignez de part Deu. Mirre
e timoine i firent alumer" (2955-2958), "Ceintes espees franceises
et d'Espaigne" (3089); "Vio puertas abiertas e uços sin cañados"
(*Cid*, 3), "Allí pienssan de aguijar, allí sueltan las riendas" (10),
"Passando van las sierras e los montes e las aguas, Llegan a Valladolid do el rey Alfons estava" (1826 s.), "Dexóla crecer e luenga
trae la barba" (3273) [21], "Hyo las he fijas, e tú primas cormanas"
(3303), "Podedes odir de muertos, ca de vencidos no" (3529) [22]. La
simetría antitética pone de relieve las formulaciones precisas. Particularmente notables son: "La conpaña del Çid creçe, e la del
rey mengó" (2165), "A la exida de Bivar ovieron la corneja dies-
tra, E entrando a Burgos oviéronla siniestra" (11 s.), "Maguer plo-
go al rey, mucho pesó a Garci Ordóñez" (1345), "E faziendo yo a
él mal, e él a mí grand pro" (1891). También a motivos de precisión se debe la enumeración de topónimos en el siguiente pasaje
(no se confunda con el catálogo técnico, usado preferentemente por
los poetas épicos franceses incluyendo al autor del *Rolando*): "Al
rey don Alfons en Sant Fagunt lo falló. Rey es de Castiella e rey
es de León E de las Asturias bien a San Çalvador, Fasta dentro
en Santi Yagu o de todo es señor, Ellos comdes gallizanos a él tienen por señor" (2922-2926) [23].

LOCUCIONES ARTÍSTICAS Y RITMOS

Algunos ejemplos contribuirán a arrojar más luz sobre nuestro
asunto. El uso de la negación para subrayar los hechos positivos se

---

[21] Para los muchos tipos de pleonasmos y aposiciones véase Menéndez
Pidal, *Cantar*, págs. 313 s.; 323; 326 s. Su uso no se limitó a la Edad Media; todavía abundan en la *Celestina* y en algunos pasajes del *Don Quijote*.
[22] La antítesis es tan común en el *Cid* como en el *Rolando*. Sobre su
desarrollo posterior, particularmente en la tragedia española y francesa,
véase mi anterior estudio *Der gegensätzliche Parallelismus westromanischer
Dramentechnik*, en *Estudios dedicados a Menéndez Pidal*, vol. IV, Madrid,
1953, págs. 509-534.
[23] Sobre la particular importancia de cada uno de estos topónimos cfr.
mi estudio *Espíritu hispánico en una forma galorromana*, en este libro.

encuentra con frecuencia en la *Canción de Rolando,* como aparece
ilustrado en esta fórmula de aseveración: "Ja pur murir n'eschive-
runt bataille" (1096). Una expresión del tipo aliterativo "Pitét l'en
prent, ne poet müer n'en plurt" (825) no tiene correspondencia exacta en el *Cid.* Giros como el de "S'est kil demandet, ne l'estoet
enseigner" (119), que anticipan la finesse courtoise, no aparecen en
el *Cid* ni se prefiguran en el poema de Ermoldo (cf., empero, *Ale-*
xis, 128 "Sed il fut graims ne l'estuet demander"; véase también
nota 13).

Análogamente no aparecen en la obra castellana artificios rít-
micos de la frase. Pueden señalarse unos pocos en el texto del
Rolando. Parecen situarse dentro de la tradición latina clásica
y medieval, que sólo se revivió en forma decisiva y se sublimó a
partir de la *Divina Comedia* de Dante. Ejemplos que revelan estos
rasgos son: "Plus se fait fiers que leon ne leopart" (1111) —aliteración [24]; "E bels et fors et isnels et legers" (1312), "Pinabels est
forz, et isnels et legers [25] (3885) —ejemplos ambos de un ritmo en
crescendo; "Fers et acers i deut aveir valor" (1362) —asonancia
interna; "Tant se fait fors et fiers et maneviz" (2125) —aliteración
más crescendo.

IMÁGENES

Por raros y aislados que fuesen estos logros de los tempranos
poetas franceses, no por eso dejan de ser significativos. Lo mismo
puede afirmarse en relación con el empleo de imágenes. La técnica homérico-virgiliana, en la que sólo Dante sobresalió entre los
poetas posteriores [26], sobrevive en los siguientes versos del *Rolan-*
do: "Si cum li cerfs s'en vait devant les chiens" (1874), "Sunent
li munt et respondent li val" (2112), "Einz que om alast un sul ar-
pent de camp" (2230), "Plus qu'arcbaleste ne poet traire un quar-

---

[24] Este verso se imitó frecuentemente en las epopeyas francesas. Véase
A. Rennert, *Studien zur altfranzösischen Stilistik,* Gotinga, 1904, pág. 49.

[25] Cfr. Dante, *Inferno,* I, 32: "Una lonza leggiera e presta molto".
Véanse también mis observaciones en *Veltro und Diana-Dantes mittelalter-*
liche und antike Gleichnisse, Tubinga, 1956, págs. 87-96.

[26] Op. cit., passim.

rel" (2265), "Plus qu'en ne poet un bastuncel jeter" (2868), "Tant par est blancs cume flur en estét" (3162), "Altresi blanches cume neif sur gelee" (3319), "Blanc(e) ad la barbe cume flur en avril" (3503). Esta técnica se continúa en las epopeyas heroicas del siglo XII, por ejemplo en *Aliscans*[27], en tanto que muy pocos ejemplos de tipo más realista aparecen en el *Couronnement Louis*: "Comme liepart que gent vueille (deie) mangier" (187 y 1933). En el *Cid* aparece el verso "Assís parten unos d'otros commo la uña de la carne" (375), que vuelve a expresarse en forma parecida en el verso 2642[28].

El pequeño número de metáforas metonímicas bastante estáticas y convencionales empleadas por los poetas del *Rolando* y del *Cid* no soporta comparación con las de Virgilio y Dante. Aparece "le destre bras del cors" (*Rolando*, 597; 1195) de Carlomagno, es decir Rolando; "De France dulce... la flur" (también *Rolando*)[29]; "la barbe flurie" (2605) y expresiones semejantes como las que he mencionado. En el *Cid* encontramos "no lo preçio un figo" (77) que representa nuevamente una terminología más realista y popular; además "Antes... que el sol quiera rayar" (231); "mio diestro braço" (810) del Cid, es decir Minaya[30]; "A los mediados gallos, antes de la mañana" (1701). En referencia al *Cid*, verso 268 "barba tan complida", o sea el Cid, y al *Rolando*, verso 597 "le destre bras del cors", debe señalarse que el Codex Calixtinus (Santiago, antes de 1173) del *Pseudo-Turpín* hace hablar a Carlomagno de Rolando en términos de "barba óptima", en tanto que el manuscrito de la Bibliothèque Nationale (París) sólo contiene la exclamación "O bracchium dextrum corporis mei, decus Galliorum". Burger[31] piensa que la primera expresión no fue toma-

---

[27] Véase Fischer, págs. 50 s. Para las epopeyas posteriores cfr. Rennert, págs. 53 s.

[28] Otra descripción que nos impresiona por su realismo es la del verso 2022: "Las yerbas del campo a dientes las tomó".

[29] Cfr. *Aliscans*, 432 "La flor de mon lignage". Otros ejemplos de este poema y de poemas más recientes fueron recopilados por Fischer, páginas 39 s. y Rennert, pág. 6.

[30] En el verso 3063 es llamado "el mio braço meior".

[31] Véase A. Burger, *Romania*, LXX, 1948-1949, págs. 433-473 y mi crítica, en *Zeitschrift für romanische Philologie*, LXIX, 1953, págs. 414 s.

da del *Cid,* sino de su "fuente". No sólo cree que dicha fuente existió [32], sino que además se inclina por la teoría de que el *Turpín* fue compuesto antes que la *Canción de Rolando.* Sin embargo, si ésta precedió al *Cid* conocido, como cree la mayoría de los críticos, y si el *Cid* precedió al *Turpín,* la "barba optima" que no se menciona en otro lugar probaría la existencia del *Cid* conservado antes de 1173 y constituiría al mismo tiempo uno de los documentos más tempranos que sirven para vincular por medio de una expresión la tradición del *Rolando* con la tradición del *Cid.*

ANNOMINATIO

En este breve examen de elementos estilísticos, que en los estudios mencionados no se contemplaban desde el punto de vista del presente trabajo, señalaremos en último término la annominatio. Su uso estaba muy difundido en la epopeya latina medieval. Más tarde aumentó su importancia, particularmente con Dante [33]. Aparece en el *Cid* con tanta frecuencia como en el *Rolando* [34]. Ejemplos de su uso son "Franc(s) — France" (*Rolando,* 50; 177; 701 s.; 804). "barnage — barnét" (535 s.), "rereguarde — derere" (574), "devant — ansguarde" (748), "cuard — cuardie" (1486), "Affrike — Affrican" (1593), "caeignun — encaeinent" (1826 s.), "seintisme — seint" (2344 s.), "Alemans — Alemaigne" (3038), "fel — felonie" (3833); "démosle — don" (*Cid,* 192), "sueño — soñado" (412), "fuerças — fuerte" (758), "abiltados — biltadamientre" (1862 s.), "quisiese — queramos" (1953), "dieran — don" (2011), "valen — valor" (2550), "donas — dio" (2654), "di — dades — dedes" (3216 s.), etc.

---

[32] Puede en efecto pensarse en un diario escrito por uno de los compañeros del Cid durante su expedición de Burgos a Valencia, lo mismo que en "cantos noticieros". Véase *Estudios épicos medievales,* págs. 346 s. Cfr., empero, págs. 129-146 en este libro.

[33] Véase la lista de Curtius, en *Romanische Forschungen,* LVIII-LIX, 1947, págs. 277-279 y mis adiciones a ésta en *Veltro und Diana,* págs. 103 s.

[34] Su uso también es bastante frecuente en *Aliscans.* Véase Fischer, páginas 30 s.

De esto podemos concluir nuevamente que el autor del *Cid* parece hacer amplio uso de un medio de expresión que se le ofrece a través del texto del *Rolando*, según la opinión de algunos críticos. No obstante, a menudo conserva el habla más sobria y realista de su lenguaje nativo. Esta práctica todavía es característica de los escritores en prosa del siglo xv como el Arcipreste de Talavera [35] y el autor de la *Celestina*, quienes utilizaron un procedimiento análogo al imitar a sus modelos estilísticos encumbrados, entre los que estaba Boccaccio. La constante recaída en la narración tradicional o popular [36] hace difícil la clasificación de las obras máximas de la literatura española dentro de la estructura más extensa de la literatura romance [37]. En la *Canción de Rolando*

---

[35] Véase mi estudio acerca de este autor en *Zeitschrift für romanische Philologie*, LXI, 1941, págs. 417-537, y LXXII, 1956, págs. 108-114, como también la *Introducción a Alfonso Martínez de Toledo, Arcipreste de Talavera*, por M. Penna, Turín, 1955. En *ZRPh* LXXII, 108-114 examinamos las siguientes formas de palabras: *suspectyçión, roedores, engasgar, (trauar), gañinan, angelores (luengas, Juan de Avsim), anozegado, canusos, soberguería (avinenteza), caronal, alperchón, abuhado (feuilla, femençia), vía, en guar de, de alto, beurage, llepada, éser, sodollo (amblar* fue incluido erróneamente y debe anularse), *mon frare, xáuega (lulista, remonista),* además de algunos otros medios de expresión característicos (sintaxis y estilística). Éstos muestran que el epílogo de la obra debió escribirlo el mismo autor. Una investigación más detenida nos lleva a creer que también el capítulo precedente sobre el diálogo entre la Fortuna y la Pobreza fue agregado probablemente a la primera versión que concluye con IV, 2 y las palabras: "En esto concluyo aquí (e do fin a mi obra, la qual yo propuse de fazer a serviçio del muy alto Dios, el qual por syenpre sea loado, amén)". Sobre las interpolaciones del *Arcipreste de Talavera* cfr. mi estudio *El Corbacho: las interpolaciones y la deuda de la Celestina*, en *Homenaje a A. Rodríguez-Moñino* (1966), II, 115 ss.

[36] El lector podrá observar, no obstante, que con la tirada 76 s. del "cantar de las bodas" el estilo del *Cid* se vuelve más fluido.

[37] También Menéndez Pidal señaló una tendencia conservadora en la epopeya castellana en relación con la longitud irregular de los versos y la retención de la asonancia. De su artículo sobre *La forma épica en España y en Francia* (en *Revista de Filología Española*, XX, 1933, págs. 345-352) citaremos: "Al comienzo, la epopeya española y la francesa usan un mismo sistema de rima: el consonante... Pero luego, hacia 1160 (los franceses) empiezan a usar el consonante... Frente a este movimiento de eliminación del asonante que se observa en Francia, hallamos que en España el asonante reina inconmovible, desde el siglo xii hasta el xv... La epopeya española

y en el *Poema de Mio Cid* se presentaron recursos estilísticos básicamente análogos en un nivel artístico de fácil distinción, teniendo ambos poemas sus tonos y valores interiores propios que impiden que el uno sobrepase al otro. Es de dudar que esta afirmación pueda hacerse acerca de cualquiera de los otros numerosos cantares de gesta. Éstos perdieron rápidamente la pátina del *Rolando* y del *Cid* y llevan señales de decaimiento o, en el mejor de los casos, de asimilación a la épica cortesana que se puso en boga después de 1150.

LOS POEMAS SOBRE GUILLAUME Y EL CID

El proceso de asimilación se produjo en el "ciclo de Guillaume". La absorción con la épica cortesana es evidente en el *Willehalm* de Wolfram. *Gormond et Isembart* puede estar entre los primeros precursores de esta transición, con su empleo exclusivo del verso octosílabo y su asunto relacionado con el relato de la crónica de Geoffrey de Monmouth. Por razones literarias ya he sugerido en mis estudios que la *Chanson de Guillaume, Aliscans* y las otras epopeyas del mismo "ciclo" pertenecen al grupo de poemas más recientes, o sea posteriores al *Cid*[38]. El *Couronnement Louis* también puede mencionarse aquí en lo que se relaciona con el papel de cobarde que desempeña Louis (siendo la cobardía un tópico favorito de la poesía épica de la segunda mitad del siglo XII)[39], la confusión de varios Guillaume y Louis diferentes[40] y todos los demás

---

aparece así más fiel a la tradición primitiva... Desde el comienzo, el verso francés aparece completamente diverso del español, pues es a sílabas contadas..., sin embargo..., la epopeya francesa debió tener también un período de verso anosílabo. ... El asonante y el metro nos han mostrado el carácter extremadamente arcaico y tradicionalista de la epopeya española respecto a la francesa".

[38] *Notas sobre temas épico-medievales* y el artículo citado arriba *La Justice dans l'Epilogue de la Chanson de Roland et le Poème du Cid*, pág. 78.

[39] En el *Cid*, la *Chanson de Guillaume* y *Enfances Guillaume*. Cfr. *Notas*, pág. 80, notas 64 y 65.

[40] Véase Langlois en la introducción a su edición citada abajo (nota 42); tres Louis y dos Guillaumes. J. Bédier cuenta dieciséis Guillaumes co-

"disparates" a que aluden los críticos tempranos [41]. La fórmula "la dame o le vis cler" (1413) parece hallarse aquí por primera vez en la epopeya heroica. El *Couronnement* pone de evidencia rasgos estilísticos distintivos ya a partir de los primeros versos en su "tono ligero": "Plaist vos oir d'une estoire vaillant, Buene chançon corteise et avenant" (2-3) y "Buene chançon bien faite et avenante" (11). E. Langlois [42] situó el poema alrededor de 1130 por razones lingüísticas. No obstante, si lo examinanos en su aspecto estilístico, prestando la correspondiente atención a sus abundantes ornamentos legendarios, el poema parece más reciente. Este hecho hace difícil creer que la famosa plegaria de Jimena en el *Poema del Cid* se originó en el *Couronnement Louis* o sus imitadores en la epopeya francesa (*Chanson d'Antioche* y *Aiol*) [43].

En el *Cid* la oración comprende 36 versos y tiene características propias del estilo del autor: es tan concreta y concisa como la mayor parte del poema. En el *Couronnement Louis* la plegaria ha sido amplificada, extendiéndose a lo largo de 95 versos y requiriendo más ejemplos que en los paradigmas contenidos en el *Cid* (dos de éstos aparecen en una plegaria adicional de 54 versos más en el poema francés). La versión española, así como el *Couronnement Louis,* parecen desarrollar el modelo breve de sólo cinco versos que da la *Canción de Rolando*: "Veire paterne,... Seint Lazaron de mort resurrexis, E Daniel des leons guaresis, Guaris

---

mo posibles modelos del personaje principal en el "ciclo" entero (*Les Légendes épiques,* vol. I, París, 1914, págs. 195-223).

[41] A. Jeanroy, G. Paris, Ph. A. Becker. No obstante, Bédier justificó ampliamente estas incongruencias. (Op. cit., I, págs. 287 s.).

[42] Véase su (2.ª) edición crítica (París, 1925). Becker, Bédier y Curtius la situaron alrededor de 1160.

[43] Véase L. Spitzer, *Zeitschrift für französische Sprache und Literatur,* LVI, 1932, págs. 196 s., y D. Scheludko en la misma revista, LVIII, 1934, págs. 65 s. y 171 s. Cfr. *Notas sobre temas épico-medievales.* Una plegaria análoga se encuentra en López de Ayala, *Rimado de Palacio,* estr. 762 s. Otras oraciones antiguas francesas son mencionadas por la hermana A. P. Koch, en *An Analysis of the Long Prayer in Old French Literature,* Washington, 1940; la autora no menciona sino brevemente el *Rolando* y *Cour. Louis* (en págs. 96 s.). Mucho más completo es E.-R. Labande, *Le* ⟨*Credo*⟩ *épique: à propos des Prières dans les Chansons de Geste,* publ. en *Recueil de travaux offerts à M. C. Brunel,* vol. II (1955), págs. 62-80.

de mei l'anme de tuz perilz..." (2384 s.). Compárese con las expresiones correspondientes en el *Cid*: "Ya señor glorioso, padre...
Salvest a Daniel con los leones en la mala cárçel..., Resuçitest a
Lázaro..., E ruego a san Peydro que me ayude a rogar Por mio
Çid el Campeador, que Dios le curie de mal" (330 s.) y el *Couronnement Louis*: "Glorios Deus..., guaris... Daniel enz la fosse al
lion...; Defent mon cors de mort et de prison..., Sainte Marie,
s'il vos plaist, secorez..." (695; 1017; 1019; 1023). Ambas plegarias son rezadas en los maitines (*Cid*, 325 "a matines"; *Couronnement Louis*, 692 "al matinet"), una antes de la partida del Cid a
la guerra contra sus enemigos árabes y cristianos, la otra antes del
combate de Guillaume con el sarraceno Corsolt.

Hallamos referencias comunes (en un orden semejante) a: la
Creación, la Natividad y los Tres Reyes Magos, Jonás y Daniel,
las enseñanzas de Jesús, la Crucifixión, Longino y la liberación
de las almas que padecen; mientras que Santa Susana, Lázaro y
los dos ladrones en el Monte Calvario no figuran en el *Couronnement Louis*, agregándose en cambio los ejemplos de Adán, Caín,
el diluvio, Santa Anastasia, los niños inocentes, Simón, Judas, Ni-
codemo y José de Arimatea. Las adaptaciones elaboradas de los
autores del *Cid* y el *Couronnement Louis* ¿se deberían realmente
a una amplificación bien lograda del texto del *Rolando* con una plegaria original latina tomada como modelo adicional?

En cuanto a la cuestión de la conformidad y el orden en que
aparecen los numerosos ejemplos en el *Cid* y el *Couronnement
Louis*, Scheludko no encuentra paralelos con antiguas oraciones
cristianas. Pero su modelo puede haber sido una plegaria mozárabe (Spitzer cree que un "Präfationsgebet") o himno. Esta hipótesis puede corroborarla el hecho de que Jimena, en lugar de rezarle
a Dios y a la Virgen (como lo hace Guillaume en el *Couronnement
Louis*) [44], dirige una plegaria al Señor y a San Pedro [45], el santo lo-

---

[44] Análogamente, Isembart reza una breve plegaria a María y al Señor
en *Gormond* (634-654), mientras que en el mismo poema el rey Luis reza
a Dios, como también a Saint-Denis y a Saint-Richier (374-383).
[45] Cfr. A. Franz, *Die kirchlichen Benediktionen des Mittelalters*, Fri-
burgo, 1909, II, pág. 300: "So oft die katholischen Westgotenkönige in den
Krieg zogen, empfingen sie samt ihrem Heere den Segen der Kirche der

cal de San Pedro de Cardeña, donde el Cid se despide de ella y donde ella permanece hasta el término de su expedición. Esto parece reflejar una costumbre visigótica y nuevamente sugiere la prioridad de la plegaria en el *Cid*.

Si es cierta esta teoría, la analogía con la plegaria en el *Couronnement Louis* debe explicarse o bien por la existencia de una fuente común o, principalmente por razones estilísticas [46], por influencia directa del poema español sobre la canción francesa. También se ve un parecido notable entre el "oilz de sun vis" de la *Chanson de Guillaume* ("Mult tendrement pluret des oilz de sun vis" - 1733) y "los oios de la cara" que se encuentra en el *Cid* (27; 46; 921; 2186) [47]. Ninguna frase semejante aparece en el *Rolando*. Esto permitiría establecer una tentativa de cronología en el orden siguiente: el *Poema del Cid,* el "ciclo de Guillaume" con el *Couronnement Louis.* Vista a la luz de las conclusiones en los capítulos de las págs. 129 y ss.; 136 y ss.; 147 y ss.; la oración de Roland pudie-

---

Apostelfürsten [es decir de San Pedro y San Pablo] in Toledo". Debo esta referencia a J. Szövérffy, colega y renombrado himnólogo.

[46] La fórmula "non las quiero contar" (*Cid,* 1310) que también aparece en las epopeyas francesas, o sea "ne sai que vos contasse" (*Cour. Louis,* 269 y 1448; asimismo en *Pèlerinage Charlemagne* y *Aymeri de Narbonne*) fue analizada por Curtius (*Antike Rhetorik und vergleichende Literaturwissenschaft,* en *Comparative Literature,* I, 1949, 27-31) y Menéndez Pidal (*Fórmulas épicas en el Poema del Cid,* en *Romance Philology,* VII, 1954, 261-267). Este hace hincapié en las diferentes funciones que desempeñaban los tópicos: "Curtius maneja un concepto impreciso y vago del tópico: no distingue entre aquello que se le ocurre espontáneamente a cualquiera, a todos, y lo que lleva un sello personal; no pone aparte las expresiones espontáneas, impuestas por la naturaleza misma de las cosas, por la lógica del pensamiento o de la imaginación, y el tópico literario, caracterizado por contener alguna singularidad de forma interna o externa, inventada por un autor sea conocido, sea anónimo" (pág. 263). Reina gran desacuerdo acerca de la cronología del *Cid,* el *Cour. Louis* y *Aymeri* entre ambos eruditos, perteneciendo el *Pèlerinage* al siglo XII temprano según Menéndez Pidal. Mientras que Curtius creía que el *Cour. Louis* precedía al *Cid,* Menéndez Pidal piensa más bien en una fuente común de los tópicos mencionados, como había supuesto cn referencia a las plegarias. — La fórmula pertenece a la categoría de expresiones didácticas mencionadas en nota 19.

[47] Acerca de lo último cfr. solamente Menéndez Pidal, *Cantar,* páginas 533, 772 s.

ra resumir el contenido de la plegaria mucho más extensa del
poema castellano (ampliada después por el autor del *Couronnement*). La *Chanson de Guillaume* y *Aliscans* se sitúan en la cercanía del *Couronnement* con parecidos personajes y estructuras
épicas. Desde un punto de vista estilístico se asemejan más al texto del *Couronnement Louis* que al del *Rolando* y manifiestan o
bien más deficiencias que aquél o más adaptaciones al tono de
las epopeyas "cortesanas". Pueden señalarse deficiencias en la
Chanson de Guillaume y *Aliscans,* mientras que el aspecto "cortesano" aparece en el *Charroi de Nîmes* que se inicia con un tópico
tomado tal vez del *Perceval*: "Ce fu en mai, el novel tens d'esté:
Feullissent gaut, reverdissent li pré, Cil oisel chantent belement et
soé..." (14-16) [48].

EL AOI DEL ROLANDO DE OXFORD

Una dificultad mayor se presenta sin duda por el hecho de que
faltan algunos precursores o vínculos importantes, como el relato
del Grial por "Kyôt", usado por Wolfram, y la *Gesta Francorum*
latina, que probablemente fue una fuente principal de Turoldo [49].
Desde el estudio de E. Li Gotti sobre Turoldo de Fécamp y Peter-

---

[48] Cfr. *Perceval*, 69-72: "Ce fut au tens qu'arbre florissent, Fuellent bos-
chage, pré verdissent. E cil oisel an lor latin Douçement chantent au ma-
tin...". Comp. también Ermoldo, *In Honorem Hludowici*, v. 140 s.: "Tempore vernali, cum rus tepefacta virescit", etc. Sobre problemas de la influencia trovadoresca en las descripciones de la naturaleza y sus relaciones con la
literatura latina véase M. Gsteiger, *Die Landschaftsschilderungen in den Romanen Chrestiens de Troyes,* Berna, 1958, pág. 44 nota y págs. 83 s. Véase
también T. Fotitch, *The Narrative Tenses in Chrétien de Troyes,* Washington,
1950. En el *Cid* señalamos: "Dios, qué bueno es el gozo por aquesta mañana!" (600), "Entrados son los ifantes al robredo de Corpes, Los montes
son altos, las ramas pujan con las nuoves, E las bestias fieras que andan
aderredor" (2697 s.).

[49] Otros precursores tempranos de un nuevo género literario han llegado hasta nosotros: el cantar de *Hildebrant, Beowulf* (epopeyas heroicas);
Le Garçon et l'Aveugle (novelas picarescas); *Caballero Cifar* (libros de caballerías, *Quijote*).

borough [50] se tiene como posible fecha de composición del *Rolando* los años comprendidos entre 1095 y 1098, el año de la muerte de Turoldo. La personalidad de este monje guerrero normando explica a fondo el espíritu guerrero y religioso al mismo tiempo del *Rolando* [51]. A más de esto, los años de preparación de las primeras cruzadas de ultramar (desde Normandía y el territorio anglo-normando) así como de la reconquista de Zaragoza (que las tropas españolas y francesas sólo lograron en 1118) eran la única época concebible en que el estribillo *aoi* pudo tener el significado de "arriba", o "todos a bordo, a la mar, a las cruzadas", que atribuimos a este recurso estilístico [52], que no aparece en textos anteriores o posteriores al *Rolando* de Oxford. Puede interpretarse como una

---

[50] *La Chanson de Roland e i Normanni,* Florencia, 1949. Es extraño que esta importante teoría fuera pasada por alto por M. Delbouille, *Sur la Gènese de la Chanson de Roland,* Bruselas, 1954, en su capítulo sobre el último verso del poema, págs. 84-97. La aceptó en cambio M. de Riquer, *Los Cantares de Gesta franceses,* Madrid, 1952, págs. 120-125 y en último término R. Menéndez Pidal, *La Chanson de Roland,* París, 1960, página 37. Sin embargo estos eruditos creen más bien que Turoldo escribió su poema entre 1086 y 1090 (sólo Riquer no se define).

[51] Véase *Interpretaciones histórico-legendarias.* De acuerdo con ellas el último verso del poema "Ci falt la geste que Turoldus declinet" (4002) tendría el sentido exacto de "Aquí concluye o se detiene (o sea, deja de relatarnos el resto) la *Geste Francor* (el modelo latino desaparecido, escrito en prosa) versificada por Turoldo (originariamente de Fécamp en Normandía, después de la batalla de Hastings en Malmesbury y a partir de 1070 en la abadía de Peterborough en el condado de Northampton"). Cfr. *Gormond,* 146 "Ceo dit la geste a Saint Denise"; y 330 "Ceo dit la geste a Saint Richier". Por la gran diversidad de teorías más antiguas sobre el último verso del *Rolando,* véase H. H. Christmann, *Declinet und kein Ende,* en *Zeitschr. f. französ. Sprache u. Lit.* LXXVI (1966), págs. 84 y ss.

[52] En *Estudios épicos medievales,* págs. 321-322; *Cataluña en la Canción de Guillermo francesa,* nota 5. La misma teoría (expuesta por mí ya en 1954) fue presentada con ejemplos idénticos más recientemente también por R. Menéndez Pidal (en *Rev. Fil. Esp.,* XLVI, 1963, publ. 1965, páginas 173 y ss., con el título *El AOI del Manuscrito Rolandiano de Oxford*), con la única diferencia que el autor, conforme a su conocida idea del "tradicionalismo", cree reconocer en el *ahoi* una expresión de los francos. Cabe decir que entre los especialistas de la épica románica medieval existe una marcada tendencia a no distinguir entre la lengua de los francos, procedentes de la Alemania del Sur (siglo v), y la lengua de los normandos, procedentes de Escandinavia (siglo x).

exhortación a unirse a la cruzada contra los moros. Si no fuera así ¿por qué fue dejado de lado el *aoi* por los refundidores posteriores? En nuestra opinión deriva del nórd. ant. [53] *á haugi* "arriba, hacia las alturas" (cf. danés mod. *hoj* "alto" e ingl. ant. *hoy* "alzar, izar") y corresponde al inglés y el alemán *ahoy* (llamada náutica empleada para llamar a bordo, a la mar), ital. *all'erta* ("a las alturas, arriba" > francés *alerte* "arriba, a las armas") y vagamente también al español *arriba* (cf. fran. *arriver* < *adripare*) [54]. Visto desde el ángulo mencionado el uso exclusivo de *aoi* en el *Rolando* de Oxford contribuye a fijar la fecha con mayor exactitud de lo que anteriormente era posible.

Acaso estas observaciones, junto con otras investigaciones críticas en la dirección indicada, puedan contribuir a una solución más definida del problema discutido de la cronología de las epopeyas medievales más antiguas y destacar al mismo tiempo la importancia de la valoración estilística.

---

[53] Los términos en nórdico antiguo abundan en los textos anglonormandos y en la *Chanson de Roland*. Véase *Estudios épicos medievales*, páginas 295-336; *Cataluña en la Canción de Guillermo francesa*, nota 5.

[54] Para más ejemplos y el uso del término véase *Estudios épicos medievales*, págs. 321 s. — Para la fecha de composición del *Rolando* comp. también *Espíritu hispánico*, I. Sobre el uso del arcaico *siniestro* (por "izquierdo") y *francos* (por "catalanes") en el *Cid* cfr. nota 13 en pág. 16 de este volumen y nota 38 en pág. 24 respectivamente.

¿HACIA UNA NUEVA CRONOLOGÍA? *

¿Es posible que las diversas observaciones sobre los problemas señalados en estos trabajos, que atribuyen a España una gran influencia en la formación de las leyendas y la evolución de los poemas épicos, nos ofrezcan una base suficiente para una perspectiva nueva en lo que concierne a la cronología de los cantares de gesta? En dicho caso se impondría una revisión de las teorías establecidas hasta el presente. Las relaciones entre las epopeyas más antiguas serán de esencial importancia. Hay que preguntarse si todavía podemos afirmar con certeza que el *Poema del Cid* es posterior a la *Canción de Rolando*. Esta concepción tradicional se vuelve en efecto discutible si consideramos también los siguientes hechos:

1) La literatura francesa no nos ofrece ejemplo alguno de un cantar de gesta compuesto en lenguaje vulgar antes del *Rolando* (si dejamos a un lado las especulaciones sobre los antecesores de los textos conocidos) [1]. 2) Poseemos no obstante antiguos poemas épicos latinos —por ejemplo, *In Honorem Hludowici* de Ermoldo el Negro, el *Waltharius,* algunos lamentos, varios panegíricos, etc.— y crónicas latinas en prosa; además conocemos la tradición épica de los pueblos ostrogodo, visigodo [?], inglés y noruego, que incluye el fragmento del *Hildebrandslied,* el *Rodrigo* "perdido" [2], el

---

* Publicado en parte en *Mélanges de Linguistique Romane et de Philologie Médiévale* ofrecidos a M. M. Delbouille, vol. II (1964), págs. 591-596.

[1] Cfr. nuestros comentarios en *Espíritu hispánico,* I, págs. 147 y ss.

[2] Ver R. Menéndez Pidal, *Los Godos y el origen de la epopeya española,* Madrid, 1955, y en otros muchos lugares. Para nuestro punto de vista cfr.

Beowulf, los poemas de los escaldos y algunos tempranos cantos de las *Eddas*. 3) El *Rolando* no refleja sólo la historia carolingia sino al mismo tiempo también los acontecimientos españoles de fines del siglo XI. 4) La versificación emparentada del *Rolando* y del *Cid* parece ser una creación de la misma época (volveremos más adelante sobre este importante asunto). 5) La fecha de un poema del Cid primitivo, escrito en lengua castellana y que ya revela el "plan total de la obra"[3], fue situado en casi la misma época que la de la composición de la canción "turoldiana" (antes o alrededor de 1100), de la que deriva el código de Oxford (posterior a 1150). 6) Varios críticos literarios sostienen que el *Rolando* data de la misma época que la *Crónica de Turpín*, y otros admiten que ésta última fue compuesta sólo pocos años después de la *Canción de Rolando*[4], no podría tratarse, por consiguiente, más que del siglo XII.

Que el *Rolando* "original" llevaba todos los rasgos característicos de la tradición manuscrita conservada —lengua, métrica, estratificación— es una conjetura bastante general a la que hemos dado en principio nuestro apoyo. No obstante, esta teoría no excluye por entero la duda (en efecto, toda consideración que sitúa algunos poemas épicos en el siglo XI aún se mantiene hipotética). Por lo demás, podríamos plantearnos las dos cuestiones siguientes: si Turoldo fue el autor de la "gesta" (según el verso 4002 del *Rolando*) en 1095 o después, acaso no fuera el poeta de la versión que ya contenía los elementos tomados de la historia alfonsina de

---

Estudios épicos medievales, págs. 135 s. El *Rodrigo* parece reflejar algunos aspectos de la leyenda de Teodorico el Grande; véase *Interpretaciones histórico-legendarias*, pág. 23, n. 33, y *Est. ép. med.*, págs. 142 s.

[3] R. Menéndez Pidal, *Dos Poetas en el Cantar de Mio Cid*, en *Romania*, LXXXII (1961), págs. 145 s., en particular pág. 191. (Nuestra mayor reserva actual se reduce a saber si el episodio esencialmente legendario de los Infantes de Carrión realmente fue escrito todavía en vida de aquéllos, de Jimena y de una de sus hijas). Recordemos que también nosotros compartimos la opinión de que debió haber dos autores del *Cid*; véase *Interpretaciones hist.-leg.*; *Cataluña en la Canción de Guillermo francesa*; *Notas sobre temas épico-medievales*. Creemos además que el *Guillaume* y el *Couronnement Louis* fueron posteriores al *Cid*; cfr. *Notas sobre temas épico-medievales*; *Estilo y Cronología*.

[4] Cfr. nuestras notas en *Espíritu hispánico*, I.

España —el nuevo método que Menéndez Pidal puso en práctica
para el *Cid* incitaría a una investigación análoga del *Rolando* y
nos recuerda al mismo tiempo la antigua controversia en torno al
episodio de Baligant[5] (particularmente rica en reminiscencias de la
España alfonsina). Por otra parte, ¿fue él el poeta que había puesto en verso el asunto de la *Gesta Francorum* perdida ("declinet")?
Nada nos indica por otra parte que "Turoldus" no se hubiese servido del latín para su versión (la forma latina de su nombre en el
último verso es un punto que hay que retener) como lo había
hecho su contemporáneo español, el poeta del *Carmen Campidoctoris*; o bien, si escribía en anglonormando nada nos indica que no
fuese el autor de una versión en octosílabos, el verso tradicional
de la poesía anterior (vidas de santos), del *Gormond* (alrededor de
la misma época que la *Canción de Rolando*)[6] y más tarde de las
crónicas rimadas (Gaimar, Wace, Benoît)[7].

Menéndez Pidal nos dice que el *Cid* ya fue esbozado en tiradas
poco después de la muerte del héroe (en 1099)[8] en un tiempo que

---

[5] Es Delbouille quien toma nuevamente el asunto (en *La Chanson de
Geste et le Livre*, contenido en *La Technique littéraire des Chansons de
Geste*, Lieja, 1959, pág. 310, n. 11), comprobando que el *Rolando* del
manuscrito de Oxford sin duda ha reemplazado hacia el año 1100 un *Rolando* anterior más breve y que no contenía el episodio de Baligant.

[6] *Gormond* parece contemporáneo a los cantares de gesta más antiguos
que se conservan, *Rolando*, *Guillaume*, sin que pueda decidirse si es anterior a ellos o no (ver A. Bayot, en la 3.ª edición de *Gormont et Isembart*,
París, 1931, pág. VI). La trama de esta leyenda no tenía aparentemente una
verdadera intriga y en este sentido se asemeja a la técnica de los relatos
muy antiguos (Ermoldo, *Hildebrand*, la primera mitad del *Cid* hasta la
conquista de Valencia, acaso la *Geste Francor*). Al referirse al *Gormond* y
al *Roman d'Alexandre*, del que ha llegado hasta nosotros una versión en
octosílabos y otra en decasílabos, Delbouille nos habla del proceso de un
alargamiento de los cantares de gesta (estudio citado en la nota precedente).

[7] Si bien está escrito en una versificación diferente es precisamente el
primer producto conservado de la poesía épica española —el relato del
"poeta de Gormaz"— el que lleva las características de una auténtica crónica rimada (cfr. la nota 14 abajo y la pág. 142).

[8] "La fecha en que escribió este poeta de Gormaz debió ser a raíz de
la muerte del héroe" (*Dos Poetas*, pág. 183); "hechos narrados con rasgos que respiran verismo de coetaneidad" (pág. 182); "Probablemente el
móvil inicial de nuestro primer poeta fue el recuerdo de los recientes ma-
trimonios de doña Cristina-Elvira y doña María-Sol, celebrados en [...]

se corresponde con la fecha aproximada de la *Historia Roderici* (1103-1109) [9]. Allí se mencionan, como después indicaremos [10], algunas acciones de García Ordóñez de Grañón que no se encuentran en el *Cid*. Pero éstas parecen reflejadas en el relato de la intriga de Ganelón en el *Rolando*, así como el tema del proceso y del castigo, esbozado en el *Cid* primitivo. Este tema, que aparece tanto en el *Cid* como en el *Rolando*, está aparentemente inspirado en el episodio del duelo de Sano y Berilo contenido en el poema de Ermoldo [11]. Ahora bien, las diversas analogías histórico-legendarias [12] permiten establecer afinidades entre el *Rolando* y el *Cid*, de igual manera como algunos tópicos estilísticos idénticos [13] y la versificación semejante podrían explicarse por una influencia del poema castellano sobre la canción francesa.

Queda así por considerar la posibilidad de un desarrollo de la prosa castellana —del tipo de "diario de guerra"— [14] en versificación todavía flexible y estrofas irregulares [15] en el *Cid*, que reapare-

---

1097 y 1098" (pág. 191). ¿Sería posible remontar la versión primitiva de la obra a un pasado aún más remoto y aproximarla a la fecha hallada por J. Horrent para el *Carmen Campidoctoris* (entre 1093 y 1094)?

[9] Según Menéndez Pidal, *Dos Poetas*, pág. 183.

[10] *Espíritu hispánico*, I, págs. 150 y ss., en este libro.

[11] Véase nuestras *Notas sobre temas épico-medievales* y *La Justice dans l'Epilogue de la Chanson de Roland et le Poème du Cid*, en *Cahiers de Civilisation Médiévale*, III (1960), págs. 76 s.

[12] Véase *Espíritu hispánico*, I.

[13] Señalados en *Zu den poetischen Ausdrucksformen in altromanischer Epik*, en *Zeitschrift für Romanische Philologie*, LXVI (1950), págs. 24 s.; *Estudios épicos medievales*, págs. 231 s.; y *Estilo y cronología*, passim. No obstante, hay que tener en cuenta el hecho de que el segundo autor del *Cid*, el "poeta de Medinaceli", escribió en una época en que probablemente ya se conocía el *Rolando*. De allí los influjos estudiados más arriba (págs. 81 s.).

[14] Véase *Estudios épicos medievales*, págs. 346 s. y *Estilo y Cronología*. Al referirse al Cid del "poeta de Gormaz", Menéndez Pidal nos habla de un "texto épico cronístico" (*Dos Poetas*, pág. 160) cuyo autor "poetizaba muy cerca de la realidad histórica" (pág. 148). Al mismo tiempo también cree que "este poeta de San Esteban [de Gormaz] se sirve de cantos noticieros" (pág. 186).

[15] Las estrofas y los versos, a pesar de su carácter peculiar en el *Poema del Cid*, pudieron haber encontrado un punto de apoyo en la forma del poema latino *Waltharius*. Éste está dividido en estrofas desiguales (cfr.

cería en el fragmento *Roncesvalles* [16] conduciendo a la forma de los *Infantes de Lara* (según la reconstrucción de Menéndez Pidal) [17]. Esta epopeya es una obra de transición entre el género primitivo y el romancero, equilibrando el verso al modo peculiar de éste último. Según esta hipótesis, el *Rolando* adopta y regulariza el verso cidiano, abreviándolo y adaptándolo al decasílabo [18] (cono-

por ejemplo, la distribución en el manuscrito de Karlsruhe de mediados del siglo XII) y conserva el verso de Virgilio y de Ermoldo que, si contamos las sílabas, tiene una longitud comparable a la del verso cidiano que se emplea con mayor frecuencia (14 ó 15). Es bien sabido que el *Waltharius,* cuyo héroe fue considerado de origen aquitano ("von Spânje" según el *Nibelungenlied),* estaba muy difundido en el mundo occidental. Las concordancias del *Rolando* (y del *Gormond)* con este texto, sobre todo de orden estilístico, como las del poema de Ermoldo han sido estudiadas frecuentemente (últimamente en *Est. ép. med.,* págs. 231 s.). No obstante, Menéndez Pidal pone en tela de juicio la teoría de esta influencia y la sacrifica a la idea del tradicionalismo (en *La Chanson de Roland,* París, 1960, págs. 16 s.), que ésta, empero, no tendría que excluir enteramente. Por otra parte Menéndez Pidal señalaba el explicit del *Waltharius* ("Haec est Waltharii poesis..."; v. 1456) como un paralelo al último verso del *Cid* ("Estas son las nuevas de mio Çid el Canpeador"; v. 3729) — véase *Cantar,* página 1164.

[16] Tiene su razón de ser el hecho que los autores de España hubieran conservado este verso, no obstante la existencia de poemas épicos más regularizados como el *Fernán González* por lo menos a partir de mediados del siglo XIII. El ritmo orgánico de cada unidad oratoria que, de acuerdo con la lengua hablada, determina la longitud de los versos flexibles y el lugar de la cesura, es ya de una simplicidad conmovedora ya de una grandiosidad épica admirable.

[17] Contenida en *La leyenda de los Infantes de Lara,* Madrid, 1898, 2.ª edición 1934, págs. 415 s.; 421 s.; *Reliquias de la poesía épica española,* Madrid, 1951, págs. 199-236.

[18] El *Alexis,* que representaba un género diferente de los cantares de gesta, también regulariza la estrofa. G. Paris situó este poema a mediados del siglo XI, hipótesis todavía discutible, si bien el texto del manuscrito más antiguo que se conserva (alrededor de 1150) esté escrito en anglo-normando más arcaico que el código de Oxford del *Rolando.* Visto del ángulo estilístico-comparativo no hay razón para suponer que el *Alexis* precediera necesariamente a la canción (cfr. *Estilo y cronología,* pág. 112). Su autor dispone de varios tópicos muy característicos del *Rolando* o del *Cid,* por ejemplo *Al.,* v. 222; 387; 401-403; 406. La existencia de un *Alexis* en tiradas y el *Boeci* presentan además otro problema. La misma duda persiste en lo que concierne a la fecha de este último, como también admite C.

cido a través de la poesía latina). La dificultad de imaginar que el autor del *Cid* ("primitivo") se hubiese inspirado en la forma métrica del *Rolando* sin querer reconocer por entero su principio o sin lograr imitarlo hallaría así su solución. Parece más fácil ver en los versos del *Cid* el comienzo y en los de *Rolando* el resultado de una evolución progresiva. El *Cid* todavía no estaba escrito "a sílabas cuntadas" tal como el *Poema de Alexandre* o el *Fernán González*. El verso irregular de la tirada cidiana ¿fue regularizado en la "laisse" rolandiana mediante una recaída en el metro decasilábico (quizá según el *Alexis* si ya existió)? En cambio, en España el verso de la tirada será regularizado por el *Romancero*.

Dirijamos también la atención hacia algunos versos decasílabos que se encuentran en el texto del *Poema del Cid*: 268-269b "Merçed, ya Çid, barba tan complida! Fem ante vos yo e vuestras fijas, Iffantes son e de días chicas"; 295-298a, 298b-300. "Quando lo sopo mio Çid el de Vivar, Quel creçe conpaña, por que más valdrá Apriessa cavalga, reçebir los sale; ... tornós a sonrisar; Lléganle todos, la mánol ban besar. Fabló mio Çid de toda voluntad: Yo ruego a Dios e al Padre spiritäl" (según el sistema 4 + 6, 4 + 6, 4 + 6, 4v + 6, 5v + 5, 5v + 5v, ... + 6; 4v + 6, 4 + 6, 4 + 6). ¿Fue interpolado en el *Cid* este decasílabo épico e imitado de la epopeya francesa e incluso del *Waltharius* [19], o bien fue imitado este verso por los poetas franceses de la canción castellana?

En estas condiciones también se plantea la cuestión de si el autor del modelo de la copia de Oxford del *Rolando*, en la que ya se encontraban enlazados los elementos carolingios y alfonsinos, quiso escribir una obra nacional inspirada en parte por el *Cid* primitivo que representara al mismo tiempo una réplica a la leyenda

Segre (*Il "Boeci", i Poemetti agiografici e le Origini della Forma epica*, en *Atti della Accademia delle Scienze di Torino*, LXXXIX, 1954-1955, página 18): "Naturalmente l'affermazione di un influsso del *Boeci* sull'epica, o viceversa, dipende dall' adesione degli studiosi all' una o all' altra teoria sull'origine dell'epica, all'uno o all'altro parere sulla datazione del *Boeci*", si bien el propio Segre se decide por la cronología indicada por el título del artículo.

[19] Comp. los versos 64 "Ibant legati totis gladiis spoliati" (4v + 6v); 560 "Inferius stanti praedicens sic mulieri" (4v + 6v); 1456 "Haec est Waltharii poesis. Vos salvet Iesus." (6v + 4v).

de Bernardo del Carpio [20]. Por oposición a ésta última, ¿se habría formado la leyenda de Rolando y Oliveros [21] en los círculos franceses de España en la época del arzobispo Bernardo (a partir de 1080)? Tampoco estamos seguros de lo contrario.

El conocimiento muy restringido de la evolución de las leyendas épicas se explica por el estado fragmentario de la tradición manuscrita. Las lagunas son innumerables, incluso la mayor parte de los textos que se conservan no son más que copias de los manuscritos perdidos. Sólo en casos excepcionales los originales han llegado hasta nosotros. La crítica no debería simplificar esta situación tan complicada, por más que las teorías uniformes siempre hayan seducido a los lectores por sus apariencias plausibles.

El trabajo que queda por hacer es el de colacionar los materiales de las versiones conocidas del *Rolando* y del *Cid* —con los de otros poemas franceses, españoles y latinos (del siglo XII o anteriores)— metódicamente en el plano comparativo, después de haber señalado los elementos pertenecientes a los diversos estratos [22] y de haberse puesto de acuerdo sobre las hipótesis y los resultados obtenidos. Las consideraciones que aquí se presentan en forma de notas muy breves y bien diversas se limitan a plantear estos problemas que merecen particular atención en las discusiones acerca de las relaciones franco-españolas de los poemas épicos medievales.

---

[20] Cfr. nuestros comentarios en *Relaciones franco-hispanas* arriba.

[21] Y la de Guillermo de la nariz aguileña; cfr. el texto de la *Nota Emilianense* y las notas a continuación. En lo que respecta la comparación de la figura legendaria de Oliveros (en el *Rolando*) con el personaje histórico de Alvar Fáñez (en el *Cid* y la historiografía alfonsina) que ya realizó una vez el autor del *Poema de Almería,* véase *Cataluña y Aragón...,* págs. 274 y ss.

[22] Véase nuestra nota 50 de *Cataluña y Aragón...* sobre el sustrato "carolingio" del *Rolando* y el superestrato "alfonsino", y sobre la posibilidad de que existiese un *Rolando* primitivo, ampliado en el siglo XII.

EL PROBLEMA ESTRUCTURAL DEL POEMA DEL CID *

Los estudios recientes de Menéndez Pidal acerca del *Poema del Cid* que sugieren una primera composición de esta epopeya en una época muy próxima a la muerte del Campeador (año 1099) [1], nos dan la oportunidad de retomar y de elaborar una observación preliminar que comunicamos en forma de notas marginales [2] hace doce años. Éstas se referían al canto II, el único que suele llamarse "gesta", en sus relaciones con el canto precedente y el siguiente. Se trata pues del problema estructural y al mismo tiempo cronológico de las diferentes partes del poema tal cual preocupa también al eminente filólogo español en sus nuevas consideraciones, que ya hemos aceptado en principio [3].

Los críticos han señalado con frecuencia que los episodios relatados en el cantar segundo revelan rasgos muy realistas, mucho más históricos que legendarios; éste ya no es el caso con el canto

---

* Publicado en parte en *Lengua, literatura, folklore. Estudios dedicados a R. Oroz,* Santiago de Chile, 1967, págs. 425 y ss.

[1] Se trata del estudio *Dos Poetas en el Cantar de Mio Cid,* en *Romania,* LXXXII (1961), págs. 145 s. (ahora también en el libro *En torno al Poema del Cid,* 1963, págs. 109 s.), y los comentarios contenidos en la ed. 1946 del *Cantar de Mio Cid,* pág. 1168 (adiciones). — Véase además *La fecha del "Cantar de Mio Cid",* en *Studia Philologica,* Homenaje ofrecido a Dámaso Alonso, vol. III (1963), págs. 7 s.

[2] *Interpretaciones histórico-legendarias de la épica medieval,* en *Arbor,* XXX (1955), pág. 184, nota 15; *Notas sobre temas épico-medievales,* en *Boletín de Filología,* XI (1959), pág. 347.

[3] Véase nuestras *Considérations complémentaires sur les Légendes épiques et les Romans courtois,* en *Mélanges de Linguistique Romane et de Philologie Médiévale offerts à M. Delbouille,* vol. II (1964), págs. 581 ss.

III, el que más ha sido objeto de refundición [4], escrito indudablemente mucho tiempo después de la muerte del Cid (apenas menos de una década entera, en su forma primera). El "Cantar de las bodas de las hijas del Cid", título que designa el segundo canto que forma la parte central del poema, puede considerarse una creación anterior a la "Afrenta de Corpes". Ésta se caracteriza por el suceso totalmente legendario del bosque de Corpes y por el castigo final de los Infantes de Carrión bajo el influjo aparente del proceso de Ganelón [5] (así se explica quizá también la semejanza entre *Cid*, 2827-29 "Quando gelo dizen a mio Çid el Campeador, Una grand ora penssó e comidió; Alçó la su mano, a la barba se tomó" y *Rol.*, 214-215 "Li emperere en tint sun chef enbrunc, Si duist sa barbe, afaitad sun gernun"). Aún el fin del cantar II parece en gran medida independiente de las partes precedentes. Esta impresión también la acentúa la conjetura de Menéndez Pidal de que se puede entender por "bodas" los "desposorios" de las hijas del Cid con los Infantes —con el significado de "contrato de casamiento" entre los padres de menores (que caducó más tarde) [6].

---

[4] Según Menéndez Pidal, *art. cit.*, pág. 180: "el Cantar de Corpes, el más refundido".

[5] Cfr. nuestro artículo *La Justice dans l'Epilogue de la Chanson de Roland et le Poème du Cid*, en *Cahiers de Civilisation Médiévale*, III (1960), págs. 76 s. y *Notas sobre temas épico-medievales*. Por otra parte, fue el *Rolando* el que probablemente sufrió el influjo de la historiografía alfonsina de la época del Cid, como lo hemos señalado en *Espíritu hispánico en una forma galorromana*, y en el artículo citado en nota 3 arriba. Acaso la idea que tiene el poeta normando del *Rolando* de que Zaragoza "est en une muntaigne" (v. 6) se explica por una confusión con Saillagouse (cf. *Notas sobre temas épicos medievales*) o más bien con Toledo: "Obsedit secura suum Castella Tolletum, Castra sibi septena parans, aditumque recludens. Rupibus alta licet, amploque situ populosa, Circundante Tago, rerum uirtute referta, Victu uicta carens, inuicto se dedit hosti" (*Primera Crónica General*, ed. Menéndez Pidal, Madrid, 1955, pág. 539; según el Toledano). Para *Rol.* 71, 97 "Cordres", y 200, 955 "Sebilie", comp. "Aldefonsus nuntium cum [el Cid] pro paria sua ad regem Sibille et (ad regem) Cordube misit" (*Historia Roderici*, 4.ª ed. de Menéndez Pidal, en *La España del Cid*, Madrid, 1947, pág. 921; cfr. también la *Crónica de Veinte Reyes*, texto del *Cantar de Mio Cid*, ed. Menéndez Pidal, página 1022).

[6] *Art. cit.*, págs. 156 s.: "contrato matrimonial de los de Carrión y la ruptura posterior" (año probable: 1089).

En cambio el tema principal del canto segundo es la conquista de Valencia y la resultante reconciliación del rey con el Campeador. No es difícil reconocer que los versos 1085-1097 hacen un comienzo de epopeya magnífico: "Aquís conpieça la gesta de mio Çid el de Bivar. Poblado ha mio Çid el puerto de Alucat, Dexado a Saragoça e a las tierras ducá, E dexado a Huesa e tierras de Mont Alván. Contra la mar salada conpeçó de guerrear; A orient exe el sol, e tornós a essa part. Myo Çid ganó a Xérica e a Onda e Almenar, Tierras de Borriana todas conquistas las ha. — Ayudól el Criador, el Señor que es en çielo. El con todo esto priso a Murviedro; Ya vidíe mio Çid que Dios le iva valiendo. Dentro en Valençia non es poco el miedo". Los anacronismos de Almenar(a) (v. 1092) y de Murviedro (v. 1095, 1153, 1196, 1328), ambos conquistados por el Cid en el año 1098 y por ello suprimidos en el texto correspondiente de la *PCG*, cap. 862, se explicarán con cierta probabilidad como interpolaciones del primer refundidor. En el caso de Almenar(a) puede tratarse también de Lérida (cf. Menéndez Pidal, en *Cantar*, pág. 457), tomada en 1082 por el Cid. Si es añadidura posterior, el trozo siguiente en el texto conserva la idea original acaso mejor: "Pesa a los de Valencia, sabet, non les plaze; Prisieron so consejo quel viniessen çercar. Trasnocharon de noch, al alva de la man Açerca de Murviedro tornan tiendas a fincar. Viólo mio Cid, tomós a maravillar: Grado a tí, Padre spiritual!" (v. 1098-1102b). Otra —hipotética— interpolación serían los versos 1372-1377 (las intenciones de los infantes de Carrión que aquí cuadran mal).

Sin embargo, no es precisamente la sobriedad de las descripciones de los combates de Valencia lo que constituye el punto culminante del relato épico, sino más bien el momento en que el heroísmo y la esperanza del Campeador se ven plenamente recompensados por los gestos del rey reconciliado y los honores recibidos en la corte, expuestos en escenas que dejan entrever en todos sus detalles la extrema satisfacción y aún el gozo del héroe y sus fieles: "Hinojos fitos sedíe el Campeador: 'Merçed vos pido a vos, mio natural señor, Assí estando, dédesme vuestra amor, Que lo oyan todos quantos aquí son'. Dixo el rey: 'Esto feré d'alma e de coraçón; Aquí vos perdono e dovos mi amor, En todo mio reyno parte desde oy'. Fabló mio Çid e dixo esta razón: 'Merçed, yo lo reçibo, Alfons mio señor; Gradéscolo a Dios del çielo e después a vos, E a estas mesnadas que están a derredor'. Hinojos fitos las manos le besó, Levós en pie e en la bócal saludó. Todos los demás desto avíen sabor; Pesó a Alvar Díaz e a Garcí Ordóñez. Fabló mio Çid e dixo esta razón: 'Esto gradesco al padre Criador, Quando he la graçia de Alfons mio señor; Valer me a Dios de día e de noch. Fossedes mio huésped, si vos ploguiesse, señor'. Dixo el rey: 'Non es aguisado oy: Vos agora llegastes, e nos viniemos anoch; Mio huesped seredes, Çid Campeador, E cras feremos lo que ploguiere a vos'. Besóle la mano mio Çid, lo otorgó. Essora se le omillan iffantes de Carrión: 'Omillámosnos, Çid, en buena nasquiestes vos! En quanto podemos andamos en vuestro pro'. Respuso mio Çid: 'Assí lo mande el Criador!' Mio Çid Roy Díaz que en ora buena naçió, En aquel día del rey so huésped fo; Non se puede fartar dél, tántol queríe de coraçón; Catándol sedíe la barba, que tan aínal creçió. Maravíllanse de mio Çid quantos que y son" (v. 2030-60).

Aquí el poema podía haber concluido y en efecto la verdadera epopeya —las hazañas del Cid— termina en este lugar. Pero siguen luego en el segundo canto los 218 versos que relatan los desposorios de las hijas del Cid. En cambio, hay un fuerte elemento de unidad que resulta del uso de un incipit (desconocido en el tercer canto) y de un explicit (que no está contenido en el primero). Son los versos 1085 "Aquís conpieça la gesta de mio Çid el de Bivar" y 2276 "Las coplas deste cantar aquís van acabando". El canto II fue concebido pues como una "gesta", como por ejemplo la *Historia Roderici*, cuyo título en el incipit era "Gesta de Roderici Campi Docti"[7], y la *Geste Francor* que el autor del *Rolando* utilizó como fuente, estando escrita ésta última probablemente también en prosa latina.

Dado que diversas gestas y poemas emparentados en cierta medida llevan las características de las crónicas rimadas, podemos pre-

---

[7] En *La España del Cid*, pág. 919. — El único manuscrito del *Poema del Cid* carece de título conocido, ya que las primeras páginas no se han conservado.

guntarnos si el *Cid* igualmente pertenece a esta misma categoría que, por otra parte, no está bien delimitada y sería aventurado definir. Mencionemos aquí, por ejemplo, la obra latina de Ermoldo el Negro y el *Couronnement Louis*; también la *Entrée d'Espagne* y la *Prise de Pampelune* con sus reminiscencias de la *Crónica de Turpin*, y el poema castellano *Fernán González*. Éste resume en la primera parte la historia a partir de la época visigótica de manera semejante a la de Wace en su *Brut*, también llamada la "Geste des Bretuns" [8], elaborada según la crónica latina de Geoffrey. No obstante, y a despecho de algunos puntos de contacto entre la técnica literaria de las epopeyas más antiguas en su forma conocida —que en general son refundiciones— y el proceso más inmediato de transformación de una prosa historiográfica en crónica rimada, había diferencias bastante netas entre las evoluciones estructurales en el fondo muy diversas del *Cid*, del poema de Ermoldo, del *Rolando*, del *Brut*, etc., como se verá a continuación.

Los episodios del canto central del *Cid* frecuentemente tienen carácter de noticieros [9] que refieren las etapas significativas de la expedición y de la vida caballeresca del Campeador. Esto está subrayado por el uso frecuente de fórmulas que indican que las noticias de los acontecimientos honrosos se han anunciado en el interés del ejército de exiliados que tenían el deseo natural de mostrarse dignos de todo respeto en las regiones reconquistadas y particularmente en la tierra del rey de "Castiella la gentil" (v. 829), para la que aspiraban a hacerse valer a los ojos de todo el mundo. El término empleado es "las nuevas" (originariamente "novedades" relativas a las acciones eminentes del Cid en el más de los casos) [10].

---

[8] Cfr. Tobler-Lommatzsch, *Altfranzösisches Wörterbuch*, IV, col. 289.

[9] Según Menéndez Pidal (*La Épica francesa y el tradicionalismo*, Barcelona, 1958, págs. 73 s. y *La Chanson de Roland et la Tradition épique des Francs*, París, 1960, págs. 491 s.), quien cree en la existencia de noticieros también en Francia, se trataba de cantos de actualidad hipotéticos o de informaciones en verso comparables a los romances españoles de épocas más recientes. Empleamos aquí el mismo término con el significado de comunicados, independientemente de la cuestión discutible de si estaban o no en verso.

[10] Cfr. en el *Libro de Alexandre*, v. 2291, 4: "Serán las nuestras nuevas en corónjcas metidas".

La lista de ejemplos que se refieren a estas hazañas del Campeador se halla repartida casi exclusivamente en el segundo canto: "Las nuevas de myo Çid sabet, sonando van" (1154), "Sonando van sus nuevas, alent parte del mar andan" (1156), "Sonando van sus nuevas todas a todas partes" (1206) [11], "Las nuevas del cavallero ya veedes do llegavan" (1235), "E plázem de las nuevas que faze el Campeador" (1343), "Mucho creçen las nuevas de mio Çid el Campeador" (1373), "Las nuevas del Çid mucho van adelant" (1881), "Aquís metió en nuevas myo Çid el Campeador" (2113) [12].

Recordemos que en el último verso debemos entender por "las nuevas" el poema entero (3729): "Estas son las nuevas de mio Çid el Campeador". El término se convierte así en un sinónimo de "gesta", aunque conserva siempre una significación de novedad y el otro aún acentúa el sentido de la acción, uniéndose los dos en la de suceso. Que yo sepa este enfoque aún no se había propuesto a la crítica. Por consiguiente puede concebirse el *Cid* como un poema originariamente cíclico destinado a propagar la gloria del héroe, y derivado de noticieros difundidos para hacer conocer las intenciones y las hazañas del Campeador, que resumirían un diario de guerra [13]. La estructura del canto II y la existencia del incipit ("gesta") como la del explicit del poema entero ("nuevas") apoyan dicha posibilidad.

---

[11] Al referirse a la llegada del arzobispo Jerónimo se dice: "En estas nuevas todos se alegrando, De parte de orient vino un coronado" (1287-8). Este personaje era originario del Périgord y fue llamado a España por Bernardo, arzobispo de Toledo y primado de España, cuando la Iglesia de Valencia se había convertido en una dependencia de la de Toledo (véase la obra del Toledano, VI, 26; Menéndez Pidal, *Cantar*, pág. 875). Se cree que el propio Bernardo había tomado parte activa en el sitio de Alcalá (M. Defourneaux, *Les Français en Espagne aux XIe et XIIe Siècles*, 1949, pág. 35), si bien "Quae de Bernardo Toletano Tarracone gesta a quibusdam narrantur... falsa esse convincuntur" (cfr. *España Sagrada*, XXV, págs. 112 s.). Sobre la posibilidad de que el personaje de Bernardo hubiese servido de modelo para la creación literaria de la figura de Perceval, y el papel de éste último como sacerdote en *Parzival*, en este libro, véase *Espíritu hispánico*.

[12] El autor del *Poema de Roncesvalles* ha empleado el término en un sentido análogo: "Dizir me ias las nuevas, cada uno como fizo" (Carlomagno a Rolando muerto).

[13] Sobre esta teoría véase *Estudios épicos medievales*, pág. 346 s.

Una crítica objetiva y sincera deberá, pues, considerar seriamente la siguiente teoría: 1) En el origen de la evolución de la epopeya cidiana estaba el diario de guerra; 2) Después de los sucesos significativos y particularmente a consecuencia de los hechos heroicos y gloriosos se resumían textos escogidos del diario de guerra a fin de publicarlos en forma de noticiero [14]; 3) Un poeta (o varios poetas épicos) se servía(n) de la misma fuente para transformarla en "gesta" —o crónica— rimada, conservando sus detalles más característicos pero introduciendo algunas ligeras modificaciones, sin dejar de observar al mismo tiempo la técnica cíclica de los noticieros; 4) Finalmente llegaron los refundidores a los que debemos los elementos legendarios añadidos, las ampliaciones o continuaciones inventadas y la historiografía confundida. Este último rasgo es uno de los que el *Cid*, en las grandes líneas de su evolución estructural (dejando de lado las semejanzas métricas y estilísticas), tiene en común con el *Rolando* que en su forma conocida se compuso más de tres siglos después de los sucesos referidos. No obstante, en este sentido el poema castellano es más bien comparable al panegírico de Ermoldo el Negro que conserva notablemente el espíritu casi contemporáneo de la época descrita.

Ahora bien, el autor de "Gormaz" y el de "Medinaceli", que señala Menéndez Pidal [15] y son llamados así a causa de sus sorprendentes conocimientos de la geografía y de algunas tradiciones locales de sus regiones respectivas ¿habrían de ser necesariamente poetas? Si según nuestra perspectiva el *Cid*, en las diversas etapas de su evolución, fue compuesto en verso según el material historiográfico probablemente existente y accesible —tal como un diario de guerra, noticieros y un poco más tarde "gestas" latinas en prosa así como *carmina*—, los conocimientos particulares atribuidos a los "poetas" de Gormaz [16] y de Medinaceli podrían también ser los de algunos de aquellos autores de fuentes fundamentales (diario de guerra, noticieros) que acabamos de señalar.

---

[14] Comp. nuestra nota 9 arriba.
[15] *Art. cit.,* passim.
[16] Menéndez Pidal piensa que fue el autor de Gormaz quien se sirvió de "cantos noticieros anteriores" (en *art. cit.,* pág. 186).

Citemos la observación fundamental de Menéndez Pidal: "La gradación en que se nos ofrecen los tres cantares es muy expresiva, si repetimos que los refundidores, en busca de novedad para su versión, reformaban y añadían, por lo común, en el desenlace de la trama épica más que en la exposición o comienzo. Según esto, vemos que el Cantar del Destierro, que podemos suponer no tocado apenas por la refundición o las refundiciones, es el más breve de los tres y tiene muchas más tiradas; el Cantar de las Bodas, algo refundido, tiene más versos y menos tiradas; y el Cantar de Corpes, el más refundido, resulta bastante más largo que todos y con menos tiradas" [17]. El canto III contiene efectivamente todas las características de una refundición, a no ser que debamos considerarlo como una continuación bastante tardía y casi puramente legendaria o inventada, compuesta en una época en que la gesta era considerada siempre una serie de "nuevas", como llegamos a saber por el último verso. Por otra parte, visto en su aspecto estilístico, precisamente el comienzo revela ya un desarrollo hacia el estilo baladístico de las épocas posteriores: "En Valençia sedí mio Çid con todos los sos, Con elle amos sos yernos ifantes de Carrión. Yazíes en un escaño, durmíe el Campeador, Mala sobrevienta, sabed, que les cuntió: Saliós de la red e desatós el león" (v. 2278-2282). El texto de este canto, más largo que los precedentes, que relata la ficción [18] de Corpes y el duelo de los Infantes, sorprende al lector al final con la precipitada mención de la muerte del Campeador, lo cual en este contexto es bastante inesperado. Ruptura

---

[17] *Art. cit.,* pág. 180.
[18] Véase Menéndez Pidal, *Poesía e Historia en el Mio Cid,* en *Nueva Revista de Filología Hispánica,* III (1949), pág. 114: "es seguramente ficción antihistórica el decir que los infantes de Carrión quedaron por traidores ante el rey, vencidos en duelo". Cfr. también las consideraciones de U. Leo, *La "Afrenta de Corpes", novela psicológica,* en *Nueva Revista de Filología Hispánica,* XIII (1959), 291 s. — Según la concepción de Menéndez Pidal en *Dos Poetas...,* pág. 191, el "plan de la obra" pertenece al "poeta de Gormaz". Podemos preguntarnos, no obstante, si el episodio esencialmente legendario de los Infantes de Carrión, sin duda desagradable para éstos, fue escrito cuando aún vivían, en una época en que también vivían todavía Jimena y una de sus hijas. El episodio podía haberlo agregado el segundo autor, quien probablemente conocía la leyenda del *Rolando* en la forma relatada por el autor de la canción.

abrupta del hilo narrativo, de ordinario orgánico y lento en el poema.

Por otra parte, resulta sorprendente que no se anuncien ya "las nuevas" del Cid en la "Afrenta de Corpes". En efecto, ya no aparecen las "nuevas" después de terminar, como hemos señalado, la "gesta" del segundo canto con la toma de Valencia y los honores del Cid en la corte del rey Alfonso. Es igualmente fácil de explicar porqué el poema no trata más que dos veces de "nuevas" relativas a las acciones del Cid en el primer canto, que es el más breve, el menor refundido [19] y se supone el más antiguo del poema [20]. Es en el momento en que comienza el último episodio y el principal acontecimiento del "Cantar del Destierro", la conquista de la Marca Hispánica (año 1090), que "Llegaron las nuevas al comde de Barçilona" (v. 957). En realidad, antes del éxito de las proezas menores en Castejón y Alcocer (v. 905 "A Saragoça sus nuevas legavan"), y las primeras incursiones en territorio de Levante, no existían razones válidas para anunciar nuevas, que "mucho creçen" (v. 1373) en el segundo canto que refiere la toma de Valencia.

He aquí en pocas palabras una manera diferente de valorar las "nuevas" de Mio Cid que parece contribuir a esclarecer el problema estructural de esta epopeya.

Antes de terminar este estudio volvamos brevemente a los versos 1085-1097 del *Cid* (citados arriba), en los que el autor resume los hechos esenciales de la campaña del héroe fuera del territorio castellano, antes de los preparativos para la conquista de Valencia. La técnica narrativa no deja de parecerse a la que emplea el poeta del *Rolando*; es éste un nuevo punto de contacto que vale consignar.

---

[19] Véase el texto de Menéndez Pidal citado arriba.

[20] La crítica debería someter a una revaloración la fecha de este canto (y quizá aun la de la forma anterior del canto II). Algunos indicios parecen poner en evidencia que es posible intentar remontarla a una época anterior a la muerte del Cid, en particular si se tiende a atribuir el sentido original a "nuevas" en la mayor parte de los ejemplos citados, que es la de "novedades" (bastante recientes). Cfr. también nuestra nota 8, en *Hacia una nueva cronología*.

Véase *Cid*, 1090 "Contra la mar salada conpeçó de guerrear" (cf. *Rol.*, 3 "Tresqu'en la mer cunquist la tere altaigne"); *Cid*, 1092-93 "Myo Çid ganó a Xérica e a Onda e Almenar, Tierras de Borriana todas conquistas las ha" (cf. *Rol.*, 4-5 "N'i ad castel ki devant lui remaigne. Mur ne citét n'i est remés a fraindre"); *Cid*, 1096 "...mio Çid que Dios le iva valiendo" (cf. *Rol.*, 7 ..."Marsilie..., ki Deu nen aimet"); *Cid*, 1097 "Dentro en Valencia non es poco el miedo" (cf. *Rol.*, 9 "Nes poet guarder que mals ne l'i ateignet"). Comp. también *Cid*, 1098-99 "Pesa a los de Valencia, sabet, non les plaze; Prisieron so consejo quel viniessen cercar" (cf. *Rol.*, 10 y 14 "Li reis Marsilie esteit en Sarraguce... Il en apelet et ses dux et ses cuntes"). El Cid ha conquistado todo el territorio que se había propuesto para esta campaña, salvo Valencia (cf. *Rol.*, 6 "Fors Sarraguce..."), que es la meta efectiva de la expedición (como Zaragoza lo era de la expedición de Rolando y de Carlomagno).

La analogía con la *Canción de Rolando* permite pues concebir el cantar segundo del *Poema del Cid* como una creación bastante independiente que no presupone necesariamente otro canto que lo preceda (así como el principio del *Rolando* no va precedido por otro texto). Además, es precisamente este cantar el que comienza por un incipit característico de la epopeya —1085 "Aquis conpieça la gesta de mio Cid el de Bivar"— y que concluye con un explicit y una invocatio Dei —2276-77 "Las coplas deste cantar aquís van acabando. El Criador vos vala con todos los sos santos"—. Por otra parte, no merece el título de Cantar de las Bodas que se le dio, dado que los temas principales de la "gesta" son sin lugar a dudas la conquista de Valencia y la reconciliación del Cid con su rey. Con estos acontecimientos terminan también las partes históricas del poema entero; a la "crónica rimada" [21] seguirá una "novela psicológica" [22].

Aparte de la teoría de los dos poetas de Menéndez Pidal que llamaremos aquí "horizontal" (referente a la refundición de la obra entera por un segundo autor), proponemos una hipótesis de trabajo "vertical" (formación sucesiva del cantar II, I y III) que supone

---

[21] Véanse nuestras observaciones de las páginas precedentes.
[22] Cfr. el artículo de U. Leo citado en nota 18.

un poema de base que corresponda a los versos 1085-2060, y 2276-77 del cantar segundo [23], que más tarde él mismo u otro autor completó con el cantar primero. Según esta hipótesis, un último autor habría interpolado las Bodas del cantar segundo, el episodio de las arcas de arena y acaso también el de la huelga de hambre del conde de Barcelona, y agregado la Afrenta de Corpes íntegra que exige la existencia igualmente ficticia de las Bodas.

---

[23] El lector de la versión conservada queda también sorprendido por el hecho de que al comienzo del "Cantar de las Bodas" ya no se hace referencia a las importantes conquistas de Castejón, Alcocer, y Barcelona. Notamos todavía que entre los sucesos relatados en la parte del cantar primero que incluye la toma de Alcocer y la parte que trata de la segunda prisión histórica del conde de Barcelona (año 1090) falta casi una década entera. El autor de este cantar se calló los acontecimientos de este período. La laguna ha sido colmada por los compiladores de la *PCG* mediante las interpolaciones derivadas de otras fuentes que incluyen la *Historia Roderici,* Ben Alcama, etc.

ESPÍRITU HISPÁNICO EN UNA FORMA
GALORROMANA (I) *

PROBLEMAS ÉPICOS PENDIENTES Y SUGERENCIAS

INTRODUCCIÓN

Se sabe que en crítica literaria aún queda mucho por revisar acerca de los cantares de gesta y la épica cortesana. A continuación, dedicaremos nuestra atención particular a aspectos a menudo pasados por alto, referentes a la cuestión de la evolución de las leyendas épicas. Este estudio se limitará a observaciones concernientes a algunos temas principales, como también a personajes de primer plano en los poemas épicos franceses, en particular el *Rolando* y el *Perceval*. Se tendrá en cuenta la importancia del aspecto onomástico o toponímico considerado en esta investigación.

Desde la aparición de las obras magistrales de Menéndez Pidal en torno al *Cid* español hasta *Historia y Epopeya* [1] y el estudio de la *Canción de Rolando* [2] del mismo autor, la crítica moderna [3] ha

---

* Publicado en parte en el *Boletín de Filología,* vol. XII (1960), páginas 5-49; y XIII (1961), págs. 5-31.

[1] Se remitirá frecuentemente a estos textos en las notas.

[2] Publicado por primera vez en Madrid en 1959 (la traducción francesa en París en 1960).

[3] Pensamos en eruditos como F. Lot, Ph. A. Becker, J. Bédier, A. Langlois, P. Boissonnade, J. Frappier, J. Horrent, R. Lejeune, M. de Riquer y otros. En sus trabajos recientes sobre la *Canción de Rolando* Menéndez Pidal, como también R. Louis, en su esfuerzo por demostrar su tesis fundamental de que la epopeya francesa es carolingia, no consideran suficien-

mostrado en forma creciente que acontecimientos históricos, determinados símbolos y tradiciones locales —a menudo transformados o pertenecientes a épocas diversas— se ocultan aún en los relatos más refundidos de los autores épicos de la Edad Media. A esta lista es preciso añadir los préstamos de temas extranjeros. La significación de la España medieval como país intermediario entre la cultura del Cercano Oriente y la civilización occidental es bien conocida; algunos ejemplos que se citan con frecuencia son la escuela de Córdoba (en filosofía, astronomía, matemática y medicina), las primeras formas líricas de los *zéjeles,* que reaparecieron en la poesía de los trovadores y de Giacopone da Todi, las colecciones de relatos (*Disciplina Clericalis, Conde Lucanor*) que inician un nuevo género literario en el mundo occidental, y la traducción de la visión árabe del más allá (*Scala Mahometi*) al español, latín y francés merced al esfuerzo cultural de Alfonso el Sabio. Los orígenes de estas obras son en gran parte españoles (o hispano-árabes). Es éste un hecho admitido por la crítica moderna, por más que sea muy difícil reunir el material en extremo fragmentario que nos proporcionaría las pruebas. Un gran número de estas creaciones literarias deriva de la escuela de traductores de Toledo, después de la reconquista de esa ciudad en 1085. Al mismo tiempo, España se había convertido en un foco esencial para la formación de leyendas épicas y un punto de partida importante en la evolución de los asuntos que se difundieron rápidamente por Francia y los países vecinos. Recordemos aquí los cantares de gesta que toman de la historia o literatura española sus temas centrales: el *Rolan-*

---

temente la importancia de las investigaciones sobre la estratificación de las leyendas (en el curso de su evolución hasta el siglo XI o XII). Estas perspectivas, si bien no se niegan en principio (M. P., *obra cit.,* ed. franc., páginas 35; 231 s.) traen consigo numerosos problemas que todavía quedan por resolver. El propio Menéndez Pidal ha reconocido una transformación de la historia de Alfonso VI en leyenda "carolingia" en el *Mainet* (véase *Historia y Epopeya,* Madrid, 1934, págs. 263 s.). Aparte de esta observación, en lo que concierne al objetivo esencial de su gran obra sobre el *Rolando,* que es arrojar mayor luz sobre los estratos antiguos de la leyenda, no nos unimos a aquellos autores que tienen una marcada tendencia a criticar el método del eminente sabio de la literatura medieval, que tantas veces demostrara ser casi infalible.

do, el *Mainet*, el *Anseïs de Cartage*, la *Entrée d'Espagne*, la *Prise de Pampelune*, el *Siège de Barbastre*, el *Guillaume*, el *Guibert d'Andrenas*, la *Prise de Cordres et de Sebille*, el *Folque de Candie*, el *Fierabrás* y otros [4]. En estos relatos épicos el escenario es España. La idea de la reconquista de Zaragoza o Barcelona, el camino de Santiago que conduce a Compostela por Roncesvalles y Sahagún y la ciudad de Toledo desempeñan en ellos un papel preponderante.

En el presente estudio nos hemos propuesto seguir, a través de la historia, las huellas de algunas figuras y nombres preeminentes en la *Canción de Rolando* que se han discutido con frecuencia sin llegar jamás a un acuerdo. Estas observaciones irán seguidas del intento de dar una nueva valoración a algunos aspectos fundamentales de la *Estoire du Graal* y del *Perceval*, cuyos orígenes principales que se atribuyen a tradiciones célticas, romanas, bizantinas, árabes y bíblicas constituyen por su parte una fuente de controversias. La España de la época de la Reconquista, particularmente en el siglo XI, podría marcar un nuevo derrotero en la investigación de estos poemas épicos.

GANELÓN-MARSILIE-BALIGANT-TERVAGANT

La crítica literaria se ha ocupado muchas veces de los orígenes remotos de la leyenda de Rolando [5]. Fascinada por los personajes "históricos" del héroe franco y de Carlomagno, no ha reparado tanto en el estrato más reciente de la *Canción de Rolando* que amplía

---

[4] Puede completarse fácilmente esta lista con el ejemplo del *Beuve de Hantone* que deriva asimismo de las leyendas castellanas. Estos temas fueron estudiados en nuestro libro *Estudios épicos medievales*, Madrid, 1954, págs. 75-88.

[5] Véase en particular R. de Abadal, *La Expedición de Carlomagno a Zaragoza*, en *Coloquios de Roncesvalles*, Zaragoza, 1956, págs. 39-71. Creemos que hubo tres combates diferentes: uno cerca de Pamplona e Ibañeta (un ataque moro al que se refieren los estudios de Abadal), otro en la Cerdaña y un tercero en los Pirineos, que sería el del 15 de agosto (contra los vascos y acaso algunos castellanos a las órdenes de Bernardo del Carpio); véase nuestro artículo *Relaciones franco-hispanas* para este último.

los problemas ya existentes. En un estudio precedente [6] ya habíamos señalado al conde español García Ordóñez de Grañón como posible modelo para la figura de Ganelón en el *Rolando*. Este "enemigo de mio Çid, que mal siemprel buscó" (*Cid* 2998) [7] no es sólo aquél que difama al Cid ante el rey de Castilla y se alía con el rey de Granada, sino también quien se convierte en el consejero y defensor de los Infantes de Carrión en el curso del proceso que se intenta contra ellos en el epílogo del poema. Este proceso terminará con un duelo y un juicio divino como en los episodios descritos en el *Rolando* y la obra de Ermoldo el Negro [8], Aparte de esto, es curioso observar que en 1092 el conde histórico, después de haber anunciado al Cid un combate decisivo, reunió a todos sus parientes: "Garsia Ordoniz et omnium parentum suorum... comes cum parentibus suis cum eo pugnare... Quibus et comitem et omnes parentes suos... expectare, et cum eis libenter pugnare..." [9]. Después de haberse acercado al sitio donde le esperaba el Cid examinó la situación, tuvo miedo y se retiró dando así a su adversario la satisfacción de haberlo humillado. Más tarde García Ordóñez se puso de parte del rey de Zaragoza, Al-Mostain II. Con éste fue vencido el 18 de noviembre de 1096 en Alcoraz, cerca de Huesca, que sitiaban las tropas aragonesas y gasconas, y durante algunos meses fue prisionero del rey de Aragón.

---

[6] *Interpretaciones histórico-legendarias en la épica medieval*, pág. 28 (véase también, para la fusión de las figuras de Grañón y de Guillaume, Charpentier de Melun); asimismo en *Notas sobre temas épico-medievales*, pág. 83, nota 74. Para el paralelo entre Ganelón y García Ordóñez de Grañón cfr. ahora también A. de Mandach, *Naissance et Développement de la Chanson de Geste en Europe, I: La Geste de Charlemagne et de Roland* (Ginebra-París, 1961), págs. 67 s., libro que apareció al mismo tiempo que este artículo o poco después. Se encontrarán a su vez trozos sobre la fusión de los personajes de Carlomagno y Alfonso VI en el *Rolando*.

[7] Texto según la edición crítica de R. Menéndez Pidal, Madrid, 1946.

[8] Cfr. nuestro artículo *La Justice dans l'Epilogue de la Chanson de Roland et du Poème du Cid* en los *Cahiers de Civilisation Médiévale* III, Poitiers, 1960, págs. 76 s.; y *Notas sobre temas épico-medievales*, págs. 80 ss.

[9] *Historia Roderici* (antes de 1110), cap. L; en R. Menéndez Pidal, *La España del Cid*, 4.ª ed., Madrid, 1947, págs. 953 s. Sobre García Ordóñez y su familia cfr. *Esp. Cid.*, págs. 713 s.

[10] *Esp. Cid.*, págs. 526 s.

En la segunda mitad de mayo de 1097, el conde participó en una expedición militar del rey y "emperador" Alfonso VI de Castilla contra Zaragoza; la reina Berta y el arzobispo Bernardo de Toledo también se hallaban en su compañía [11]. Poco después, Yúsuf, el soberano del Magreb, atravesó el estrecho de Gibraltar por cuarta vez; Alfonso acudió a su encuentro y sufrió una derrota terrible en la Mancha delante de Consuegra. En el curso de la desastrosa batalla perdió la vida Diego, el hijo del Cid [12]. Comparemos aquí los hechos históricos o legendarios de García Ordóñez de Grañón con la ficción épica de las intrigas de Ganelón, señalando únicamente los más sobresalientes.

Grañón:	*Ganelón:*
enemigo del Cid;	enemigo de Rolando;
partidario de los traidores derrotados en duelo en el proceso final;	personaje central del proceso final;
reunió a sus parientes en vista de un combate con el Cid;	reunió a sus parientes para que le defendieran en duelo;
se hace aliado del rey de Zaragoza, quien será derrotado por el rey aragonés;	se hace aliado del rey de Zaragoza, quien será derrotado por el emperador franco;
participa en una expedición del "emperador" (castellano) contra Zaragoza;	participa en una expedición del emperador (franco) contra Zaragoza;
el emperador va acompañado por un arzobispo (Bernardo) [13];	el emperador va acompañado por un arzobispo (Turpin);

[11] *Op. cit.*, págs. 534 s.

[12] *Op. cit.*, págs. 535 s.; *Primera Crónica General*, publ. p. R. Menéndez Pidal, Madrid, 1955, pág. 538.

[13] En cuanto a Bernardo de Toledo (y Sahagún), que era al mismo tiempo primado de España, véase también el capítulo sobre el santo Grial-Perceval a continuación. — Sobre la confusión de los emperadores cfr. *Est. ép. med., Interpret. hist.-leg.* y P. Boissonnade, *Du nouveau sur la Chanson de Roland* (París, 1923). No sólo Boissonnade expresó opiniones semejantes; también nosotros en *Die neueren Sprachen* (año 1952, págs. 384 s.), *Estudios épicos medievales* (págs. 337-348) y según nos enteramos por el libro de A. de Mandach (pág. 49) P. C. Russel en *Studies in Philology*, XXXIX (1952, págs. 17-25).

Yúsuf, un mariscal de ultramar (Marruecos) acude en ayuda de los musulmanes de España en la segunda mitad de mayo;

Baligant, un mariscal de ultramar (Babilonia) parte en mayo [14] para acudir en ayuda de los sarracenos de España.

En el presente caso las transformaciones [15] o confusiones de los asuntos históricos —muy frecuentes en las leyendas épicas— [16] serían en el fondo bastante leves. Una vez que se ha reparado en estos paralelos, merecen ser sometidos a una valoración seria por parte de la crítica literaria.

El arzobispo Turpin de la leyenda de Rolando es llamado a menudo "*Tulpinus Remensis* archiepiscopus" en la *Crónica de Turpín* [17] que, por otra parte, le presenta como autor. ¿Cómo habría de explicarse la fusión de Bernardo de Toledo con la figura de Turpin de Reims (personaje histórico muerto en o después de 788) y la extraña atribución de la crónica a éste último? He aquí un intento de solucionar este difícil problema. Hay que considerar la posibilidad de una asimilación de nombres que favorece no sólo el precedente de los dos emperadores (Alfonso VI y Carlomagno), sino también la existencia de atributos que califican de "toledano" al arzobispo Bernardo (de igual manera como más tarde a su sucesor Raimundo). Un texto como el "luziello" de Bernardo puede haber dado origen a la fusión de los dos nombres: "Primo Bernaldus fuit hic [la traducción de la *PCG* da "en *Toledo*"] primas uenerandus: Huic successit *Raymundus episcopus* [*PCG*: "*arço*-

---

[14] Cfr. *Rol.* 2628-29 "Ço est en mai, al premer jur d'estéd, Tutes ses oz ad empeintes en mer"; según el texto de la edición de A. Hilka-G. Rohlfs, Tubinga, 1953.

[15] Otro paralelo entre Grañón y Ganelón se establece en *Cataluña y Aragón en algunas epopeyas y poemas arturianos,* abajo, nota 52. Véanse allí también las afinidades de la figura legendaria de Oliveros con el personaje histórico de Alvar Fáñez.

[16] Análogamente en el *Roman de Troie* (cfr. *Notas sobre temas épico-medievales*) y en el *Couronnement Louis* (tres Luises diferentes, dos Guillermos —véase la ed. de E. Langlois; y J. Frappier en *Zeitschr. f. rom. Phil.* LXXIII, 1957, págs. 14 s.), etc.

[17] Ed. R. Mortier (París, 1941), por ejemplo, págs. 2, 24 y 56.

bispo"] Oxom*enssis*" [18]. Si aislamos y abreviamos los nombres principales (como se acostumbraba en los epitafios y otras inscripciones antiguas) obtenemos: "Tol-prim(as)-Raym-(m)enssis-archiepiscopus", lo cual correspondería a la denominación de Turpin en la *Crónica* arriba indicada (probablemente según la forma normanda Turpin por Torpin; cf. *"Torpins de Rains"* en el manuscrito *PT*[7] del *Rolando*, v. 1658, "episcopo domini *torpini"* en la *Nota Emilianense,* 5, y *Turpim,* junto a *Turpino,* en la versión gallego-española *Miragres de Santiago* [19]; pero cf. también fran. ant. *prin* < *primum).* Una confusión de Raimundo con Bernardo no es imposible [20]. Raimundo de Toledo había venido igualmente de Agen o de Salvitat [21]; acompañó al otro "emperador" Alfonso VII, cuando hizo su entrada en Córdoba [22], y participó en el concilio de Reims (en 1148) [23] después de una visita a San Dionisio [24] y sus reliquias. Observemos que la *Crónica de Turpín* probablemente fue recopilada en la época del arzobispo Raimundo, acaso bajo sus auspicios, como tantos otros productos literarios de la escuela de Toledo [25]. —*Hamon* [var. *Naimun, Nemon, Hyamont, Haimunt*] de *Galice* (*Rol.* 3073) puede compararse con "Raimundus totius Gallecie co-

---

[18] *PCG,* ed. cit., págs. 649 s. Raimundo era el obispo de Osma (1209-1226).

[19] Ed. J. L. Pensado (1958), pág. 69.

[20] La *PCG* da una fecha errónea de la muerte de Bernardo (año 1108); según el Catálogo de los Arzobispos de la Sala Capitular de Toledo murió en 1124 (cfr. *España Sagrada,* vol. XIV, pág. 354); Raimundo era su sucesor en 1126 (hasta 1151). La fecha de la *Crónica de Turpín* (¿y de la *Canción de Rolando* en la primera versión conservada?) sería pues "después de 1126". Tal conjetura no excluye en el fondo la teoría de la existencia de un *Rolando* turoldiano (hacia o poco después de 1095), como precursor y modelo principal, que acaso llevara el mismo título de *Geste Francor.*

[21] Según la *PCG,* 544, véase nuestra pág. 178 sobre el lugar de origen de Bernardo.

[22] *PCG,* 655, conforme a las fuentes históricas tradicionales.

[23] P. F. Gams, *Die Kirchengeschichte von Spanien,* vol. III (Ratisbona, 1876), pág. 35, según el Catalogus Praesulum Ecclesiae Toletanae Hispaniarum Primatis, en *Patrum Toletanorum Opera,* III, 345.

[24] Así también Carlomagno en la *Crónica de Turpín,* ed. cit., pág. 86.

[25] Cfr. *Espíritu hispánico,* II, pág. 241.

mes, regisque [id est Alfonsus VI] gener" (muerto en Grajal en 1107) [26].

También la fecha de la muerte del hijo del Cid es un hecho que debemos retener: es precisamente el 15 de agosto, la misma fecha [27] que se atribuye a la derrota de Roncesvalles. Análogamente, el relato de la *Estoire de Merlin* afirma que ese mismo día el rey Arturo reside en corte por primera vez después de sus bodas en Logres [28]. No es difícil imaginar que el día de la Asunción de la Virgen se prestara a la apertura de un consejo parlamentario. Queda la coincidencia notable en la fecha de muerte de ambos héroes que, no obstante, no deja entrever a primera vista una afinidad literaria.

García Ordóñez ya había sido mencionado en el *Carmen Campidoctoris,* famoso panegírico escrito en vida del Cid [29]. Este último lo había derrotado en Cabra en 1080 y mantenido prisionero por tres días; de ahí que los historiadores y juglares lo llamaran a menudo "el conde don García de Cabra" [30]. Pero acaso se le nombrara con mayor frecuencia "el conde don García de Grañón" por su residencia, situada a tres leguas de Nájera, de la que era señor. Puede considerarse como un reflejo de este estado de cosas la observación contenida en el texto de la *Primera Crónica General*: "los unos llamaban Cabra et los otros Grannon, et los del Çid

---

[26] Cfr. Menéndez Pidal, *Cantar de Mio Cid,* págs. 823 s. sobre el conde de Galicia. Véase además nuestro art. *Cataluña y Aragón...* nota 52, que trata también del *Rolando* 3 "tresqu'en la mer" (= Galicia?). Para *Rol.* 71, 96 "Cordres" y 200, 955 "Sebilie", comp. "Aldefonsus nuntium eum [el Cid] pro paria sua ad regem Sibille et (ad regem) Cordube misit" (*Historia Roderici,* texto del *Cantar de Mio Cid,* pág. 1022).

[27] Esta suposición está fundada en el epitafio de Aggihardus ("Tempore quo Carolus Spanie calcavit arenas, Mortuus est..."); véase *Romania* II (1873), págs. 146 s.; últimamente Menéndez Pidal, *Chans. Rol.,* págs. 201 s.

[28] *The Vulgate Version of the Arthurian Romances,* ed. H. O. Sommer, vol. II (Washington, 1908): *L'Estoire de Merlin,* pág. 319. (Debo esta referencia a mi antiguo discípulo D. Watkins). Cfr. también nuestra nota 209 a continuación. Para Logres comp. el capítulo sobre el Grial-Perceval a continuación, págs. 186 ss.

[29] En 1082 en la opinión de G. Cirot (*Bull. hisp.* XXXIII, 1931, página 144), hacia 1090 en la de Menéndez Pidal (*Esp. Cid,* pág. 876) y entre 1093 y 1094 según J. Horrent (*Studi in Onore di A. Monteverdi,* Módena, 1959, pág. 352).

[30] Menéndez Pidal, *Cantar,* pág. 704; *Esp. Cid,* págs. 260 s.

llamaban Valencia et Bivar" [31], es decir como "insignia" (grito de tropas en un combate). La forma latinizada de la segunda parte del nombre "Garsias de *Grannione*" [32] pudo haber dado lugar a la transformación en *Ganelón* en boca de las tropas francesas que regresaban después de sus expediciones a España [33], con un posible acercamiento posterior a *Guanilo(n)*, *Wanilo(n)*, el nombre del arzobispo de Sens que durante un sínodo fue acusado de traición por Carlos el Calvo (en 859) [34]. Una anterior confusión con los Vanigómez [35], los hijos de la familia noble de Carrión (partidarios de los enemigos del Cid en el proceso final del *Poema*), podría significar una etapa en la evolución del nombre de este personaje literario en la *Canción de Rolando*. Aquí es preciso recordar también que la *Nota Emilianense* se refiere a una etapa en el desarrollo de la leyenda rolandiana que no conoce todavía la traición de Ganelón, el episodio de Baligant y la reconquista de Zaragoza, que ocu-

---

[31] *Primera Crónica General*, pág. 621. Para los topónimos empleados como gritos de guerra, de convocatoria de tropas o de defensa de las fronteras de la patria, en particular *Munjoie*, véase *El lugar de la batalla en la Canción de Roldán...*, *Cataluña en la Canción de Guillermo francesa*. Cfr. *Rol.* 1260 "*Munjoie* escriet por le camp retenir" ("zona de seguridad", "región fronteriza"? — cfr. *Mounjoyo* en los Pirineos); en el *Doon de Nanteuil*, v. 209-210, los paganos responden al grito *Montjoie* con *Aride* (la llanura árida de Castilla o la Cerdaña?); en el *Couronnement Louis*, v. 270 (así como 280, 1147, 2277) es "*Montgeu* (que en su peregrinaje a Roma Guillermo) trespasse, qui durement le lasse"; en el *Girart de Roussillon* v. 121, 2355, 2428, 8816, 9874, *Mongeu* designa el gran San Bernardo (*Mons Jovis* de los romanos). Para la confusión análoga entre *Bordils* y *Bordeaux* (en los poemas del ciclo de Guillermo) véase *Cataluña en la Canción de Guillermo francesa* y *Notas sobre temas épico-medievales*. Todavía la PCG emplea la misma ortografía para designar *Bordel* (en Cataluña; ed. cit. pág. 298 — *Burdel* según el manuscrito *0*) y *Bordel* (en Francia; págs. 686 y 690 — *Burdel*, págs. 329, 353, 769). Para *alués* y las *marches* en la *Canción de Guillermo* véase ahora *aloders*, *alodis*, *alodium* de la Marca (*Barchinonensi*) en el libro de E. Rodón Binué, *El lenguaje técnico del feudalismo en el siglo XI en Cataluña*, Barcelona, 1957, págs. 18-20; 175.

[32] *Crónica Najerense*, en *Bull. hisp.* XI (1909), pág. 281.

[33] Cfr. el panorama general más reciente de M. Defourneaux, *Les Français en Espagne aux XIe et XIIe Siècles* (París, 1949).

[34] Para la bibliografía, etc., véase J. Bédier, *Les légendes épiques* IV, París, ed. 1921, págs. 360 s.

[35] Cfr. Menéndez Pidal, *Cantar*, págs. 535-59.

rrió a partir del año 1118. Sobre esta *Nota* trataré en mis artículos *Problemas rolandianos, almerienses y cidianos* (en curso de publicación); y *"Traditionalism"*... (de próxima publicación).

La historia relata que Alfonso VI de Castilla, "totius Espanie imperator"[35], estuvo ocupado en la campaña de Toledo durante unos siete años (de 1079 a 1085)[37]. Al año siguiente, después de la toma de Toledo, puso sitio a Zaragoza (en 1086)[38]. Recordemos aquí los pasajes correspondientes, tomados del comienzo del *Rolando*: "nostre emperere magnes, Set anz tuz pleins ad estéd en Espaigne... Mur ne citét n'i est remés a fraindre[39] Fors Sarraguce..., Li reis Marsilie la tient" (v. 1-2; 5-6; 7). El rey Mostain de Zaragoza ofreció a Alfonso grandes sumas, a fin de que pusiera fin al sitio de la ciudad[40]. La oferta inicial de Blancandrin y de Marsilie al rey de los francos en la *Canción de Rolando* también coincide con este hecho histórico. Otras semejanzas entre los sucesos de la reconquista en España hacia fines del siglo XI y el relato del autor del *Rolando* serían: el mensaje de Motámid de Sevilla a Yúsuf (a partir de 1075)[41] —cf. *Rol.* 2613-14 "Al premer an (Marsilie) fist ses brefs seieler, En Babilonie Baligant ad mandét";

---

[36] *Esp. Cid.* pág. 308.

[37] Cfr. los fragmentos de una canción latina en la *PCG*, ed. cit., 539 (según el Toledano): "Obsedit secura suum Castella Tolletum, Castra sibi septena parans, aditumque recludens. Rupibus alta licet, amploque situ populosa, Circundante Tago, rerum uirtute referta, Victu uicta carens, inuicto se dedit hosti". Acaso la idea del poeta normando en la *Canción de Rolando* de que Zaragoza "est en une muntaigne" (v. 6) se explica por una confusión con Toledo (o con Saillagouse); cfr. *Notas sobre temas épico-medievales.*

[38] Un primer ataque a la ciudad había tenido lugar en 1067 (el rey Sancho II y el Cid contra el emir Moctádir); véase *PCG*, 494-495. Para *Valtenebre* en el camino a Zaragoza (*Rol.* 2461) véase *Cataluña y Aragón...*, n. 26.

[39] Esto parece al mismo tiempo próximo al estilo épico del poema de Ermoldo el Negro, v. 96-97 "Culmina terrarum vel quod castella peragrans Subdidit imperiis..." Para la influencia estilística de éste último sobre el *Rolando* véase *Est. ép. med.*, págs. 245 s. Para el tópico del Rolando de los siete años de guerra, véase también nuestra nota 271, abajo, referente al sitio de Coímbra realizado por Fernando I de Castilla.

[40] *Esp. Cid.*, pág. 318.

[41] *Op. cit.*, pág. 328.

la llegada de Yúsuf (en 1086) en el momento en que el "emperador" Alfonso sitiaba Zaragoza [42] —cf. *Rol.* 2617 "En Sarraguce alt sucurre li ber", y versos siguientes; la célebre batalla de Sagrajas (23 de octubre de 1086) donde resonaron por primera vez los tambores árabes de Yúsuf [43], combate en el que participaron muchos franceses ("multique Francorum") [44] —cf. *Rol.* 3135-37 "Dist Baligant: Or oi grant vasselage. Sunez vos graisles, que mi paien le sacent! Par tute l'ost font lur taburs suner"; las incursiones de Alfonso en territorio de Granada y de Sevilla (en 1090 y 1091) [45]; Alfonso VI ayudando al rey Almemón de Toledo: *PCG*, 522 (según el Toledano) "fueronse amos pora Cordoua et quemaron et astragaron et destruyeron quanto fallaron" —cf. *Rol.* 97 "Cordres ad prise et les murs peceiez"; *PCG*, 522 "et desi tornaronse con muy grandes ganancias" —cf. *Rol.* 99 "Mult grant eschech en unt si chevaler"; continúa más abajo la *PCG* en la misma página (según el Tudense): "Empos esto, el rey don Alfonso... entró por tierra de moros et corrióla toda et quemó et astragó quanto falló" —cf. *Rol.* 5 "Mur ne citét n'i est remés a fraindre", versos 3 "Tresqu'en la mer cunquist la tere altaigne" y 71 "Il est al siege a Cordres ia citét" [46]; la transformación (violenta) de la mezquita de Toledo en catedral cristiana (año 1085) [47] cf. *Rol.* 3662 s. (la toma de las "mahumeries" en Zaragoza).

Después de estas comparaciones que podrían llevarnos a conclusiones de vasto alcance, reparemos también en las observaciones diversas que nos parecen igualmente dignas de particular atención. Al-Mostain, el rey de Zaragoza, murió el 24 de enero de 1110 en una batalla cerca de Valtierra (Tudela) [48] contra el ejército de Al-

---

[42] *Op. cit.*, pág. 331. Para otra relación posible entre las figuras de los dos emperadores cfr. nuestra nota 254 a continuación.
[43] *Op. cit.*, pág. 335.
[44] *Chronicon Lusitano*: cit. según *Esp. Cid*, pág. 332, nota 1.
[45] *Op. cit.*, págs. 391 s.
[46] Desde el año 1086 Córdoba era la ambición del rey Alfonso; *Esp. Cid.*, pág. 321.
[74] *Notas sobre temas épico-medievales*; véase también el capítulo sobre Grial-Perceval a continuación.
[48] La menciona el autor de la *Canción* (v. 200) considerando que la con-

fonso I, el "emperador" [49], de Aragón, que contaba con el apoyo del conde francés Henri de Chálons [50]. Su hijo, Abd-el-Malik, para resistir a la presión de los aliados cristianos, confió Zaragoza [51] a la autoridad de Alí, el sucesor del almorávide Yúsuf [52]. Todos estos sucesos nos recuerdan la situación de Marsilie en Zaragoza después de la venganza de Carlomagno y la llegada de Baligant según el texto del *Rolando* (tirada 178 s.). Otros pasajes pueden estar inspirados por las circunstancias de la toma de Sevilla por los almorávides (en 1097): la visión desfavorable del rey Al-Motámid (un león que salta sobre su presa), la muerte de su hijo Malik durante el combate y la destrucción de los navíos anclados en el río, la tentativa de los ciudadanos de atravesar las aguas a nado, etc. [53].

quistó Rolando. Si refleja también este suceso, debió ser compuesta después de 1110.

[49] Cfr. Menéndez Pidal, *Esp. Cid,* pág. 666.

[50] Dos Enriques aparecen en los textos del *Rolando* (v. 171 el sobrino de Ricardo de Normandía; v. 2883 el hermano de Godofredo de Anjou — puede ser que se confunda a éste último con Thierry). Otro personaje francés muy importante para la época de Alfonso VI en España es Pierre d'Andouque, obispo de Pamplona y "fundador de Roncesvalles", a quien A. de Mandach, conforme a Saroïhandy, Boissonnade, Lacarra, etc., dedica un estudio detallado en su nueva obra citada (págs. 60 s.). Mandach llega al extremo de pensar que Rolando fue un jefe español; el rey Sancho Ramírez, vasallo de Alfonso VI, muerto en Huesca (pág. 68). La dificultad que se presenta a nuestro juicio es —aparte del problema del epitafio y del texto en Eginhard— la existencia aparentemente anterior de la *Nota Emilianense.* No obstante, debe considerarse la posibilidad de una fusión de los dos personajes Rolando-Sancho Ramírez (conforme al modelo Carlomagno-Alfonso VI).

[51] La conquista de esta ciudad, también con la ayuda de tropas francesas, tuvo lugar en 1118 y 1120; cfr. *Est. ép. med.,* págs. 343 s.; J. M. Lacarra, *La Conquista de Zaragoza por Alfonso I,* en *Al-Andalus* XII (1947), págs. 66 s.

[52] Véase Defourneaux, *op. cit.,* pág. 154; R. Dozy, *Spanish Islam,* ed. aumentada trad. por F. G. Stokes (Londres 1913), pág. 717.

[53] Dozy, *op. cit.,* págs. 713-715. — Señalemos que Motámid, después de caer prisionero de Yúsuf, en el calabozo de Aghmat en Marruecos escribía poemas en los que se comparaba a los pájaros, cuya libertad envidiaba. Calderón retomó este tema en el famoso monólogo del príncipe prisionero de *La vida es sueño.* Parece que los especialistas del drama calderoniano jamás señalaron este hecho. Para el texto del poema de Motámid cfr. Dozy, pág. 730.

Si tomamos en consideración también el texto escandinavo sobre el cual se basa la *Keiser Karl Magnus's Krönike*, deberemos preguntarnos igualmente si las palabras que corresponden a los últimos versos del *Rolando* se refieren a España: el "Va hacia el país de *Libia*" ("[E] Bire" en el *Rol.*, 3995), "y ayuda al buen *rey Ywan*" ("*Iven*" en la *Krön.*, "*Rei Vivien*" en *Rol.*, 3996); "el rey pagano se llamaba *Gealwer*" [54]. La PCG menciona en 196 "*Libira* que es Granada" [55], así como en 527 s. el conocido episodio de los combates en Alcocer y Calatayud donde se hace referencia al rey moro *Galbe*, o *Galue*, el adversario del Cid *Roy* (= *Ruy*) Díaz de *Vivar* [56]. Granada, la antigua *Iliberis* o *Elberri* (*PCG*, 297), al sudeste de la Sierra de *Elvira* y del pueblo árabe de *Hádira Elvira*, fue atacada por Alfonso VI y el Cid en 1091 [57]. *Bir(r)e*, en la España musulmana, también aparece en el *Folque de*

[54] Véase P. Aebischer, *Rolandiana Borealia*, Lausana, 1954, pág. 246; y el mismo autor en *Studia Philologica*, Homenaje a D. Alonso, vol. I, Madrid, 1960), págs. 19 s. Cfr. también E. F. Halvorsen, *The Norse Version of the Chanson de Roland*, Copenhague, 1959, págs. 249 s.

[55] A menos que el texto de la *Krönike* (y del *Rol.*) se refiera al "castiello de *Libia* que es cabeça de Cerretana" (*PCG*, ed. cit., pág. 287), o más bien a *Liria* (hoy El Puig, al Norte de Valencia), fortificada en 1089 por Mostain y sitiada por el Cid en 1091 poco antes del ataque de Granada (*Hist. Roderici*, en *Esp. Cid*, pág. 932 y 949). El encuentro del rey Alfonso, furioso contra el Cid, se produjo en un lugar llamado *Libriella* (*Hist. Roderici* — Menéndez Pidal, *Esp. Cid*, pág. 950, n. 2: "Lugar desconocido; debe ser errata por *Elbira* o *Ilibera* u otra forma así"). Este último parece permitir una comparación con el *Libia* de la *Krönike* y el [E]*Bire* de la *Canción de Rolando* (pero reparemos también en *Libia* u *Olbia*, *Oliba* de la antigua Cantabria; véase *España Sagrada*, XXIV, 1.ª parte, 191 s).

[56] Observemos como un punto de comparación entre la figura —ya legendaria— del Cid (del poema) y la de Yvain (en Chrétien) el tema del león domesticado. — Acerca de *Vivien* en el *Rol.* cfr. a Russel, art. cit.

[57] Cfr. *Esp. Cid.*, págs. 400 s.; 757 s. Para *Iliberri, Eliberri*, etc., véase *Esp. Sagr.*, LIII-LIV (Madrid, 1961), págs. 11 s. — G. Baist ya identificó [E]*Bire* con *Elvira*. En cuanto a *Puillane* y *Puillain* del Rol. (v. 2328 y 2923) debemos tomar en consideración *Las Pulianas* (un lugar entre Granada y la Sierra de Elvira, cfr. *Esp. Sagr.*, XII, pág. 93; véase también págs. 91 s. sobre *El(l)ipula* [*Magna*] = Granada). *Puille* y *Calabre* (Rol. 371) parecen designar las regiones de Italia meridional, pero queda por considerar la posibilidad de que se tratara originariamente de Granada y de *Cal(i)abria*, perteneciendo ésta en otros tiempos a la metrópolis Emerita (Mérida); cfr. *Esp. Sagr.*, XIV, 36 s.

Candie (verso 1051 y otros). No obstante, en lo que concierne el verso 3996 del *Rolando*, el autor parece haber pensado en *Ninive*, o *Nimes* (tal vez a causa de "Vivien") que se reproduce por *"en Imphe"* en la copia de Oxford. Advirtamos además que la *PCG* nos relata el episodio de la muerte del hijo del Cid (en 1097) antes de la descripción de la toma de Toledo (1085) sin hacer mención de la expedición de Granada (1091).

Los recopiladores de las crónicas y los autores de los cantares franceses, al proyectar el presente en el pasado o al atribuir las acciones de los nobles castellanos a los de Francia, provocan a menudo una confusión de batallas, de su situación geográfica y de las figuras principales. Al estudiar cuidadosamente los testimonios asequibles que tratan de las épocas en cuestión, es posible desembrollar mejor los hechos históricos.

Creemos haber dado suficientes pruebas que permitan establecer conexiones estrechas entre la figura de Baligant del *Rolando* y el personaje histórico de Yúsuf y de su clan. En cuanto al nombre, nos parecen posibles dos explicaciones, una que toma por base *Baal*(*im*)[58] + *gand*, la otra una contaminación de este mismo *Baal* y *Ali* + *gand*[59]. Como hemos visto, Alí era el nombre del sucesor de Yúsuf. *Baal* significa "dominus = señor, propietario, gobernador" (en hebreo)[60]; el sentido de la palabra es por consiguiente el mismo que el de *Cid* < *Sidi* (en árabe). Por otra parte, el culto de *Baal* (de *Bel* en Asiria y Palmira) era practicado por los antiguos israelitas, y *Baal* también pasaba por ser el primer rey[61]. De allí procede la preferencia por los nombres compuestos[62]

---

[58] Sobre *Baalim* cfr. también *Cataluña y Aragón*, nota 45.

[59] Un *Aligant* aparece en efecto en el *Anseïs de Cartage* donde es el "nies de l'amirant de Persie" (v. 7156) a quien matará Raimundo. El nombre de este *Aligant* nos recuerda el personaje histórico "Rex Hali maximus Sarracenorum" (*España Sagrada*, vol. XXI, pág. 375) de la *Crónica de Alfonso VII*.

[60] Comp. *Belad* en árabe; *Belad-Oualid* "ciudad del gobernador", Valladolid.

[61] Pauly-Wissowa, *Real-Encyklopaedie der Classischen Altertumswissenschaft*, vol. II, Stuttgart, 1896, col. 2647 s.; *The Encyclopaedia of Islam*, I, Leiden-Londres, 1960, págs. 968 s., art. sobre *Ba'l*; *The Catholic Encyclopedia*, vol. II, Nueva York, 1907, págs. 175-177.

[62] Asimismo de origen israelita.

de el de la divinidad pagana, tales como *Hasdrúbal* ("el socorro de Baal") *Baltasar, Belhazar*, etc. [63]. Según los *Apócrifos*, Daniel mató el ídolo de Baal [64], un dragón adorado como deidad. La ecuación medieval es conforme a este simbolismo: Baal = el maléfico espíritu pagano opuesto al bien cristiano; el dragón = los enemigos del cristianismo, particularmente los musulmanes de la época de la reconquista en España y de las cruzadas (cf. San Jorge y el dragón, las diversas insignias de los moros, imaginadas por los autores de los cantares de gesta, que llevaban la imagen de un dragón, etc.).

El nombre de *Baal* también penetró en el nórdico antiguo, generalmente bajo la forma de *Beli* que en las canciones de la *Edda* [65] designa a un gigante. Conviene no olvidar esto, dado que la mayor parte de los cantares de gesta están escritos en idioma normando y contienen numerosas palabras de origen nórdico, entre las que quizá debiéramos mencionar *Estorgant* [66] < nórd. ant. *stor* "grande" + *gand, Dorgant* [67] < *Thor* (dios nórdico) + *gand* (?). Parece que ese *gand* corresponde a *gaand* en francés antiguo que deriva del latín *gigantem* [68]. Nombres compuestos con esta palabra son de uso frecuente en los poemas de la Edad Media, mencionemos aquí *Urgan(t)* [69] en *Aliscans* y *Tristán, Maleagant* en *Lancelot*,

---

[63] La palabra también se conserva en *Belzébuth* y acaso en *Belferne* (*Rol.* 812), en *Belacâne*, reina mora de Zazamanc (cfr. la pág. 189 abajo), casada en primeras nupcias con Gahmuret, el padre de Parzival y Feirefiz, y en *Belestigweiz*, país del rey Golliam en *Willehalm*.

[64] La Biblia conoce 63 referencias a *Baal*.

[65] *Voluspá* 53, 4.

[66] En la *Canción de Rolando* y otras. La *Entrée d'Espagne* y la *Prise de Pampelune*, poemas por otra parte bastante recientes, son los únicos textos que confunden a *Estorgant* con *Astorgant*, un sarraceno y señor de Astorga en España. No obstante, no debe excluirse esta solución, dado que Astorga se llama *Estourges* en el *Anseïs de Cartage* y en la *Prise de Pampelune*. Véase también nuestra nota 138 del art. sig. *Estorgant* es efectivamente un jefe (árabe) de Astorga en la *Entrée d'Espagne*, passim. — Cfr. *Estur* por *Astur* en Cl. Claudiani *Laus Serenae*, verso 75 (var. Med. quart.).

[67] En el *Guitalin*; cfr. *Notas sobre temas épico-medievales*.

[68] Tal vez el término germánico *wîgant* "héroe" (unido a los nombres de Parzival y Gahmuret en la obra de Wolfram) pertenece al mismo grupo semántico. Simultáneamente podría haber sufrido la influencia del nórd. ant. *vig* "el que mata".

[69] *Urjâns* en el *Parzival* alemán.

Morgant en *Aliscans* y otros [70] poemas; todavía se encuentra en la refundición italiana de la leyenda de Rolando de Pulci, donde *Morgante* es efectivamente un gigante que socorre a Rolando en sus aventuras fantásticas (comp. también *Amirant*, gigante sarraceno en el *Gui de Warewic*, *Gargantua* de Rabelais, el gigante *Gandalac* [71] y el escudero *Gandalín* del *Amadís de Gaula*).

En lo referente a *Baligant* puede suponerse fácilmente que el autor de la *Canción de Rolando* efectivamente había pensado en *Baal* con la significación de "primer rey (de Oriente)"; cf. *Rol.* 2615-16 "le viel d'antiquitét, Tut survesquiét et Virgilie et Omer". Con más razón aún habría imaginado que aquel guerrero formidable debía tener una talla gigantesca, puesto que según la leyenda medieval había sido igualmente en España donde otro "viejo de la antigüedad" venido de Levante había librado combates espectaculares: el gigante Hércules, del que volveremos a hablar más adelante [72]. La identificación de los paganos con una raza de gigantes también se hace visible en el texto de *Aliscans* (v. 3980 y 5738), donde se los califica de "la gent Goulias" [73].

[70] Por ejemplo. *Anseïs de Cartage*, v. 3480 y 5104. En esta misma canción otro sarraceno lleva el nombre de *Morligant* (v. 6418).

[71] Se le combatió cerca del peñasco de Galtares (¿un reflejo del peñasco de Gibraltar?). — Cfr. también "li rois *Galegantis*" en la *Queste*.

[72] Véase el capítulo sobre el Grial/Perceval.

[73] Cfr. asimismo la *Crónica de Turpín*, ed. Mortier, cap. XIX, pág. 40: "Statimque nunciatum est Karolo quod apud Nageram gygas quidam, Ferracutus nomine, de genere Goliath advenerat de horis Syrie, quem cum centum viginti milibus Turcorum Babylonis Ammiraldus ad bellum contra Karolum regem miserat". (Nageram = Nájera en la región de Soria en Castilla). — Cfr. también el nombre de *Gol(l)ias* de Almanzor, según el poema de *Fernán González* (v. 272, 4), y los versos 494, 1-2 del mismo cantar: "Un rey de los de África era de fuerça grande, entre todos los otros semejava *gigante*". Véase también el *Anseïs de Cartage*, v. 3501-02: "uns paiiens, *Goulias*...". En el *Romancero español* (ed. A. Durán, vol. II, pág. 229) es el hijo de *Balan* (= Baligant) cuyo cuerpo era "agigantado... que con quince pies de largo era una torre de huesos" = Fierabrás). *Golias* es rey de Almería en la *Gesta Karoli Magni ad Carcassonam et Narbonam* y uno de los reyes de Nîmes en el *Pèlerinage*, *Aliscans*, la *Prise* y el *Charroi*. Para *Golliam* cfr. nuestra nota 63. Según A. de Mandach, obra cit., página 67 (conforme a Lacarra), Ferracutus era originariamente un miembro de la familia de Ferragut de Nájera. En tal caso, se trataría de un excelente ejemplo de una construcción épico-histórica arbitraria (véase nota 199 abajo).

Sin embargo, hay que guardarse de establecer a la fuerza una relación entre *gand* (con el sentido de gigante) y todos los otros nombres de persona que presentan esta misma desinencia. Así es que para *Tervagant* o *Tervigant* propuse la etimología *Terwingen* [74]. En el *Rolando* el autor afirma repetidas veces que los árabes rendían homenaje a una trinidad de dioses: a *Mahoma*, a *Apolo*, la divinidad griega, y a *Tervigant*, en el que podría reconocerse *Terwingen*, una denominación para los visigodos [75]. Esta contrafigura errónea de la trinidad cristiana [76] se halla más tarde igualmente en otros poemas, por ejemplo en el *Aliscans* y el *Willehalm* de Wolfram. En cambio, el verso 611 de la *Canción de Rolando* "La lei i fut *Mahum* et *Tervagan*" correspondería al hecho de que "la ley (¿religiosa?) en el código del rey moro era musulmana y visigótica (mozárabe)" [77], así como en el espíritu de los cristianos se forma, con la mención de Apolo, la concepción de por sí correcta de que los árabes eran los herederos espirituales de los griegos [78]. De modo que dicha contrafigura puede hallar fácilmente su explicación.

A excepción de *Tervigant*, en el estudio precedente se trataba de elementos más bien recientes de la *Canción de Rolando*. Los textos de los siglos XII y XIII en la forma en que han llegado hasta nosotros ofrecen mucho material de este tipo y merecen una investigación más exhaustiva. A menudo es posible poner al descubierto elementos legendarios o históricos más antiguos, o designar modelos épicos generalmente compuestos en latín medieval (como deter-

---

[74] *Interpretaciones hist.-leg.,* ed. de 1955, pág. 181.

[75] Cfr. Ammianus Marcellinus XXXI, 3 "Athanaricus, Theruingorum iudex"; 4 "Gothorum cognomine Theruingorum"; 5 "Theruingi". Véase también Pauly-Wissowa, *Real-Encyclopaedie,* 2. Reihe, IX (1934), col. 849. Acaso también habría que derivar de este término *Tyrfing,* la espada de Angantyr, en el poema de la batalla de los hunos; *Est. ép. med.,* pág. 300.

[76] Sin embargo, en épocas remotas se adoraba una trinidad en Babilonia, la patria de Baligant. Comp. *The Catholic Encyclopedia,* vol. II (1907), págs. 179 s.

[77] En *Aliscans,* v. 4527, se llama a los sarracenos "li oir Tervagant" = "los herederos (espirituales) de Tervagant".

[78] Esta visión idealizada estaba más difundida en el Norte de Francia, en Inglaterra y en Alemania que en la propia España cristiana, lo cual podría explicarse por la distancia geográfica. En realidad, era la escuela de Córdoba la que conservaba y propagaba la filosofía de Aristóteles y otras.

minados lamentos o el poema de Ermoldo, la *Gesta Francorum*
perdida, etc.). No obstante, el método que afirma la existencia de
largas canciones romances mucho antes del siglo XII es, como parecen demostrarlo los hechos, un romanticismo que por otra parte
excluye los estratos recientes fusionados con los elementos históricos y legendarios más antiguos, que siendo frecuentemente de
gran importancia, fueron tantas veces subestimados en el examen
de los textos conservados [79].

LA ESTOIRE DU SAINT GRAAL-PERCEVAL-TITUREL

En el estudio de los cantares de gesta y de la épica cortesana numerosos resultados siguen hipotéticos a causa del estado
fragmentario de las tradiciones medievales que han llegado hasta
nosotros. Muy a menudo la crítica está condenada a servirse de teorías como base para sus investigaciones. A ellas hay que recurrir
cuando faltan los textos y se presentan lagunas o refundiciones
muy defectuosas. Dado que estos problemas son de la misma naturaleza en ambos dominios literarios, sería demasiado sencillo negarse a utilizar un método que trata la épica cortesana de la misma manera que los cantares de gesta. Por el contrario es necesario
cuando se toma en cuenta la evolución del tema y del estilo de la
leyenda de Guillermo, cuyas primeras versiones épicas (por ejemplo el *Aliscans*) aún son cantares de gesta y las continuaciones o
reelaboraciones más recientes se vuelven obras de transición (*Char-*

---

[79] Esta observación no se propone negar la idea del tradicionalismo. Los
orígenes lejanos de algunas leyendas épicas, por ejemplo, las de Rodrigo
y Teodorico el Grande, y la existencia de fragmentos del *Hildebrant* alemán y el *Beowulf* inglés nos dan la prueba de una tal tradición aún en
algunas lenguas vulgares. Sin embargo, las leyendas de los poemas franceses
más recientes, como el *Rolando*, se han transformado bajo la influencia de
sucesos tardíos y de la literatura contemporánea. A través del desarrollo
de la leyenda de los Infantes de Lara hemos demostrado la existencia de
análogas transformaciones en la literatura épica española. En esta leyenda
los elementos más característicos no existieron antes de 1250 en las fuentes
latinas y fueron añadidos después de esta fecha siguiendo un modelo extranjero. (Véase *Est. ép. med.*, págs. 151 s.).

roi de Nîmes) [80], siendo ya su última manifestación una obra cortesana muy característica (*Willehalm* de Wolfram). La transformación gradual de los asuntos todavía no había concluido en la época de Dante, quien en el comienzo de su *Divina Comedia* se inspira en la visión de Brunetto Latini en el bosque de Roncesvalles, que se relata en el *Tesoretto*, y probablemente también en la profecía del lebrel ("veltre") de la *Canción de Rolando* [81]. Sin hablar del desarrollo ulterior que lleva a una fusión de las dos corrientes medievales (marcando la última etapa los libros de caballería españoles), no se puede establecer categorías absolutas en la poesía épica de la Edad Media que tiene en común muchos rasgos esenciales y no difiere más que por sus fases sucesivas y los apogeos en su evolución, arraigando un género en el otro. La historia contemporánea y las tradiciones locales, empero, hacen que el espíritu, los símbolos y finalmente el tono cambien lentamente.

Es un hecho conocido —si bien nunca se haya deducido de él una conclusión más profunda— que la leyenda del santo Grial y de Perceval manifiesta determinadas conexiones con España. La fuente más remota de la que nos habla Wolfram von Eschenbach, y que representa un estrato más antiguo que la obra de Chrétien, sería el misterioso pagano Flegetânîs [82] (cfr. las págs. 123 ss.), autor de un libro de astronomía y nigromancia escrito en caracteres árabes o hebreos, que encontró Kyôt el "provenzal" en Toledo. Según el testimonio de Wolfram, éste último, igualmente desconocido, fue en busca de la misma historia o de relatos semejantes en las crónicas latinas de (¿la Gran?) Bretaña, en Francia y en Irlanda, y los descubrió —o redescubrió— en Anjou [83]. Sin duda se familiarizó de esta forma con los numerosos elementos legendarios del *Perceval/Parzival* tomados de las fuentes británicas y continentales que combina en la elaboración de su obra.

---

[80] Ver *Estilo y Cronología de la temprana epopeya romance*.

[81] Relaciones que fueron estudiadas en nuestro libro *Veltro und Diana — Dantes mittelalterliche und antike Gleichnisse*, Tubinga, 1956. Véase también págs. 92 s.

[82] *Parzival*, 453, 23.

[83] *Parzival* 455, 2-12. Cfr. nuestra pág. 198 a continuación. Según el *Titurel* "reciente" (v. 5791, 3-4) de Albrecht, la historia del santo Grial también se encontró en Cataluña y en España.

Se han establecido numerosas teorías acerca de Kyôt, sin preo-
cuparse tanto por Flegetânîs. Algunos críticos sostienen que éste
jamás existió y que su mención no es más que una mistificación
intencional de Wolfram [84]. Otros han explicado el nombre afirman-
do que era el título de un libro árabe: *Felek thâni,* que en dicho
caso no habría llegado hasta nosotros [85]. Pero según indicación de
Wolfram, *Flegetânîs* no fue un libro sino un autor. No conocemos
a este autor, pero teniendo en cuenta los errores de los copistas
que eran sumamente frecuentes en la literatura medieval y que explican tantos anacronismos, no sería imposible que el nombre fuese una corrupción de *Toletanus* [86]. Según una leyenda, el fundador
de la Toledo antigua era cierto griego que llevaba el nombre de
Ferecio, "muy grande Astrólogo y Nigromántico" [87], de donde proviene el nombre de *Ferrezola* [88] dado a la ciudad. Así el misterioso
Poeta Toletanus pudo haber sido aquel Ferecio (que no era, empe-

---

[84] Una observación típica de un representante de este grupo fue la de
F. Wolf: "Die Gralmythe ist wohl aus keltisch-druidischen Elementen im
südlichen (?) Frankreich von Anhängern des Templertums ausgebildet wor-
den, und da lag die Versetzung des Montsalvage nach Spanien nahe genug
und ist wohl ebensowohl wie Kiots Fund zu Toledo, dem Sitze der schwar-
zen Kunst, nur eine Mystification" (cit. según K. Simrock, *Parzival und
Titurel,* Stuttgart 1883, pág. 344).

[85] Véase el comentario del *Parzival* de Wolfram, ed. E. Martin, Halle
1900, vol. II, pág. 350.

[86] En una época posterior llevó este nombre el arzobispo Rodrigo, historiador del siglo XIII. Cfr. igualmente al respecto *Tudense* = el historiador Lucas de Tuy.

[87] "Antes de començar la edificación desta cibdad miró la constelación
de las estrellas, donde dizen que halló que aquí sería una grande y populosa cibdad, de muy próspera y bienauenturada fortuna. Lo qual desseando
que se cumpliesse, assí aguardó para su edificación, que en el cielo ouiesse
tal ayuntamiento de signos y planetas, qual conosció ser conueniente para
el effecto della" (Pedro de Alcocer, *Hystoria o Descripción de la Imperial
Cibdad de Toledo,* Toledo 1554, fol. XI^v, col. 2 y s.).

[88] Alcocer, *Op. cit.,* fol. XIII^r, col. 2; según la obra del Tudense, ed.
cit. en la nota 128, pág. 175 y la *PCG,* ed. cit., pág. 299. Refiriéndose al
nombre de Toledo, probablemente de origen ibero-céltico, J. Amador de
los Ríos subraya que "pretendiéndose no sin erudita insistencia, que se
derivaba, caso formado del todo, de la voz hebrea *tholedoth,* que significa
generaciones" (*Hist. social, política y religiosa de los judíos de España y
Portugal,* ed. Madrid, 1960, pág. 37).

ro, israelita) [89], o más bien un autor medieval de Toledo —*Ferrezolanis*— que habría tomado como punto de partida para su relato las acciones de Ferecio [90]. También puede pensarse en *Phlegon* (*Flegonte* en la *PCG* [91], *Flebietan* según el manuscrito *N* del mismo texto), nombre de origen griego que llevaba un cristiano en Roma. Este último, mencionado por San Pablo [92], fue el autor de varios libros, uno de los cuales relata historias maravillosas [93]. Este pretendido mártir fue incluido en el calendario bizantino (el 8 de abril). Si este nombre [94] le fue dado a "Flegetânîs" es que era sin

---

[89] Los hebreos llegaron a Toledo un poco más tarde (hacia el final de la época de Nabucodonosor o después; Alcocer, *Op. cit.*, fol. XIVª). ¿Trataríase de *Pherekydes* de Syros (lat. *Ferecide*)? Este autor de un libro sobre la naturaleza y los dioses (data de alrededor de 560 a. C.) habría sido un plagiario de Hesíodo y del profeta Ham. Las fuentes no revelan si estuvo en Toledo. Cfr. *Pherecydis Frag. Coll.*, ed. G. Sturz, Lipsiae, 1884; H. Diels-W. Kranz, *Die Fragmente der Vorsokratiker*, vol. I, 5.ª ed., Berlín, 1934, pág. 45; Pauly-Wissowa, *Real-Encyclopaedie*, vol. XXXVIII (1938), col. 2025 s.; W. von Christ, *Gesch. d. griech. Lit.*, II.ª parte, 6.ª ed., Munich, 1924, pág 1263, n. 6; W. Schmid-O. Stählin, *Geschichte der griechischen Literatur*, I, 1, Munich, 1929, págs. 725 s., y otros.

[90] En Toledo se llevaba a cabo la enseñanza de la astronomía y la nigromancia, y aún en el siglo XVI se la conocía por el nombre de arte toledano: "se enseñaron en esta cibdad en este tiempo estas dichas sciencias, Mágica, y Astronómica, mas también muchos tiempos después por sus naturales influencias que inclinauan a ello a sus moradores... por escreuir los antiguos, y creerlo ansí los estrangeros modernos, que el arte Mágica fue en el tiempo antiguo enseñada en esta cibdad; por lo que es de muchos llamada arte Toledana, como la llaman los Franceses, y otras naciones...". (Alcocer, *Op. cit.*, fol. XIIᵛ, col. 1 s.). En relación con esto recordemos a Alfonso Martínez de Toledo del siglo XV, el Arcipreste de Talavera, quien en la tercera parte de su tratado sobre el amor mundano nos habla "De las complisiones de los ombres e de los planetas e sygnos" (cfr. nuestros estudios sobre este autor en *Zeitschr. f. rom. Phil.* LXI (1941), páginas 417-537, y LXXII (1956), págs. 108-114.

[91] Ed. cit., pág. 150.

[92] *Romanos*, XVI, 14 (cfr. asimismo Vincent de Beauvais, *Speculum historiale* X, 91, y *PCG*, loc. cit.).

[93] Ed. A. Westermann en *Rerum Mirabilium Graeci*, Lipsiae, 1839, y ed. C. Müller, en *Fragmenta Historicorum Graecorum*, vol. III, París, 1874 s.

[94] Advirtamos finalmente que la esposa de Nascien se llama *Flege(n)tine* (en la *Estoire du Saint Graal*, ed. cit. en la nota 103, pág. 170; comp. también nuestra nota 110).

duda un converso español, como Pedro Alfonso, el recopilador de los cuentos de la *Disciplina clericalis* y mucho más tarde Fernando de Rojas, el autor de la *Celestina*. Una identificación del "Flegetânîs" y del "Kyôt" histórico se reserva para el capítulo siguiente (págs. 216 ss.).

Esta investigación comportará un intento de reconstrucción de posibles asuntos tratados por el autor "toledano" en su libro desaparecido. Existen, en efecto, afinidades muy notables entre la leyenda y España, así como sorprendentes analogías en los relatos de la *Estoire du Saint Graal*, del *Perceval/Parzival* y las tradiciones hispánicas de la época de la reconquista. Señalemos ante todo el libro segundo del *Parzival* que se refiere constantemente a los reinos de Toledo y de Aragón. Este mismo texto y las otras partes de la obra contienen numerosas alusiones a la Galicia española, a Portugal y a Cataluña. He aquí algunos ejemplos: "Spâne" (48, 9, etc. = España); "Spânôl" (39, 15, etc. = el español); "Dôlet" (48, 2, etc. = Toledo); "Sibilje" (54, 27, etc. = Sevilla); "Arragûn" (67, 14, etc. = Aragón); "Galiciâ" (419, 19 = Galicia); "Galiciân" (416, 10 = habitante de Galicia); "Portegâl" (66, 26 = Portugal), "Katelangen" (186, 21, etc. = Cataluña) [95]. El rey de Toledo es "Kaylet" (25, 17, etc.), el de Aragón "Schaffilör" (78, 30), una ciudad de Galicia se llama "Vedrûn" (419, 21 = Pontevedra) [96].

El nombre *Kaylet* parece corresponder a *Karlet(e)* y *Mainet(e)*, nombres que ocultarían la personalidad del joven Carlomagno en su estadía en Toledo. Ya G. Paris [97] y después de él Menéndez Pidal [98] estaban de acuerdo en que en la leyenda de Mainet se trataba de una transformación épica de la historia de Alfonso VI de Castilla, quien después de la conquista de Toledo la convirtió en

---

[95] Así también en el *Titurel* de Wolfram (v. 14; 31; 105; 109), donde el autor retoma los temas de la leyenda de Parzival.
[96] Esta explicación ya la propuso la crítica y la aceptó Martin, ed. cit., vol. II, pág. 330.
[97] En *Romania* IV (1875), págs. 305 s.
[98] *Historia y Epopeya* (Madrid, 1934), págs. 263 s.; cfr. también nuestros *Estudios épicos medievales*, págs. 89 s. — Análogamente, en la *Blomstrvallasaga* noruega, Alfonso X (el Sabio) de Castilla será tomado por el emperador Federico II de Sicilia; véase *Est. ép. med.*, pág. 202.

su residencia permanente. En esta misma leyenda, el amor de Carlos por Galiana, la bella princesa mora de Toledo, no es más que un reflejo del supuesto casamiento de Alfonso con Zaida, la nuera del rey Benabet de Sevilla [99]. Este precedente en la historia habría de iniciar una tradición literaria: los autores de *Aliscans* y de la *Prise d'Orange* no vacilaron en introducir el tema de la mujer mora que después de su conversión se hace esposa de un príncipe cristiano. En el ciclo de poemas épicos franceses sobre Guillermo (y en el *Willehalm* de Wolfram) es Orable, quien, con el nombre de Guiburc, parece llevar algunos rasgos característicos de Jimena, la mujer del Cid [100]. En efecto Guillermo de Tolosa se había casado en segundas nupcias con la Vuitburgh histórica, de origen merovingio. Rainouart, el hermano de Orable, es el primer bastardo "simpático" de los poemas épicos franceses; esta particularidad de carácter distingue igualmente las figuras de Mudarra en los *Infantes de Lara* y de Feirefiz en el *Parzival*.

En el *Mainet* el rey de Toledo y padre de Galiana se llama *Galafre* (= Halaf) como en la versión española de la *PCG* [101]. No obstante, el manuscrito *E* de esta última [102] nos habla de Galafre

---

[99] La versión española se encuentra en el texto refundido de la *PCG*, ed. cit., págs. 340 s.; el *Mainet* francés fue editado por G. Paris en la revista citada, nota 75. Según el relato de la *PCG*, Galiana fue llevada a Francia y bautizada, de igual manera que Bramimonde en la *Canción de Rolando*. Lévi-Provençal explicó el nombre de *Bramimonde* por el árabe *bru-main* 'viuda" + de, comparable con el de la figura de Zaida, la esposa de Alfonso VI, que era viuda del príncipe Fat Al'Mamun, gobernador de Córdoba e hijo del rey Mutámid de Sevilla, o sea la "reina" de Sevilla de las poesías épicas francesas. Véase A. de Mandach, *La Geste de Charlemagne...*, pág. 37, y comp. Menéndez Pidal, *Esp. Cid.*, pág. 405, y nuestras *Relaciones franco-hispanas*. El nombre de *Cligès* deriva asimismo de un nombre oriental, según G. Reichenkron: < *Qylyč Arslan*, sultán turco de la época de Chrétien (véase *Saggi e Ricerche in Memoria di E. Li Gotti*, vol. III, Palermo 1962, págs. 72-82). Para una identificación semejante véase H. y R. Kahane en *Romania* LXXXII (1961), págs. 113 s.

[100] Véase *Notas sobre temas épico-medievales*, pág. 78.

[101] Carlomagno igualmente evoca a los personajes en ocasión de su lamento por la muerte de Rolando en el fragmento español *Roncesvalles* ("Fuyme a Toledo a servir al rey Galafre, ...Acabé a Galiana, a la muger leale").

[102] *PCG*, ed. cit., pág. 356, nota.

como consejero del rey Yxem (propone que se reciba a Carlos en Toledo). Un reflejo de este nombre parece encontrarse en la *Estoire du Saint Graal*, donde el consejero y uno de los barones de Nascien se llama *Calafer* o *Calafre* [103]. En el *Perceforest*, el rey "mehaigniez" por un jabalí es quien se llama *Galafer* (IV, 36 y 46) [104] o *Gadiffer* (I, 18, etc.). El nombre del castillo de *Valacin* (variantes *Valencin*, *Evalachin*) mencionado en la *Estoire* [105], recuerda el de *Albarracín* (esp. ant. *Aluarrazín*) en España, al que hizo tributario el rey Alfonso VI y sometió el Cid [106]. Si bien el autor imaginaba que este *Valacin* (así como *Sarras*, que no existe en la región que indican el texto y tantos otros lugares) estaba situado en Oriente [107], una referencia a la España contemporánea de Alfonso y del Cid se hace más manifiesta en la *Estoire*, así como se hace sentir la influencia muy perceptible del estilo de los cantares de gesta cuando el relato nos habla de "Tholomers li fuitis" (= Tolomeo Ceraster, rey de Babilonia) [108] "qui est entrés en ta terre a tot son esfors et si a ia [pris] enaise ta riche cité et toute la terre enuiron fors le castel de *Ualacin*... il ne en tute la torre remandra ia ne castel ne cyte qui encontre lui puist durer... qu'il n' enterra iamais en sa terre desi a dont qu'il aura porté coroune dedans *Sarras*" [109]. He aquí aparentemente otra reminiscencia del episodio

---

[103] En *The Vulgate Version of the Arthurian Romances*, ed. H. O. Sommer, vol. I, Washington, 1909, pág. 88 y otras. — La versión rimada, bastante diferente de la novela en prosa, fue publicada por W. A. Nitze con el título de *Le Roman de L'Estoire dou Graal*, París, 1927.

[104] Cfr. también "li almiralz *Galaf(r)es*" en *Rol.* 1503, y *Galafrê* del *Willehalm* 15, 5 de Wolfram.

[105] Ed. cit., págs. 46 s.; 208.

[106] "Santa María de Aluarrazín" (*Cid*, v. 2645); cfr. *PCG*, págs. 527 y 559. — *Valacin* se explica probablemente por *Albarrazin* + *Ualentia* (sic los dos topónimos en *Historia Roderici* ed. cit., pág. 932), habiendo conquistado el Cid estas ciudades de Levante de 1089 en adelante.

[107] Por el contrario, el texto menciona también lugares que, según el autor, se encontraban en Inglaterra y entre los cuales hay una importante ciudad sarracena. Para esta extraña geografía, como para la época y los personajes del relato de la *Estoire* véase la nota 217 a continuación.

[108] Según P. Paris, *Les Romans de la Table Ronde*, vol. I, París, 1868, pág. 109, n. 1.

[109] La *Estoire du Saint Graal*, ed. cit., pág. 46.

legendario de Baligant en Zaragoza, a la que se agrega la escena que describe la venganza de José que hace bautizar a quince mil habitantes de *Sarras* [110], luego "abatre les ymages et les autels" [111] (el mismo error acerca del culto religioso de los árabes, que desconocen las imágenes, que en el *Rolando*, v. 3660; 3663-64 "Li emperere ad Sarraguce prise..., Fruissent (les) ymag(e)nes et trestutes les yd(e)les; N'i remeindrat ne sorz ne falserie") [112]. Advirtamos finalmente que después de la toma y cristianización de "Sarras" se celebra una liturgia del Grial en el Palacio Espiritual de esta ciudad (según relata la *Estoire*) [113].

Es bien posible que estos relatos relativos a la toma legendaria de Zaragoza por Carlomagno y la de "Sarras" por José encubran un acontecimiento histórico: la cristianización forzada de la mezquita de Toledo, contra la voluntad del emperador Alfonso, que representa el único ejemplo de una intolerancia de este género en la España de aquella época [114]. Fue puesta en ejecución a instigación de la reina Constanza (la primera esposa de Alfonso VI) por el arzobispo Bernardo, cluniacense de origen francés. Una descripción de estos hechos se encuentra en todas las crónicas de España desde la obra del arzobispo Rodrigo, el "Toletanus" (libro VI, cap. 24). Citemos aquí el texto extraído de la *PCG* [115]: "Bernaldo,

---

[110] Adviértase que en la *Estoire du Saint Graal* así como en la *Mort le Roi Arthus* (publ. en *The Vulgate Versions*, ed. cit., vol. VI) el rey de Sarras es *Mordrain* (= Mostain?), su mujer, *Sarracinte*.

[111] *Op. cit.*, pág. 75.

[112] Un ejemplo análogo de intolerancia se menciona en el *Rol.* 101-102: "En la citét (= Córdoba) n'en ad remés paien Ne seit ocis u devient crestiën".

[113] Un estudio sobre este tema se encuentra en el artículo de M. Lot-Borodine, *Les Apparitions du Christ aux Messes de l'Estoire et de la Queste del Saint Graal*, en *Romania* LXXII (1952), págs. 202 s.

[114] Sobre el tema de la tolerancia véase *Notas sobre temas épico-medievales*, cap. IV, con referencias a los estudios de A. Castro y C. Sánchez Albornoz). Agreguemos aquí a estos trabajos que J. Pérez y R. Escalona nos dicen de Doña Urraca que "se juntó por su orden, y a instancias suyas un Sínodo en Oviedo, en que se hicieron muy loables ordenanzas, con gran edificación, no sólo del pueblo Cristiano, sino también de los Moros, y judíos" (*op. cit.* en la página 173, n. 121).

[115] Ed. cit., pág. 541 (según el modelo del Toledano).

por amonestamiento et afincamiento de la reyna donna Costança, tomó de noche companna de caualleros cristianos, et fue et entró en la mayor mezquita de Toledo, et echó ende las suziedades de la ley de Mahomat, et alçó y altar de la fe de Jhesu Cristo, et puso en la mayor torre dellas campanas pora llamar los fieles de Cristo a las oras. Quando esto sopo el rey don Alffonsso allá do era en la tierra (de León), fue sannudo et yrado con pesar que ouo por que non guardara a los moros el pleyto que les fiziera de la mezquita mayor de Toledo, que siempre fuesse mezquita mayor de los moros... assí ueno rabdo que en tres días andido de Sant Fagund a Toledo; et ueníe con postura en su coraçón de poner fuego all electo don Bernaldo et a la reyna donna Costança et quemarlos a amos... los moros alaraues de Toledo... saliéronle todos a recebir... Et el rey don Alffonsso quando uió la muchedumbre de los moros... fablóles...: 'Ya uarones, companna buena! este tuerto non fue fecho a nos mas a mí...' ' ". Entonces los propios moros desengañados abogan por que se mantenga el status quo, pues temen las consecuencias terribles que podrían resultar de un castigo de Bernardo y de Constanza. Alfonso se muestra muy contento con la inesperada solución a tan grave problema. También el autor anónimo del romance 911 del *Romancero* español relata el episodio [116].

El texto citado nos dice que en el momento de la toma ilegal de la mezquita el rey se hallaba en *Sahagún* (esp. ant. *Sant Fagund* [117]; fran. ant. *Saint Fagon*), el notable santuario que perfeccionó el arzobispo Bernardo y una de las residencias favoritas de los reyes de Castilla. Este lugar, muy venerado y que sólo Compostela sobrepasaba en importancia, se encontraba sobre la "via francigena" que lleva a Santiago de Compostela [118]. Nos hemos familiarizado con ella a través de la *Crónica de Turpín* (el milagro de las lanzas del ejército de Carlomagno) y el *Anseïs* legendario (el héroe que en este lugar fue coronado rey por Carlomagno) [119]. A

---

[116] Ed. A. Durán, vol. I, págs. 575 s.

[117] *Safagunt* en el poema de *Fernán González* (v. 730, 1; 732, 2).

[118] J. Bédier, *Les Légendes épiques,* vol. III, págs. 123 s.; A. Castro, *Spain in its History,* Princeton, 1954, pág. 130.

[119] Véase *Relaciones franco-hispanas... sobre el Anseïs de Cartage.*

cinco kilómetros al Sur estaba situado el castillo real de *Grajal* [120].
Estos dos lugares son de particular interés.

La geografía de la *Crónica de Turpín*, del *Anseïs de Cartage* y
de la *Prise de Pampelune*, como también la del *Cid* (v. 1312),
es exacta en lo que concierne a Sahagún y muchos otros topónimos
castellanos. Contrariamente a esta tradición, pero en forma característica para la mayor parte de los poemas medievales, *Saint Fagon* se extravió por obra de algunos autores o copistas hasta llegar
a Bretaña, el país de Rolando (en *Renaut de Montauban*, v. 119),
luego se convierte en un monasterio de Roncesvalles (en *Elioxe*,
v. 6). Una conjetura errónea similar se encuentra en el relato en
forma de crónica [121] que afirma que el cuerpo de los mártires San
Primitivo y San Facundo reposaban en *Orense* (< *Auriensis*) [122],
ciudad nombrada por el autor de la *Crónica de Turpín*, y que no
debe confundirse con *Viana* cerca de *Los Arcos* en Navarra (¿o
Irún?), llamada "*Urantia* que dicitur *Arthus*" [123]. El santo, al cual
Sahagún debe su denominación, es invocado en el *Anseïs*, la *Che*-

---

[120] Véase la nota 126 para este topónimo.

[121] Véase J. Pérez-R. Escalona, *Historia del Real Monasterio de Sahagún*,
Madrid, 1782, pág. 10. El mismo error se vuelve a encontrar en un himno de
la recopilación *Analecta Hymnica*, vol. XVI (ed. G. M. Dreves), pág. 127
(núm. 198, v. 1).

[122] Puede citarse además del *Girart de Roussillon* en la versión más
reciente (v. 554 según la traducción de P. Meyer, París, 1884) un *Saint
Fagon* (*Saint Gengoul* en el texto editado de Ham, v. 765 — cfr. la nota
161 a continuación), un lugar que se encontraría en el bosque a poca distancia de *Orléans*. Este extraño lugar se explica, como parece, por la doble
confusión de *Saint Fagon* con *Orense*, y de *Orense* con *Orléans*, o simplemente por una falsa lectura de *Saint-Gengoux* (Saona y Loira), escrito
Saint-Jangou en otros textos y *Saint-Jangon* en el poema *Mellusine* del
siglo XIV.

[123] Cap. IV: *De Nominibus Civitatum Hispaniae*, ed. cit., pág. 8. Para
Viana y *Los Arcos* (o Irún, como propone Dozy) remitimos al *Liber Sancti
Jacobi Codex Calixtinus*, trad. p. A. Moralejo, C. Torres y J. Feo, Santiago de Compostela, 1951, pág. 411, n. 5. La versión gallega dice "*Viana*
que chaman *Arquos*" (cfr. *Miragres de Santiago*, ed. p. J. L. Pensado,
Madrid, 1958, pág. 77). — En lo que concierne a la presente versión revisada
de nuestra exposición, mencionemos que varias omisiones y errores tipográficos lamentables en el texto del primer esbozo de este artículo ya se
señalaron en las adiciones y correcciones de *Bol. Fil.* XIII, pág. 25, n. 128.

valerie Ogier, Clarisse et Florent, Yde et Olive y *Aubéri*. Los barones del ejército francés llevan el nombre de *Fagon* en las epopeyas *Aquin, Enfances Ogier, Macaire* y *Maugis*, de donde también se introdujo en la *Karlamagnussaga* y el *Perceforest*.

La *Crónica de Turpín* nos dice por error que fue Carlomagno quien había fundado el santuario de Sahagún: "in terra que dicitur *Campis*, super flumen quod vocatur Ceja, in pratis scilicet, in ameno et plano loco, ubi postea beatorum martirum Facundi et Primitivi basilica grandis et decora jussu et auxilio Karoli noscitur fabricata" (en la traducción al francés antiguo: "la *Terre* des Chans [124], sor un flueve que est nomez Cheia... En ce maime lieu, fonda puis Karlemaines I eglise in l'onor des II martyrs Facunde et Primitif", etc.) [125].

Sahagún había ganado en importancia en la época del primer culto de Santiago de Compostela y de San Millán de la Cogolla. A muy poca distancia Alfonso III el Grande había poblado Cea y rodeado el lugar de muros y torres. En 848 Bermudo, el hermano cegado por el rey, se alió con los moros y sitió el castillo de Grajal (de Campos) [126]. Más tarde, Alfonso hizo erigir una iglesia en

---

[124] Es difícil decidir si *Rol.* 2095-97 "Ço dit la geste e cil ki el *camp* fut, Li ber [seinz] Gilie (ms. V⁴: *Guielmo*), por qui Deus fait vertuz, E fist la chartre el muster de Loüm" se refiere verdaderamente a *San Gil* (*Aegidius*) o acaso a (San) *Guillermo* (cfr. pág. 73, nota 29), o a *Santiago* (véase el milagro relatado en págs. 208 ss.). J. Bédier nos indica las relaciones de *San Gil* con los peregrinajes (en *Légendes épiques*, III, 354 s.). Una iglesia de *San Egidio* se encontraba en Burgos antes de 1163 (comp. *España Sagrada*, XXVII, 338). Véase también pág. 249, nota 166 abajo para *Loüm*, así como n. 5 de *Lugar de la batalla*.

[125] *Ed. cit.*, págs. 16-17.

[126] *PCG*, ed. cit., págs. 368 y 376. — Para *Grajal*, hoy *Grajal de Campos*, comp. las diferentes ortografías *Graial, Graiar* (en la *PCG*, pág. 470), *Graxal* y *Gralar, Graliare* (ésta última en la crónica del Tudense, ed. cit. en nuestra nota 128, pág. 175, en un pasaje que se refiere al reino de Alfonso el Casto). *Gralar* y *Graliare* parecen representar las formas más arcaicas del topónimo. El desarrollo de las consonantes sería -*l* (*i*)- > -*x*- y -*j*-, y -*r*- > -*l* respectivamente, lo cual corresponde a la evolución normal de las lenguas iberorromanas. La derivación de *Grajal*, *Gral(i)ar(e)* de un *Gral(i)ar(i)um* o *Gra(da)larium* no presentaría ninguna dificultad fonética (para *gradale* "vas mensarium, catini species" véase Du Cange, *Glossarium mediae et infimae Latinitatis*, vol. III, París, 1843, pág. 545). Sobre -*l*- > -*j*- en *Grajal*

el lugar donde yacían los restos de San Facundo [127] y de San Primitivo al borde del río Cea [128] hacia el año 872 [129]. Desde entonces la antigua *Camala* tomó el nombre de *Sant Fagund* (Sahagún) y Cea y Grajal [130] pasaron a estar bajo la influencia de la ciudad, que fue la heredera de las tradiciones reales de estos dos castillos. Debe presumirse que con los nobles y el clero una parte del inventario de estos castillos fuera transferido a Sahagún, como lo fue el mercado de Grajal en la época del arzobispo Bernardo [131], según una relación.

Siguieron luego acontecimientos de vasto alcance, que con toda probabilidad formaron un tema del *Cantar de Don Fernando*

---

y otros nombres similares ver también Menéndez Pidal. *Orígenes del Español*, 3.ª ed., Madrid, 1950, págs. 276 s. y pág. 52. Cfr. el texto de *Espíritu hispánico* (II) a que hace referencia la nota 130. — Para "Sanctorum Facundi et Primitiui... territorio Graliare" (texto del *Becerro gótico de Sahagún*) véase *Cantar de Mio Cid*, ed. cit., pág. 550, nota 2. Nótese que el *Graal* fue llamado "Saint *Grahal*" en la *Estoire*.

[127] Facundus era obispo en Hermiane en África (siglo VI). Se opuso a la condenación de los "Tres Capítulos" dictados por Justiniano en 543 ó 544. Estos escritos los publicó J. P. Migne, *Patrologia Latina*, vol. LXVII, págs. 527-878. Antes de ser transferidos a Sahagún, los despojos de los dos mártires Facundo y Primitivo estuvieron enterrados en Córdoba (cfr. Ambrosius Moralis Cordubensis, *Ad Sanctos Cordubenses Martyres Deprecatio*, en Schottus, *Hispaniae illustratae seu Urbium Rerumque hispanicorum*, vol. IV, Francfort, 1608, pág. 371. Véanse también las *Acta S. S. Martyrum Facundi et Primitivi* y la *Passio Facundi et Primitivi* en *España Sagrada*, XXXIV (1784), págs. 390 s.; 398 s. Cfr. también pág. 314 s.

[128] En Gozón en Asturias este mismo Alfonso construyó una catedral que denominó San Salvador; luego hizo consagrar la iglesia de Santiago de Compostela. Cfr. Lucae Tudensis *Chronicon Mundi*, en Schottus, *op. cit.*, vol. IV, pág. 80; *PCG*, ed. cit., págs. 379 y 381.

[129] Escalona, *op. cit.*, pág. 14. El texto de la dotación oficial (del año 905) está impreso en pág. 10. Advirtamos de todas formas la observación del autor en la pág. 14: "...queriendo algunos que sea fundación de D. Alonso el Casto [Tudense, ed. cit., pág. 80]; y aun Fr. Benito Álvarez... (siglo XVI) dice, que lo fundó Carlo Magno en acción de gracias; y últimamente nuestro Argaiz lo hace del tiempo de N. P. S. Benito, pues dice que estaba ya fundado el año de 549".

[130] A principios del siglo XI el conde Fernán Gutiérrez donó los castillos de Cea y de Grajal al Infante García (*PCG*, pág. 470).

[131] Véase la nota 167 a continuación.

perdido [132]. Los primeros años del reinado de Fernando I el Magno de Castilla se caracterizaron por la lucha fratricida del monarca contra el Infante García, a quien tomó prisionero en Cea (de la suerte de éste último también nos habla el "Romanz del Infant García") [133]. Más tarde, durante la expedición a Coímbra, el Cid (de la leyenda) fue armado caballero por el rey [134]. En 1055 éste visitó el monasterio de Sahagún para participar en la misa y comer con los monjes en el refectorio de aquel santo lugar. En la ocasión se produjo un incidente que relatan casi todos los cronistas: una copa de vidrio escapó de la mano del rey al ofrecérsela un abate. La alta significación de este cáliz de la Eucaristía que se guardaba en el monasterio de Sahagún se hace evidente por la reacción del rey quien, muy afectado, donó al santuario una copa de oro incrustada de piedras preciosas para reparar la pérdida, prometiendo además a los monjes de Cluny —Sahagún se había convertido en dependencia de aquél— la suma anual de mil maravedís. A continuación citamos los textos correspondientes en el *Chronicon* del Tudense [135] y en la *PCG* [136]:

---

[132] Véase M. Milá y Fontanals, *De la Poesía heroico-popular castellana* (*Obras completas,* vol. VII, Barcelona, 1896), págs. 262 s.; J. Puyol y Alonso, *El Abadengo de Sahagún,* Madrid, 1915, pág. 328; y Menéndez Pidal en su edición de la *PCG,* vol. II, pág. CLXVI y CLXVIII. Menéndez Pidal ha publicado extractos de textos en *Reliquias de la poesía épica española,* Madrid, 1951. El estrato más antiguo del *Cantar de Don Fernando* perdido debería considerarse una fuente de la *Crónica de Turpín* (cfr. nuestras observaciones en págs. 183 y s.), y por consiguiente de la materia de España en las canciones francesas del ciclo de Carlomagno, y acaso también de la leyenda de Perceval. Se trataría pues de un poema clave digno de interés y de una reconstrucción más completa.

[133] Véase Menéndez Pidal, en *Historia y Epopeya,* Madrid, 1934, páginas 29-98. El Infante García fue el conde de Castilla hasta su muerte en 1029; su sucesor fue Fernando.

[134] *PCG,* ed. cit., pág. 487. Según el texto más fidedigno de la *Historia Roderici* fue su hijo, el Infante Don Sancho, quien le armó caballero (*Esp. Cid.,* 128 y 146).

[135] Ed. cit., pág. 96.

[136] Ed. cit., pág. 492.

"Post haec coenobium Sancti Facundi visitare misericorditer veniens, dum ibi erat monastico contentus ordine cum eisdem monachis orabat, et cum eis humiliter sumebat cibum. Caeterum quadam die ex more coram Abbatis mensa, super quam et ipse Rex recumbebat, allatum est domino Regi quoddam vitreum vas vino plenum. Quod iussi Abbatis, ut de vino pro benedictione biberet, Rex incaute accipiens, cecedit vas super mensam, et frustatim confractum est. Tunc Rex anxietate velut magni reatis percussus vocat ad se unum de circunstantibus pueris, et vas aureum preciosis lapidibus insignitum quo ipse assidue bibebat, sibi adduci celeriter imperat. Quod sine mora defertur, et Rex cum accipiens se erexit, et fratres sic allocutus est, dicens: En domini mei pro confracto hoc beatis martyribus restituo vas. Statuit quoque per unumquemque annum dum viveret pro vinculis peccatorum [137] solvendis Cluniacensis Coenobii monachis mille aureos ex proprio serario dari".

"cuenta deste rey don Fernando el Magno (año 1055) la estoria que cuando yua al monasterio de Sant Fagund, que es logar por que cataron mucho los reys et mayormiente los de León, entraua este rey don Fernando con los monjes en su refitorio, et a las uezes quel conuidauan ellos, a las uezes que se conuidaua ell, comíe con ell abbat et con ellos en companna, assí como uno dellos, de la su uianda misma que teníen adobada poral conuento; et estaua a las oras et al bendezir de las mesas, et usaua de las uiandas de la regla. Et estando una uez a la mesa, diol ell abbat con su mano un uaso de uidrio, et cayó de la mano del rey, et crebó; et al rey pesól ende, et mandó adozir luego una copa de oro con piedras preciosas engastonadas en ella, et dióla al abbat por enterga del uaso de uidrio que crebara por su culpa. Et sobresso dio al monasterio de Crunniego mill marauedíes para cadanno pora siempre".

Para completar los datos de la época del reinado de Fernando I observemos que, después del hecho legendario de recibir al Cid en su lecho de muerte, el rey muere el 27 de diciembre de 1065. Fue enterrado en León en la iglesia de San Isidoro, a donde había hecho trasferir los restos del Santo descubiertos en Sevilla [138].

---

[137] Además de su conducta hacia su hermano García, fue uno de los culpables de la muerte del rey Bermudo, su predecesor y cuñado.

[138] *PCG*, ed. cit., pág. 494; *Esp. Cid*, 152.

Otro pecador [139] cuya historia está vinculada al santuario de Sahagún fue el emperador Alfonso VI, hijo del rey Fernando. Había
lidiado con sus hermanos y uno de ellos le sitió en Grajal.
Hasta se le acusaba de la muerte de Sancho (en el *Romance de la Jura de
Santa Gadea*) [140] y no era inocente de la prisión de García [141]. Fue
un gran monarca a pesar de sus debilidades, de las que sacó pro-
vecho el conde García Ordóñez de Grañón, y a quien el rey creyó
sus insinuaciones y calumnias contra el Cid. Ya antes de su conquista de Toledo se había propuesto perfeccionar la orden religiosa de Sahagún y embellecer el monasterio. A este fin estableció
contacto con (San) Hugo de Cluny, personaje digno de los mayores
elogios por parte del Papa Gregorio VII y de Bernardo, futuro Primado de España, quienes habían sido sus antiguos alumnos [142]. Fue
Hugo quien envió a Bernardo a Sahagún, donde el rey Alfonso le
nombró abad.

Bernardo, que llevaba el apellido de Sédirac, era de familia
noble [143] y originario de La Sauvetat (Gers) [144]. En su juventud hizo

---

[139] Comp. nota 137.

[140] Cfr. los versos 13; 31-34: "Mátente con aguijadas... Si no dijeres
verdad De lo que te es preguntado: Si fuiste, ni consentiste En la muerte
de tu hermano". Esta versión y otros textos semejantes fueron recopilados
por C. Reig en su libro *El Cantar de Sancho II y Cerco de Zamora*, Madrid,
1947, pág. 291 s.

[141] Tudense, ed. cit., pág. 101: "Per viginti annos fuit Rex Garsias (frater Regis Adefonsi) in vinculis... (Adefonsus) Aimebat tamen a vinculis eum
extrahere, ne pararet rebellionem, et turbaretur regnum. Rex autem Garsias cum veniret Legionem (León) in itinere mortuus est".

[142] Rodericus Toletanus, *De Rebus Hispaniae*, lib. VI, 25 (en Schottus
Op. cit., vol. I, págs. 175 s.; y P. P. *Toletanorum... Opera*, Madrid, 1792).
Berceo habla de "Sant Ugo... de Grunniego abbat" en sus *Milagros de
Nuestra Señora*, estrofa 182, 3.

[143] "E aun según la dignidad del mundo no era de poca nobleça"; *Las
Crónicas anónimas de Sahagún*, ed. J. Puyol y Alonso, en *Boletín de la R.
Academia de la Historia*, LXXVI (1920), pág. 114. — Su padre fue un tal
Guillermo, su madre "Neimiro"; cfr. P. J. de Mariana, *Historia de Espa-
ña*, Madrid, 1931, pág. 268.

[144] Situada a 50 kilómetros al Sur de Agen y a 25 kilómetros al Norte
de Auch. — Cfr. Toledano, *Op. cit.*, lib. IV, cap. 24: "Bernardus autem...

la guerra [145] y se dedicó a la literatura, entrando luego en el monasterio de Saint-Orens [146] en Auch: "se dedicó a las letras, y descubriendo un singular talento, aprovechó en ellas considerablemente. Pero considerando la vanidad, y ninguna consistencia de las cosas mundanas, resolvió dexar el siglo, se hizo Monje en San Orencio de Aux, uno de los Monasterios que estaban cuidados, y gobernados por San Hugo; quien vista la virtud, y talento singular de Don Bernardo, le tomó cariño grande" [147]. En 1080 [148] fue llamado a Sahagún con el fin de reformar los estatutos y las leyes que Alfonso quería poner al frente de todos los monasterios benedictinos de su país. Este "insigne varón" [149] gustó prodigiosamente al rey por su "apacible y respetable presencia y su conversación suave y discreta" [150], era "varón muy casto e mesurado, e sobre modo humano, paciente" [151]. Más tarde lo veremos en Toledo (apoderándose de la Mezquita), en Roma (en presencia del Papa Calixto VII) [152], como participante en una cruzada y considerado [153] conquistador de Tarrago-

---

fuit de Agenensi territorio oriundus, scilicet de oppido Salvitatis"; Escalona, *Op. cit.,* pág. 76: "Francés de Nación, originario de Salviato en el territorio de Agen"; Mariana, *Op. cit.,* pág. 268: "Natural de Salvitat, cerca de Aagen en Aquitania, hoy Guiena". En la *PCG* estas indicaciones son equívocas. Como en numerosos poemas medievales se ha introducido el error: "era natural de tierra de moros [variante *FP*: Arendun, variante *P*: Ajen], de un castillo que dizien Saluidad" (ed. cit., pág. 540).

[145] Mariana, *Op. cit.,* pág. 268.

[146] La iglesia fue fundada en el siglo VII, la abadía de los benedictinos en el siglo X. Los prelados de Auch adoptaron el título de primados de Aquitania.

[147] Escalona, *Op. cit.,* pág. 76.

[148] El documento auténtico que confirma su nombramiento está impreso en Escalona, *Op. cit.,* pág. 477.

[149] También fue considerado "ilustre en milagros", cfr. V. de la Fuente, *Historia eclesiástica de España,* Madrid, 1873 s., vol. IV, pág. 98.

[150] Escalona, *Op. cit.,* pág. 76.

[151] *Las Crónicas anónimas de Sahagún,* ed. cit., pág. 115.

[152] Hecho que menciona la mayor parte de los cronistas. Comp. La Fuente, *Op. cit.,* IV, pág. 13: "Así que se vio afianzado D. Bernardo en su gran Abadía, marchó a Roma para eximir su monasterio de la jurisdicción episcopal según la moda galicana".

[153] También E. Faral opina que el personaje del arzobispo combatiente

na y de Alcalá [154]. También había tomado parte en el sitio de Zara-goza (este papel le fue atribuido al arzobispo Turpin en la *Can-ción de Rolando*, cf. nuestro capítulo sobre Ganelón). ¿Habría dado origen esta figura del *"Père chevalier"* (o *"Père à cheval"*) de la Galia aquitana a la formación de la leyenda épica de *Perc(h)-eval(s) li Galois* (o *Perlesvaus* en el romance en prosa)? ¿Sería éste un reflejo poético de la personalidad de Bernardo? De ser el caso, uno de los primeros autores de un *Perceval* perdido —proba-blemente Kyôt— habría combinado asuntos tomados de la historia de España del siglo XI (*Flegetânîs*, etc.) con el "ciclo de Bretaña" cuando realizó su estudio metódico en los libros latinos ('latînschen Buochen')[155], lo que por otra parte parece indicar Wolfram, como señalamos arriba. Al mismo tiempo este recopilador desconocido había añadido numerosos asuntos tomados de la literatura de las cruzadas y los textos bíblicos que después de él ampliaron consi-derablemente Chrétien, Robert de Boron, Wolfram y otros. Según esta teoría la leyenda estaría compuesta de dos sustratos princi-pales: uno hispánico y otro céltico.

El problema planteado acarrea una serie infinita de preguntas. Lo que importa por el momento es hacerlo surgir y motivarlo en una investigación preliminar. Con este fin damos en lo que sigue

---

fue una creación del espíritu de cruzada a fines del siglo XI (*A propos de la Chanson de Roland; Genèse et Signification du Personnage de Tur-pin*, en *La Technique Littéraire des Chansons de Geste*, Lieja, 1959, pági-nas 271-280).

[154] *PCG*, ed. cit., pág. 356. Véase nota 11 arriba. — Cfr. *España Sagrada*, vol. XXV, págs. 112 s.: "Quae de Bernardo Toletano Tarracone gesta a qui-busdam narrantur... falsa esse convincuntur". Se cree, no obstante, que Ber-nardo tomó "parte activa en el sitio de Alcalá" (Defourneaux, *Op. cit.*, pág. 35). Se ha conservado una carta del arzobispo Bernardo al arzobispo Berengario de Tarragona (año 1093), ed. por J. Ruis Serra, en *Analecta Sacra Tarraconensia*, II (1926), págs. 591 y ss. El arzobispo Jerôme de Va-lencia —Jerónimo en el *Cid*, etc.— era originario del Périgord y fue llamado a España por Bernardo cuando la iglesia de Valencia se convirtió en una dependencia de la de Toledo (véase el Toledano, *Op. cit.*, VI, 26; cfr. tam-bién Menéndez Pidal, *Cantar*, pág. 875).

[155] *Parzival*, 455, 4.

algunas indicaciones que podrían contribuir a una solución. Parece que el *Perceval* de Chrétien [156] y el *Parzival* de Wolfram von Eschenbach [157] nos ofrecen numerosos temas, topónimos y nombres de persona relacionados con este asunto.

En el texto de Chrétien no se atestigua que el nombre de su personaje central significase *Perce(le)val,* no siendo ésta más que una conjetura de los autores posteriores; uno de los más recientes no vaciló en fabricar un *Perceforest.* Nuestro *Perchevax li Galois* no conocía su nombre (y no poseía ninguno en el poema, donde se le designaba simplemente como el *vaslet*) antes de darse a sí mismo la denominación que sigue: "Cil qui son nom ne savoit Devine et dist que il avoit *Perchevax li Galois* a non, Ne ne set s'il dist voir ou non; Mais il dist voir et si nel sot" (v. 3573-77). Su vida de caballero había durado cinco años antes de que entrara "en mostier" (= iglesia o monasterio) y antes de que recordara a Dios, a excepción de la ocasión de su encuentro con los peregrinos [158]: "Ce sont cinc an trestot entier, Ainz que il entrast en mostier, Ne Dieu ne sa crois n'aora. Tot einsi cinc ans demora, Ne por che ne laissa il mie A requerre chevalerie" (6221-26). — En lo que concierne a la caballería, comparemos lo que el texto de la *PCG* nos relata acerca de Bernardo: "Et este don Bernaldo electo fuera letrado de su ninnez et clérigo, mas dexó la clerezía et dióse a cauallería. Después daquello enfermó, et aquexado de la enfermedad metióse en el monasterio de Aurens de Aux, et touo la regla de sant Benito" [159].

---

[156] Citas según el texto del manuscrito francés 12576 de la Bibl. Nat. publ. por W. Roach en Chrétien de Troyes, *Le Roman de Perceval ou le Conte du Graal,* Ginebra-Lille, 1956. A título de comparación nos servimos asimismo de la edición de A. Hilka: *Der Percevalroman (Li Contes del Graal) von Christian von Troyes,* Halle, 1932.

[157] Citas según la edición de Martin y la séptima ed. de K. Lachmann-E. Hartl, Berlín, 1952.

[158] Verso 6238 s.

[159] Ed. cit., págs. 540 s. Cfr. también *Esp. Cid,* pág. 245: "Bernardo, nacido en La Sauvetat, en Périgord, hombre de mundo que, antes de su monjía, había llevado un inquieta juventud, primero dedicada a las letras y después a la caballería".

En cuanto al *graal* (verso 3220 y otros)[161] comp. la historia de la copa que quebró el rey Fernando y que reemplazó por una copa de oro ornada de piedras preciosas, citada arriba. Esta copa parece ser la misma que robó el falso monje Ramiro, hermano del rey Alfonso I de Aragón (sucesor de Alfonso VI de Castilla) durante los motines de Sahagún dirigidos contra éste y la reina doña Urraca (matrimonio excomulgado por Bernardo): "basos de plata, e caliçe de oro... tomó e non sabemos a donde lo trespasó"[162].

---

[160] Sobre la etimología cfr. W. A. Nitze y H. F. Williams, *Arthurian Names in the Perceval of Chrétien de Troyes (Univ. of California Publs. in Mod. Phil.,* vol. XXXVIII, n.º 3, Berkeley y Los Ángeles, 1955), pág. 276; M. Roques, en *Les Romans du Graal,* págs. 5-14; C. Th. Gossen, en *Vox Romanica* XVIII (1959), según éste, *gradale* se remontaría a *cratale,* contaminación de *crater* y (*vas*) *garale,* "recipiente para el *garum,* salsa de pescado"; sobre el uso en la literatura del francés antiguo véase Tobler-Lommatzsch, *Altfranzösisches Wörterbuch,* vol. IV, Wiesbaden, 1960, col. 491-94. (Para los nombres propios del *Parzival* véase también J. Fourquet en *Mélanges E. Hoepffner,* París, 1949, págs. 245 s. y Lachmann-Hartl en ed. cit., págs. 421 s.). — Wolfram pretendía que la historia del santo Grial había sido escrita por Flegetânîs; el autor de la *Estoire* nos decía que fue Cristo quien la compuso después de su resurrección (ed. cit., vol. I, página 120; cfr. asimismo pág. 195: "ensi le tesmoigne mesires Robers de Borron qui a translaté ceste estoire en franschois de latin").

[161] Aún el *Girart de Roussillon* cita dos veces los griales laminados en oro (v. 1622 y 6370 en la ed. de W. M. Hackett, París, 1953). Para la leyenda de Girart la crítica ya supuso la existencia de una antigua versión pirenaica (véase R. Louis, *Girart Comte de Vienne,* Auxerre, 1946-7). Resta decir que la versión más reciente (publ. por E. B. Ham, New Haven, 1939) remite cinco veces al personaje de Perceval. Cfr. también la nota 122. Adviértase que un *Gerardus de Rosseilon,* alias *Gebhardus,* se encuentra entre los príncipes, praelati, milites de las primeras cruzadas. Véase *Gesta Dei per Francos,* Hanoviae 1611. — Cfr. ahora E. Gamillscheg, *Sur une Source catalane de la Chanson de Geste "Girart de Roussillon",* en *Ausgewählte Aufsätze* del autor, vol. II (Tubinga, 1962), págs. 217 s.

[162] *Las Crónicas anónimas de Sahagún,* ed. cit., págs. 341 s.; Puyol y Alonso, *El Abadengo de Sahagún,* pág. 321. — Un cáliz semejante (o quizá el mismo): "Urraca Fredinandi" se conserva en León y reproduce en *Esp. Cid,* pág. 188. La fuente de oro perteneciente al cáliz, que también se conserva en San Isidoro de León, ostenta dos círculos de 12 piedras y una gran ágata en el centro. Cfr. también la descripción de E. Huebner (*Inscriptionum Hispaniae Christianarum Supplementum,* Berlín, 1900, pág. 109) del

La lance dont la pointe lerme (6166) se vuelve el símbolo de la conquista de un territorio pagano ("Que toz li roiames de Logres, Qui jadis fu la terre as ogres, Sera destruis par cele lance") [163], y en la obra de Wolfram sirve al mismo tiempo para aliviar el dolor del rey pescador causado por la herida que le infligiera un adversario pagano despojándole de la fertilidad [164]. Se puede comparar este símbolo con el milagro de las lanzas que verdean insertado en la *Crónica de Turpín*. Éstas también se convierten en el símbolo de una conquista —la de la Galicia española, el país de Santiago. Este milagro se realiza bajo el signo de la fecundidad sobre las riberas del Cea, precisamente en el lugar donde será venerado San Facundo en Sahagún: "Postea vero Karolus, magnificus rex et Milo [Miles d'Angliers], dux cum suis exercitibus, ceperunt Aigolandum [Aygolant] per Hyspaniam querere inveneruntque tandem illum in terra que dicitur *Campis* [Terre des Chans], super flumen quod vocatur Ceja [Cheia], in pratis scilicet, in ameno et plano loco, ubi postea beatorum martirum Facundi et Primitivi basilica grandis et decora jussu et auxilio Karoli noscitur fabricata, in qua et eorumdem martirum corpora requiescunt; et est monachorum congregatio ibi constituta... Tunc astiterunt quidem ex Christianis qui sero ante diem belli arma sua bellica studiose preparantes, hastas suas in terra infixerunt erectas, ante castra scilicet in pratis, juxta prefatum fluvium, quas summo mane corticibus et frondibus invenerunt vestitas, hii scilicet qui in acie proxima palmam martirii pro fide Christi erant accepturi... Erant autem multe ex hastis fraxinee [moultiplierent puis grant bos, qui jusques aujord'ui apert

---

cáliz de San Miguel de Escalada: "in calice ex lapide achate artificiose caelato In Nomine Dei Vrraca Fredinandi". — La teoría que identifica el santo Grial con otra reliquia llamada el Santo Cáliz y venerada en Valencia fue rechazada por P. Bohigas en la revista de *San Jorge*, núm. 6, Barcelona, 1952, págs. 11 s. Para las reliquias de Sahagún transportadas por Alfonso de Aragón, véase *Cataluña y Aragón...*, pág. 273.

[163] *Perceval*, v. 6169-71. Es la que en otros tiempos atravesó el flanco del Crucificado.

[164] Cfr. el rey que fue "navrez et mehaigniez sanz faille... Parmi les quisses ambesdeus" (*Perceval*, 3510; 3513); "durch die heidruose sîn" (*Parzival*, 479, 12).

encores en ce lieu meismes, car il i avoit moult de lances...]" [165]. No debe pues subestimarse la importancia de la región para la literatura francesa.

Reparemos en que la región de Sahagún, que tenía semejanzas con la naturaleza del lugar en que se encontraría el castillo legendario del Grial, fue en otros tiempos inculto y desolado. Prosperó a partir de la época de Alfonso VI y el abad Bernardo, cuando la poblaron gascones, bretones, alemanes, ingleses, borgoñones, normandos, tolosanos, provenzales y lombardos [166]. El mercado fue transferido de Grajal a Sahagún [167]. Fue idea del propio Bernardo la de poblar y de cultivar la región, que desde entonces se vuelve comparable a la fértil Vega de Granada [168]. En relación con esto la crónica de Escalona nos informa que: "viendo lo mucho que el

---

[165] Cap. VII; ed. cit., págs. 16-17. En las leyendas carolingias más recientes (*Guy de Bourgogne, Kaiserchronik*) el milagro de las lanzas se ha transferido a lugares situados cerca de la frontera meridional del imperio (Landes, Val Carlos). Para una repetición del motivo en los textos de la *Crónica de Turpín* (esta vez el lugar es Saintes como en una versión de la *Kaiserchronik*) y de la *Karlamagnússaga* véase H. M. Smyser, *The Pseudo-Turpín*, Cambridge, Mass, 1937, pág. 26, n. 1.

[166] "Gentes que acudieron a la puebla de Sahagún: gascones, bretones, alemanes, yngleses, borgoñes, normandos, tolosanos, provinçiales, lombardos" (*Las Crónicas anónimas de Sahagún*, ed. cit., pág. 118). ¿Sería un reflejo de ese hecho el relato que nos hace el autor del *Anseïs de Cartage* que "A saint Fagon vint Karles, nostre rois, Ensamble o lui Borgeignon et Franchois, Breton, Normant et tot li Hurepois; Et Angevin, Gascon et Avalois, Pouhier, Flamenc et tout li Campenois" (v. 37-41)?

[167] "El mercado que primeramente se façía en Grajal, que es villa real, traspasó a la villa de Sant Fagún... e aun ordenó por rreberença de los martires de Jesu Xpo que los burgueses de Sant Fagum no pagasen al rrei portadgo ni tributo alguno". (*Op. cit.*, págs. 119; cfr. asimismo Defourneaux, *Op. cit.*, pág. 234).

[168] Escalona, *Op. cit.*, pág. 1. Véase también G. G. King, *The Way of Saint James*, Nueva York y Londres, 1920, vol. II, pág. 120. Sin embargo, la Vega de Sahagún ha vuelto a convertirse en algo comparable a un "gaste pais" ("a barren dry land... desolation"; King, II, 121). La misma obra, II, 125: "In the eleventh century it (Sahagún) was very rich, perhaps the greatest power in Spain; the centre and source of French influence... It ruled ninety monasteries". — Para otras versiones de la leyenda del "gaste pais" véase el texto y la bibliografía de R. Sherman Loomis, en *Arthurian Literature of the Middle Ages*, Oxford, 1959, pág. 279.

Rey le estimaba, y considerando que el país en que está situada esta Casa era por su naturaleza muy propio para la producción de los mejores frutos, si fuera bien cultivado, pensó en que se hiziera aquí una buena Villa, y propuso al Rey su pensamiento, y sus deseos. Agradó a D. Alonso el pensamiento del Abad, y a 25 de noviembre del año 1085 expidió un privilegio, dando leyes, fueros, y exenciones a quantos quisiesen poblar esta Villa; y la más solemne es que no hayan de tener, ni reconocer otro Señor, que al Abad, y a los Monges, y que les sean obedientes, y plenamente sometidos. *Quod nunquam habeatis dominium, nisi Abbatem, et Monacos... serviant eis sicut Dominus in submissione, et humilitate plena"* [169]. Se acordaron estatutos particulares a los franceses de Sahagún y de Toledo [170]. El monasterio de Sahagún se convirtió en un verdadero señorío eclesiástico, cuya población al menos en sus principios estuvo compuesta en gran parte por franceses [171]. De esta suerte Bernardo es considerado el hombre que más hizo por establecer contactos entre Francia y España a fines del siglo XI [172]. Todo esto está de acuerdo con el esquema primitivo y fundamental de la leyenda de *Perceval* (según los poemas, la *Queste* y la *Estoire*) que reconstituyó J. Marx [173]. Según esta versión, un elegido (Perceval) estaba destinado a restablecer la fertilidad extraordinaria del castillo del Grial y convertirse él mismo en el "rey" del Grial. — Las crónicas de Sahagún no mencionan los asuntos "literarios": ni el milagro de las lanzas (de la *Crónica de Turpín*), ni la coronación de Anseïs en Saint Fagon (del *Anseïs de Cartage*). No se halla referencia alguna a una lanza santa, pero en cambio

---

[169] *Op. cit.,* pág. 78.

[170] "En el Fuero de 1087, dado también por Alfonso VI, se recuerda esta circunstancia: "fundavi bonam villam quam Sanctum Facundum vocavi et una cum abbate et monachis dedi foros per quos ibi homines viverent quos tam ab exteriis Nationibus quam de regno meo et diversis aliis patibus agregavi". (Puyol y Alonso, *El Abadengo de Sahagún,* pág. 25, nota 1; cfr. Defourneaux, *Op. cit.,* pág. 244).

[171] Defourneaux, *Op. cit.,* pág. 231.

[172] Defourneaux, *Op. cit.,* pág. 253.

[173] En su libro *La Légende arthurienne et le Graal,* París, 1952; cfr. asimismo J. Frappier, *Chrétien de Troyes,* París, 1957, pág. 202; R. Sherman Loomis, *Op. cit.,* pág. 279.

nos hablan de un trozo de la verdadera cruz, "preciosa reliquia
que el Papa Gregorio VII donó a la abadía" y que Alfonso I de
Aragón utilizaba como talismán, haciendo que lo llevaran delante
de él en el curso de sus campañas contra los musulmanes [174]. La
proveniencia de este "lignum crucis" [175] se explica en el texto siguiente: "Alexis, enperador de Constantinopoli, envió al rrei una cruz
non pequeña, fecha e labrada del madero en que fue cruçificado
nuestro señor, fecha de oro mui puro, e alderredor guarnida e
cubierta de piedras e margaritas mui preçiosas entrexeridas, labrada de lauor griega muy sotil, e para conoçer que es ansí e non se
dubde, luego abaxo se manifiesta... la qual (cruz), como el mui
noble rrei viese, las rrodillas en tierra, con gran rreberençia adoró,
e luego ayuntados muchos nobles e perlados, ordenó mui solene
proçesión en la iglesia de los santos mártires Facundo e Primitiuo,
e la puso sobre el santísimo altar por las manos del obispo de
Palençia" [176]. En Sahagún se encontraba igualmente la Capilla de
San Mancio con la tumba de Alfonso VI y de Zaida, su esposa
mora.

Logres [177], *Lôgroys* [178] es el reino que según Chrétien sería destruido por la santa lanza. ¿Por qué? Es lo que todavía en 1959
se pregunta un especialista [179] en literatura arturiana. La misma lanza con la que se toca la herida del rey pescador con la esperanza
de que le cure, debería servir a la destrucción de un país misterioso. Así el símbolo de la conquista está vinculado al mito de la fecundidad. Para explicar el topónimo se sugirió *Lloegr* [180], el nombre
céltico que designa Inglaterra. Dado que *Logres*, según Chrétien,

---

[174] Defourneaux, pág. 235.

[175] Escalona, *Op cit.*, pág. 96.

[176] *Las Crónicas anónimas de Sahagún*, ed. cit., pág. 117 (año 1101).

[177] *Perceval*, 6169; *Lancelot*, passim.

[178] *Parzival*, 67, 15, etc. — *Lôgroys* estaba gobernada por *Cidegast*
(muerto por Gramoflanz), cuyo nombre recuerda *sidi* en árabe (> esp. Cid).
Para denominaciones semejantes como *Cid Di(d)az, Cid Didacus*, etc., cfr.
Menéndez Pidal, *Cantar*, ed. cit., pág. 574 s.

[179] R. Sherman Loomis, *Op. cit.*, pág. 278: "Why did Chrétien predict
that the lance was destined to destroy the realm of Logres?".

[180] Véase Martin, ed. cit., vol. II, pág. 75. No obstante, debe notarse
que *Logres* en lugar de *Lloegr(e)* nunca se empleó en la poesía gálica.

fue en otro tiempo la tierra de los ogros, se ha pensado con razón en un país poblado por tales gigantes, remitiéndose a Geoffrey de Monmouth que en su *Historia Regum Britanniae* nos habla de "insulae Albion... gigantibus inhabitabatur" [181]. No obstante, se sigue ignorando la razón por la cual habría de usarse la lanza para la destrucción de un país cristiano como lo era Inglaterra. Por otra parte se encontraba en *Lôgroys,* de acuerdo con Wolfram, un vergel de higueras, granados, olivos y viñas [182] difícil de imaginar en Inglaterra.

En cambio no parece que se haya pensado jamás en *Locris* en Grecia (central) [183] (comp. la *Locride* del *Roman de Troie*). Sin embargo, otro país de gigantes célebre en la Edad Media se encontraba muy cerca de Sahagún, situado "in finibus Galeciae" [184] (esta frontera la formaba el río Cea que corría cerca del santuario). Reproducimos un resumen de la leyenda que da Menéndez Pidal [185]: "Hércules mata a Gerión y a Caco: Rod. Tol., I, 4-6, págs. 9-11,

---

[181] Véase Hilka, ed. cit., págs. 733 s. — Hay que dejar de lado *Loegria,* llamado así según el nombre de persona *Locrinus,* también en la historia de Geoffrey (lib. II, cap. I). La leyenda supone que *Logres* fue construida por Bruto en Inglaterra y nombrada por su sucesor Locrinus. Las redacciones en prosa dicen que es Londres. — Si A. Eckhardt (en *Revue d'Études hongroises* V, 1927, págs. 360 s.) tiene razón en derivar *ogre* del lat. *orcus* "infierno, muerte" y no de *(H)Ongre,* hay que preguntarse también si los *Hungres* de la *Canción de Rolando* (v. 2922 y 3254) eran verdaderamente "húngaros mercenarios de Baligant" (éste fue considerado como una especie de gigante). Pero cfr. la nota 211 abajo. — Que por *Bascle (Rol.* 3474) debe entenderse el país de los vascos nos lo parece demostrar de manera irrecusable el texto de la *Crónica de Turpín,* ed. cit., págs. 10-11: "tellus Basclorum (tierra de vascos)"; por consiguiente también *Anseïs de Cartage,* v. 129, etc. y *Mort Aymeri,* v. 3076. Cfr. asimismo *España Sagrada,* XXXII, 160: *Basclonia; Crónica de Turpín: Basculam,* ed. Mortier, pág. 4; *Basclam,* ed. H. M. Smyser, Cambridge, Massachusetts, 1937, pág. 101, línea 19.

[182] *Parzival,* 508, 9 s.: "vîgen boum, grânât, öle, wîn".

[183] Cfr. Pauly-Wissowa, *Real-Encyklopaedie,* vol. XXV (1926), col. 1274: "Giganten und Titanen. Einiges deutet auf eine gewisse Verehrung dieser bei den Lokrern".

[184] Escalona, *Op. cit.,* pág. 10; cfr. pág. 469: "sub amne Zeja vocabulo Sanctorum Facundi et Primitivi in finibus Galecie... hoc venerabile locum"; *PCG,* ed. cit., pág. 6: "galacios poblaron Galizia que antiguamientre solie seer desdell agua de Cea fastal puerto de Gaya".

[185] En el volumen I de su edición de la *PCG,* págs. LXXIV s.

traducido libremente y con adiciones considerables, procedentes probablemente de fuente árabe, relativas principalmente a la fundación de Lisboa, Coruña y Cartagena; Luc. Tud., pág. 13, habla de la fundación de Lisboa por Ulises; atribúyense siete cabezas y otros tantos reinos a Gerión en lugar de tres que indica Rod. Tol., y se detallan las vejaciones de Gerión a los españoles". El texto de la *PCG* hasta nos relata que [186] "un rey muy poderoso auíe en Esperia que teníe la tierra desde Taio fasta en Duero... y éste fue Gerión, y era gigante muy fuerte e muy liger, de guisa que por fuerça derecha auíe conquista la tierra". Después del duelo que siguió, Hércules tomó posesión de la Coruña. "Mandó en aquel logar fazer una torre muy grand, e fizo meter la cabeça de Gerión en el cimiento, e mandó poblar y una gran cibdat" [187]. Su poder se extendió por Galicia y Lusitania hasta el río Ana [188] (= Guadiana), al norte del cual todavía hoy se encuentra *Logrosán* (Extremadura). Este "antiguo reino de gigantes", poblado según la leyenda por Gerión y sus hermanos [189] y por Hércules con los "omnes de so linage" [190] estaba ahora en gran parte bajo la autoridad de los moros. Algunas fuentes relacionan con estas leyendas el origen de la ciudad de *Lugo*, que fue el *Lucus Augusti* de los antiguos [191]

------

[186] Ed. cit., pág. 9.

[187] El mismo lugar. Cfr. también Ioannis Episcopi Gerundensis *Paralipomenon Hispaniae Libri Decem* (en Schottus, *Hispaniae illustratae*, vol. I), págs. 35 s.: cap. De aventu Herculis in Hispaniam.

[188] *PCG*, pág. 10. — También podría pensarse en Logroño (*Lucronium* en la *Hist. Roderici*, ed. cit., pág. 953) ciudad que destruyó el Cid en 1095. Sin embargo, no forma parte del territorio mencionado y se encuentra a 25 kilómetros al Noreste de Nájera y a 17 kilómetros al Noreste de San Millán de la Cogolla.

[189] Mariana, ed. cit., págs. 8 s.

[190] Parientes y otros griegos; *PCG*, ed. cit., págs. 10 s.

[191] Véase *España Sagrada*, vol. XL (1796), págs. 7 s. Cfr. también nuestras observaciones de la pág. 211 abajo, y la nota 151 de la continuación. Sobre *Lugo* véase asimismo *Esp. Sagr.*, vols. XL y XLI. — Para Galicia como un país de gigantes y determinadas relaciones con las islas británicas cfr. nuestra nota 21 del cap. *El sustrato hispano-portugués...* a continuación. ¿Habría de compararse también *Lokiferne*, la ciudad o el país del gigante *Loquifer*, sarraceno muerto por Rainouard en *Aliscans*, v. 91, 235, 254?

En esta perspectiva también habría de reexaminar los siguientes topónimos [192]: *Zazamanc* (en *Parzival*, 16, 2, etc.; *Nibelungen*, 362, 2; "que habría de buscarse en el África" según Martin, ed. cit., vol. II, pág. 29; ¿estaría inspirado en el nombre de Salamanca?), *Kalet enbolot* (*Parzival*, 657, 13 = Calatayud?), *Grâharz* (lugar de origen de Gurnemanz y ciudad que visitó Parzival antes de su primer encuentro con el rey pescador, en *Parzival*, 180, 17, etc.; *Groholi* en la *Parcevals Saga* [193] = Graiar, Grajal?), *Vedrûn* en *Galicia* (una de las villas del rico Liddamus en *Parzival*, 419, 19-21 = Pontevedra); *Patelamunt* (*Parzival*, 17, 4, en o cerca de Zazamanc; ¿estaría compuesto con el fran. ant. "batel amunt" = ¿"río arriba en barco por el valle de un río" y no "Monte de Batalla" como sostiene Martin, vol. I, pág. 30?) [194]; *Agremuntîn* (*Parzival*, 496, 10 = ¿Agramunt al este de Balaguer?).

Las conquistas que iniciaron Alfonso II el Casto, Alfonso III el Magno y Fernando I el Magno tuvieron como punto de partida Sahagún y León, situadas en la "via francigena" que llevaba a Compostela. Aún después de la muerte de Alfonso VI hubo un motín en Galicia que forzó a Alfonso I de Aragón a fortificar Sahagún y a emprender una campaña en la provincia vecina [195]. En lo que concierne a los textos literarios podría producirse fácilmente una confusión entre la *Provincia Galleciana* y el País de Gales británico; y lo mismo podría ocurrir con el obispado de *Bretonia* (mencionado en las crónicas [196] y que Alfonso el Casto unió a la sede episcopal de Oviedo en 805) o *Bretonica* [197] al Noroeste de León, acaso confundido con Gran Bretaña o la Bretaña. Así es que nos resulta difícil creer que Gahmuret, en la obra de Wolfram [198], después de haber desembarcado en España oye hablar de un torneo

---

[192] Para los nombres de persona véase a continuación.

[193] Publ. en *Riddarasögur*, ed. E. Koelbing, 1872. Véase pág. 15, etc.

[194] *P-* en lugar de *b-* en *Pâtelamunt* (< *batel amunt?*) como en *Pelrapaire* = Belrepeire; los nombres parlantes eran muy comunes en las obras cortesanas.

[195] *Las Crónicas anónimas de Sahagún*, ed. cit., pág. 242.

[196] Ed. cit., pág. 196: *Bru(ch)tania* en las otras versiones.

[197] *PCG*, pág. 298. Cfr. también las notas 175 y 176 de *Espíritu hispánico II* a continuación.

[198] *Parzival*, 59, 23 s.

delante de Kanvoleis en "País de Gales" (¿sería necesariamente "Wales"? —el texto dice *Wâleis*). Los homónimos latinos contribuían a este estado de confusión, así como la tendencia a emplear nombres parlantes en las leyendas medievales (Perceval, Governal, Gornemanz, Tervigant, Baligant, etc.). De esta forma se oscurecieron los topónimos, así como los nombres de persona [199]. Acaso ni aun el *Munsalvaesche* (del *Parzival*, 251, 2 y 497, 6) fuera el *Mons silvaticus* que propone la crítica, sino el *Mon(asterium Sancti) Salvat(oris)* de Nogal [200], que se convierte en dependencia del santuario de Sahagún en 1098 (estatuto firmado por Bernardo, a la sazón arzobispo de Toledo y primado de España y por el conde García Ordóñez de Grañón) [201], o más bien el "templum *Salvatoris*" que erigió Alfonso el Casto sobre el "*Mons* sanctus" de Oviedo [202].

En el mismo camino que conduce a Compostela, entre Sahagún y León (a 20 kilómetros al Sudeste de la última) se encontraba *Lancia* [203] o *Lance* [204], la antigua fortaleza de los asturianos, probablemente sobre el *Cerro de Lancia* cerca de Mansilla de las Mulas. A mitad de camino entre este *Lancia* y Segisamo estaba situada *Camala* (que más tarde cambió su nombre por el de Sahagún) en-

---

[199] Otro ejemplo muy conocido era el de Otgerus *Dacus/Danus* > Ogier *le Danois/l'Ardenois*. Comp. también: *Almanzor* > *Altumajor* (en la *Crónica de Turpín*) y véase nuestra nota 73 arriba. Los errores de este género son tan frecuentes como las confusiones de lugares (topónimos) o de monumentos históricos. Aquí bastará el viaje legendario de Carlomagno a Jerusalén y Constantinopla, la conquista de París por el Cid en un poema español de fines de la Edad Media o el supuesto baño de la Cava cerca del puente de San Martín en Toledo (donde, según la leyenda, el rey visigodo Rodrigo advirtió a la hija del conde don Julián), que en realidad es el pilar de otro puente antiguo. Hasta Ermoldo el Negro había mezclado algunos elementos que no combinan (cfr., por ejemplo, la nota 1 de Faral en página 217 de su edición).

[200] Cfr. también *Terre de Salvæsche* (en *Parzival*, 251, 4, etc. = Salvatierra, no lejos de Vigo y Pontevedra, donde todavía se conservan los muros medievales?).

[201] Escalona, *Op. cit.*, pág. 491. El mismo autor señala una docena de otros monasterios de este nombre, todos dependientes de Sahagún (pág. 294).

[202] Véase a continuación nuestra nota 233. Cfr. también *Salvâtsche ah muntâne* (= *Munsalvaesche*) en *Parzival*, 261, 28.

[203] Pauly-Wissowa, *Real-Encyclopaedie*, vol. XXIII (1924), col. 602 s.

[204] J. Bédier, *Op. cit.*, vol. III, pág. 123.

tre los ríos Cea y Valderaduey, según los autores romanos [205]. Nos parece que los recopiladores de leyendas confundieron este topónimo con *Camelot* (Somersetshire) o *Colchester* (Essex; < *Camulodunum, Camaladunum?*) [206]. Recordemos lo que afirma R. S. Loomis: "Ingenious efforts have been made to identify the site of *Camalot* with places in England, but I find none of them convincing" [207], y el enunciado del especialista en filología céltica K. Jackson (en los Coloquios de Estrasburgo 1954) según el cual la historia del Grial es una trama hecha con muchos hilos, muchos de los cuales son posiblemente célticos, pero muchos pertenecen con toda probabilidad al fondo común europeo [208]. En el *Lancelot* de Chrétien, el día de Asunción [209] el rey Arturo había tenido una "corte muy rica" en *Cama(a)lot* [210]. Desde allí Lanzarote franquea un río y entra en territorio enemigo, "de donde ningún extraño regresa" [211]. La crítica lo tomó por un país donde habitan los muertos

---

[205] Pauly-Wissowa, *Op. cit.*, vol. V (1897), col. 1423. — Véase también *Enciclopedia lingüística hispánica*, vol. I, Madrid, 1960, pág. 356. *Camala* se menciona igualmente en diversas crónicas latinas de Castilla. Cfr. nuestra nota 138 en el art. sig. sobre esp. *Camilote*.

[206] Comp. P. Paris, *Op. cit.*, I, pág. 301, n. 1; E. Brugger en *Zeitschr. f. französ. Spr. u. Lit.* XX (1898), pág. 150; U. T. Holmes en *Romanic Review* XX (1929), págs. 231 s.; W. A. Nitze en *Modern Philology* XXVII (1929-30), pág. 465. Ya W. Foerster, en su edición del *Lancelot* de Chrétien, Halle, 1899, pág. 362, había puesto en duda aquellas sugerencias para explicar *Camalot*. — En la épica arturiana se imagina que la ciudad, así como Logres, está situada en Inglaterra.

[207] En *Arthurian Tradition and Chrétien de Troyes*, Nueva York, 1949, pág. 480. Sin embargo, a grandes rasgos L. cree reconocer elementos británicos en la historia del Grial (cfr. *The Grail from Celtic Myth to Christian Symbol*, Nueva York, 1963).

[208] *Les Romans du Graal*, París, 1965, pág. 227.

[209] V. 13 — el autor no dice cuál, si la de Cristo o una vez más la de la Virgen. En la *Estoire de Merlin* (ed. cit., pág. 407) es "a mie aoust" cuando tiene esta corte de Camalot. Cfr. el capítulo sobre Ganelón arriba.

[210] *Camaalot* en el manuscrito *C, Camalot* en el manuscrito *T*. Brugger y Nitze se han pronunciado en favor de *Camalot*.

[211] El reino de *Gorre* "Don nus estranges ne retorne" (v. 645). Este *Gorre* (var. *Goirre*) fue identificado con la isla de *Voirre* (Verre), confundido con Glastonbury (Somerset); ver Loomis, *Arthurian Tradition*, páginas 218 s. Para las relaciones posibles con *Calahorra* cfr. la nota 280 abajo o *Astorga* la nota 138 del art. sig. (*Estregorre* era todavía para F. Lot "un

(análogamente a la identificación de *Ogres* con *Orcus*)[212]. Pero se trata más bien de un reino de paganos —o de gigantes (?)— cuyo príncipe se llama *Maleagant*, tanto más cuanto que Lanzarote, Gauvain y Ginebra regresan vivos. En una región intermedia[213] viven los exiliados del reino de *Logres* (¿los refugiados cristianos de la España musulmana?) que con la ayuda de Gauvain pueden regresar a su país natal. Foerster[214] ya se había sorprendido por el extraño hecho de que la residencia del rey debiera encontrarse cerca de la frontera. Existía, no obstante, la zona intermedia que bien podría corresponder al territorio entre *Camala* y el Cea. La redacción en prosa nos habla también de un bosque a poca distancia de *Camalot*. Según este *Libro*[215], José de Arimatea hizo colocar una cruz negra en la entrada al "bosque de Camaalot" (vol. II, págs. 321 s. —para el bosque cerca de Sahagún ver el mapa). La *Estoire du Saint Graal* relata que su hijo José, el primer obispo de Sarras[216], llegó a *Camalot* para predicar el Evangelio y convertir a los sarracenos[217]. Después de destruir el templo pagano erigió en su lugar una

---

país de Quimera"). Acaso aún haya relación entre *Gorre* y *ogre* (nota 181 arriba). Mencionemos finalmente *Gorreia* a 40 kilómetros al Norte de Zaragoza; cfr. *Hist. Roderici*, ed. cit., pág. 952, y *Esp. Cid*, pág. 415. En *Roland à Saragosse*, 1272, etc., *Gorreya* es un castillo arrebatado a los paganos. — *Bade*, la ciudad de Baudemagus, rey de *Gorre* (en el *Lancelot* de *Chrétien* y otros textos arturianos), fue identificada con *Bath* (en el *Somerset*). Puede, no obstante, reflejar el nombre de *Bado* de Rey (sobre el Duero, provincia de Soria, cerca de Gormaz y de Berlenga), fortaleza que conquistó Fernando Magno, *Esp. Sagr.*, XXVII, 314 (y que se menciona en el *Cid*, v. 2876, y otros documentos medievales: "*Vadum* o *Vado de Rege*"; cfr. Menéndez Pidal, *Cantar*, pág. 60, nota 1).

[212] Véase nuestra nota 181. — Conforme a los críticos un mito irlandés del otro mundo sería la base del relato de *Lancelot*.

[213] "An la place qui estoit plainne Des janz del reaume de Logres; Qu'aussi con por oir les ogres..." (v. 3532-34).

[214] Ed. cit., págs. LIX s.: "sonderbar..., dass die Residenzstadt knapp am Grenzflusse liegen soll (doch liegt eine breite Zwischenzone vor)".

[215] *Le Livre de Lancelot*, vol. I-III, ed. H. O. Sommer, Washington 1910-12 (en *The Vulgate Versions of the Arthurian Romances*, III-V).

[216] Cfr. la nota 110 arriba.

[217] Ed. cit., pág. 244. Hasta allí *Camalot* era la "chite la plus rice li Sarrasin eussent en la Grande Bretaigne" (misma página). En la *Estoire* se advierten los elementos novelescos de una geografía arbitraria: un Cercano

iglesia en honor a San Esteban: "si commanda Iosephes a abatre le temple as paiens que estoit fondes en la cyte de *Caamalot* [sic], et fist faire el milieu de la uille vne eglise en lonor de Saint Esteue martir. Et lors síen parti del pais..." [218] (¿reflejo lejano de Sant Fagund?).

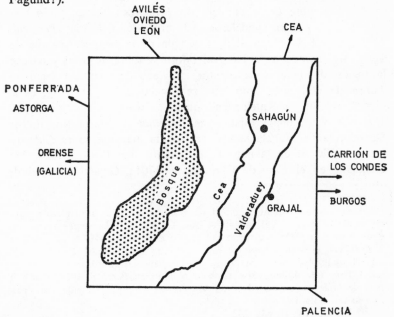

Oriente (con *Sarras*) y una Gran Bretaña (con *Camalot*) que en parte parecían inventados. El tiempo sería la época que siguió a la muerte de Cristo (que por otra parte es el "autor" de la obra), habiéndose tomado por modelo a los personajes de la Biblia, la antigüedad romana y griega, la leyenda céltica, etc. Véase también nuestra nota 178 de *Espíritu hispánico*, II.

[218] Ed. cit., pág. 246. — En lo que concierne el sufijo de *Camalot* puede tomarse en consideración una explicación por analogía de *Lancelot*. Sin embargo, un *Camaloc(um)* ya se conocía como lugar en la Hispania Citerior situada al Este de Lusitania. En otros tiempos los habitantes de *Camaloc* habían erigido un altar a Júpiter, que aún conservamos. Véase Pauly-Wissowa, *Real-Encyclopaedie*, vol. V, col. 1423. Se suponía que el nombre de Lancelot era de fuente céltica (de F. Lot a R. S. Loomis) o germánica (J. D. Bruce y otros) sin ocuparse del *-ot* que en español (*-ote*) como en otras lenguas es un sufijo que frecuentemente designa un origen. El último

Aparte de los topónimos habrá que estudiar más a fondo los nombres de persona del *Parzival*, como *Vergaluht* (¿Berengarius de Barcelona?) y el de la duquesa o condesa *Garschiloye von Gruonlant* (v. 806, 14), que ya Martín [219] relacionó con el nombre español *Garcilaso*, y que en efecto parece traducir Garci Lasso de la Vega [220]. El nombre de la condesa de *Tenabroc*, la cual junto con Garschiloye lleva los candeleros en la procesión del Grial (*Parzival*, 232, 25), podría reflejar el de una villa de la familia española de Tena. *Sigûne*, que da a Parzival informes sobre el Grial y conoce la región donde él se encuentra, proviene de Cataluña según el *Titurel* de Wolfram: "mîn Lant ze Katelangen" (v. 165, 1); es la hija de "Kiôt ûz Katelangen" quien "erwarp Schoysîânen" (14, 1) [221]. Otro personaje español es *Ehkunat* de Barbastro, tío de Schîonatulander [222]. Llamemos también la atención sobre *Cidegast* (mencionado ya en la nota 178), *Gandilûz* (en *Parzival*, 429, 20; *Gandelûz* en el *Erec* de Chrétien, v. 1701; *Gandalûz*, en el de

---

problema que se presenta sería el de verificar si existe una relación entre el nombre *Lancelot* y el topónimo *Lancia, Lance* (< *Lanceote?*), así como entre *Noauz* (v. 5525 —el lugar del torneo de Lanzarote < *Noal* + -s?) y *Nogal*; cfr. el texto al que se refiere nuestra nota 200 (el *Livre,* ed. cit., vol. III, pág. 168 menciona *Norgales,* que tiene un castillo real y una capilla). Para éste último véase también *Norgâls* en *Parzival,* 103, 9, etc.: el país de Gales septentrional según Martín, ed. cit., vol. II, pág. 102; para *Lancia* cfr. nota 180 del art. sig.

[219] Ed. cit., vol. II, pág. 232.

[220] El *Governal* del *Tristán* parece ser un nombre parlante que reproduce el término de "gobernador". Para *Gornemenz* (en el *Perceval,* 1548 y 1892; y en *Parzival* 68, 22, etc.) que últimamente han estudiado Nitze y Williams, *Art. cit.,* pág. 275, propongamos más bien una etimología germánica: anglo-sajón *w(e)ar(e)nian* "advertir" (cfr. nórd. ant. *vornudr* "aviso") + anglo-norm. *mand(s)* "hombre" (ingl. *warnman*). — Cfr. además *Guizamant* (en *Roland à Saragosse,* 401, etc.), el mercader normando que comercia en Zaragoza y da a Rolando informes acerca de la ciudad. ¿Sería acaso nórd. ant. *vîsa* "dirigir, informar, mostrar" + *mand* "hombre"?

[221] Cfr. también *Titurel,* 15, 2 "Der Künec Tampunteire, sîn Bruoder (el hermano de Kiôt), kom ouch ze Katelangen".

[222] "Mahaute hiez sîn Muoter, Ehkunates Swester, Des rîchen Phalenzgrâven, den man nant ûz der starken Berbester; Selbe hiez er Schîonatulander" (*Titurel,* 42, 1-3). Cfr. también "Berhtrams von Berbester" del *Willehalm* (v. 380, 22, etc.) de Wolfram.

Hartmann, v. 1637 < ¿[Gandía +] andaluz?), *Isenhart[en]* von Azagouc (en *Parzival,* 16, 5, etc.; ¿que traduce Ferracutus, Ferragut?). Por otra parte es Wolfram uno de los primeros autores de poemas cortesanos o acaso el primero que tuvo una noción de la leyenda de los Nibelungos, la que se transformaría en uno de los asuntos predilectos de los pueblos germánicos y escandinavos; cf. las menciones de los *Nibelungen* y de *Sîfrit* que aparecen en el *Parzival,* v. 421, 7 y 421, 10. Respecto a esto, no olvidemos que se indica España como la patria de *Gualter* (de la *Canción de los Nibelungos* y según este mismo texto) y no ya Aquitania como en el antiguo poema latino de *Waltharius* [223]. Además debe observarse que un conde *Nuño* (lat. *Mundus* = ¿"Siegmund"?) fue asesinado con el rey Sancho [224] en la época de Alfonso VI por el traidor Bellido D'Olfos ante las puertas de Zamora [225]. La muerte de Sancho tiene lugar en circunstancias semejantes a las de Sigfrido (en el poema germánico) [226].

---

[223] Cfr. Menéndez Pidal, *Los godos y el origen de la epopeya española,* Madrid, 1955, págs. 64 s.: "la gesta de "Walther de España" o "Walther de Aquitania"... debió ser cantada en el reino visigodo, tanto en España, donde hasta hoy se canta el romance de Gaiferos, como en la Aquitania, donde hoy se canta la Escriveta".

[224] Su abuelo Sancho el Mayor de Navarra fue el antepasado del linaje de Palencia (lat. *Pallantia*).

[225] Según Puyol y Alonso (*El abadengo de Sahagún,* pág. 328) el *Cantar de Don Fernando* perdido terminaba con el relato de este suceso.

[226] Hemos comparado estos dos episodios en *Estudios ép. med.,* páginas 130 y ss. Un relato de la muerte de Sancho ya se encontraba en la *Crónica Najerense* (año 1160). En cuanto a Nuño es apenas posible que se tratara del "alemán" Nuño (Belchides según Mariana, *Op. cit.,* pág. 222 y *España Sagrada,* vol. XXVI, pág. 171) quien junto con Diago Porcer (*PCG,* ed. cit., pág. 473) o Diego Porcellos "fundó" y pobló Burgos (un hecho que hemos señalado en *Cataluña en la Canción de Guillermo francesa,* nota 20), si bien Mariana (*Op. cit.,* pág. 222) pensaba en una época anterior a la que indica la *PCG* (la ciudad fue repoblada en el siglo XI). Cfr. también los *Burgundiones* (Isidoro de Sevilla, IX, 2 y 4) y los *Burgariis* en relación con el término de *Burgo* (con referencia a España en Quintiliano, VII, 14), en *España Sagrada,* XXVI, 170. — Otro paralelo literario digno de atención sería la vulnerabilidad limitada de Rolando de la leyenda de Bernardo del Carpio (tema que debe derivarse del talón de Aquiles), donde está vinculada a la leyenda de Hércules-Antea. Señalemos asimismo la referencia del texto de la crónica de Sahagún a *Brunehilde*: "Brunechílda hija

Agreguemos algunas informaciones sobre los nombres de persona y topónimos contenidos en la versión del *Titurel* "reciente" de Albrecht (von Scharfenberg?) alrededor de 1270, uno de los poemas épicos en su tiempo más difundidos y apreciados [227]. Aparte de los personajes ya mencionados en el *Perceval/Parzival* y el *Titurel* de Wolfram, se observa la presencia de un rey de Navarra y "Ekunât de Barbastre" [228] en este poema quizá también basado en Kyôt. Según el relato, la distancia de Toledo a Cornualles no sería más que de dos días. Un pasaje se refiere a "Capitanie und Arragûn". Los paganos de Galicia y de Zaragoza son subyugados, siendo "Montschoye" el grito de guerra de los cristianos. La mujer del rey del Grial y madre de Anfortas es una hija del rey de Granada. El Munsalvaesche está situado en Salvatierra (Galicia): 304, 1; 305, 1; 305, 4; 306, 4 "Der Titurel so reine ("puro, casto") die Pfruende ("la fundación") mit dem Grale gab durch Tugende, Daz er Saluaterre da dem Namen hielte, Der Cristenheit zu Prise, so daz die Heidenschaft niht veste da wielte ("a la gloria de la cristiandad, a fin de que los paganos o el paganismo no se estableciese allí definitivamente"). Daz selbe Lant da genennet ist noch Got dem hohsten ("ese mismo país que tiene el nombre de Dios el supremo") ...Daz Saluator Got heizzet... Swer in Galitz ist gewesen, der weiz wol Sancte Saluator und Saluaterre" ("el que estuvo en Galicia conocerá San Salvador y Salvatierra") [229]. Es allí donde Titurel hace construir

---

del Rey Athanagildo, y muger primera de Sisebuto Rey de la Austrasia, y después de Meroveo, hijo de Chilperico Rey de la Neustria. Son increíbles las maldades que a esta Princesa han imputado los más Historiadores de Francia... Sin embargo... tomaron a su cargo la defensa de esta Princesa" (Escalona, *Op. cit.*, pág. 367).

[227] *Der jüngere Titurel*, ed. K. A. Hahn (Quedlinburg-Leipzig, 1842). Véase también la ed. abreviada de P. Piper en *Höfische Epik*, II p. (Stuttgart s. a.). Una nueva ed. del texto completo está en curso de publicación: Albrecht von Scharfenberg, *Jüngerer Titurel*, publ. p. W. Wolf, vol. I, Berlín, 1955; vol. II, 1 (1964).

[228] V. 1746, 4 *"Ekvnate von Berbester"*. Es el *Ehkunat* "ûz der starken Berbester" de Wolfram; véase nuestra nota 222 arriba.

[229] Comp. lo que se dice del Cid en el poema de *Rodrigo y el Rey Fernando* (ed. Menéndez Pidal, en *Reliquias de la Poesía épica española*, Madrid, 1951), v. 569: "Complió su romería [a Santiago]; por Sant Salvador de Oviedo fue tornado". — Para *Galitz* cfr. también *Der jüngere Titurel*,

el maravilloso castillo del Grial (en la época del "Fili rois von Kastel Gailet" [230] —v. 440, 1— que correspondía efectivamente a la segunda mitad del siglo VIII, la época en que Fruela I y Alfonso el Casto erigieron San Salvador de Oviedo) [231]. La ciudad fue llamada "la cibdad de Sant Saluador de Ouiedo" (en la *PCG*, ed. cit., pág. 424). Señalemos aquí que la descripción muy detallada del domo que construyó Titurel con el Grial por centro correspondía en líneas generales a la iglesia de San Salvador de Oviedo; cf. *Der jüngere Titurel*, 357 s., y *PCG*, ed. cit., pág. 348. Análogamente el Munsalvaesche del *Parzival* está situado en *Terra de Salvaesche* (v. 251, 4).

La catedral actual de Oviedo data de fines del siglo XIV. Fue erigida en el lugar de la antigua iglesia de San Salvador en el barrio de Monte Santo. En otros tiempos la antigua capilla del Rey Casto formaba parte de la Capilla de San Miguel [232] que Alfon-

111, 1 "Die Heiden von Galitzen und die von Saragossen"; para *Salvaterre* véase nuestra nota 200 arriba (Salvatierra entre Orense y Vigo en Galicia — otro lugar del mismo nombre se encuentra cerca de Vitoria en Castilla y otro sería Sauveterre-de-Béarn en el camino de Roncesvalles, entre Orthez y Saint Palais, con castillo y catedral del siglo XII). Cf. tb. 443, 4: "Der selbe Spangen Lant ist nach niht einic". Véase *Cataluña y Aragón...*, págs. 266 s. y a continuación para otros personajes de estas regiones mencionados en el *Titurel* "reciente".

[230] Cfr. *Der jüngere Titurel*, 418, 3; 419, 1; 420, 1-2; 421, 1; 442, 1: "Im [al rey] gab der Gral die Schrift alhie nu zu lesene: Im wer ein wîb gelobt in Spangen Lant so wer selb an wesende, Sie ist ein Maget reine, die selt du nemen zu wîbe. ...Ir Vater ist verscheiden, geheizzen Frimutele, Ir Mueter ouch von Heiden (443, 1 von Spanie). Die Maget hiez Richaude ...Richauden von Yspanie gab man Gaileten". Cfr. "Kaylet" en pág. 168.

[231] Otra catedral importante consagrada al Salvador es la Seo (San Salvador) de Zaragoza, construida después de la conquista de la ciudad (después de 1119) en el emplazamiento de una antigua mezquita. La liturgia del Grial mencionada en pág. 170, quizá se celebrara allí o aun en Oviedo (confusión del Salvador de Asturias con el de Aragón?) Para una tal misa celebrada en ocasión de la inauguración de un domo cfr. *Historia Roderici*, en *Esp. Cid*, pág. 968: "...Ualentiam [año de 1098] ...Calicem aureum... cum laudum modulati onibus et suavissimis ac dulcissimis cantuum uocibus, deuotis mentibus unanimiter tunc celebrauerunt, ... ibidem exultantibus animis laudauerunt".

[232] Sin relación aparente, el *Titurel* "reciente" menciona "Michahel" (v. 475, 2).

so II construyó junto al domo medieval. Recordemos además que Alfonso el Casto fundó el obispado de Oviedo en 805, anexándole el antiguo obispado de *Britonia*. Las estatuas de los doce apóstoles [233] se hallan hasta el día de hoy en la Capilla del Rey Casto. El santuario de San Salvador de Oviedo se había convertido en célebre meta de peregrinaje desde la época de su fundación (*PCG*, ed. cit., pág. 348 "E alli uan oy en dia de todas las partes del mundo los pueblos cristianos"; Tudense, op. cit., pág. 26: "ecclesias Sancti Saluatoris et Sancti Iacobi Carolus [Magnus] visitauit"; *Rodrigo y el Rey Fernando*, ed. Menéndez Pidal en *Reliquias*, pág. 274: "Complió su romería, Por Sant Salvador de Oviedo fue tornado"). El *Grassie* en *Der jüngere Titurel* (v. 448, 1) podría identificarse con el hermano del rey Ramiro I, sucesor de Alfonso el Casto: "don García, hermano del rey, que era otrossi llamado rey..., companero en el regnado" (*PCG*, pág. 361), o más probablemente el rey García vencedor en Calahorra en 1045 [234]. El obispo *Penitenze*, que consagró el templo del Grial en España (415, 1; 4 "Der bischof *Penitenze*, der Bruder Art *Parillen*, ... der wihte disen Tempel..."), era considerado un pariente próximo de la familia real de Anjou [235].

---

[233] Cfr. *PCG*, 348: "Ouiedo, ...la eglesia de sant Saluador, ... con doze altares en nombre de los doze apostoles". Para otros detalles de los objetos conservados véase *Espíritu hispánico* II, texto que se refiere a las notas 162 a 164.

[234] Cfr. nuestra nota 280 abajo y 190 del art. sig.

[235] Según F. Zarncke, *Der Graltempel — Vorstudie zu einer Ausgabe des jüngeren Titurel*, Abhandlungen d. phil.-hist. Classe d. Königl. Sächs. Ges. d. Wiss., vol. VII, Leipzig, 1876, pág. 496, en su discusión de S. Boisserée, *Über die Beschreibung des Tempels des heiligen Grales im Titurel*, Munich, 1834. — En lo que concierne al *Parille* podría pensarse en *Borel* (*lus*), señor del León de Angers (cfr. P. Marchegay- E. Mabille, *Chroniques des Eglises d'Anjou*, París, 1869, pág. 117), y también en el obispo de Arabia *Berilo* de la época de Marco Aurelio (*PCG*, ed. cit., pág. 162) y en último término en *Borellus* señalado en nuestra nota 69 en la pág. 231. En cuanto al nombre dado al obispo *Penitenze* también hay diversas posibilidades. se trataría de *Benoît*, abad de Saint-Maixent (véase Marchegay-Mabille, pág. 405), = "Benedictus (español *Benito*) ...Sanctum Max*entium*", o de una fusión de Benedictinum (*Benito*) + Cluniac*ense*, o aun de *P. Ouetense* (por Pater Ovetense, de Oviedo) > *Ponetense* + *Poenitencia*? ¿O pensaría el autor en un Hermano de la *Penitencia* (desde 1264 en Roma)?

—Sobre los asuntos del final del *Titurel* "reciente" (el traspaso del Grial a *Grals,* el monasterio *Salvatsch* fundado por Ekunat de España, etc.) véanse nuestros comentarios en *Espíritu hispánico,* II, a continuación, en el texto al que se refieren las notas 144 a 149. Pero volvamos a los temas centrales del *Perceval/Parzival.* El papel de *Sáturnus* en la obra de Wolfram [236]: cada vez que el planeta había completado su recorrido, había llegado el momento de tocar con la lanza la herida del rey. Esto anuncia al mismo tiempo la primera helada del otoño [237]; sin embargo en el fondo Saturno simboliza la cosecha. Es la antigua deidad de la agricultura que preside la siembra del trigo. Ops, la diosa romana de la abundancia, era venerada como la esposa de Saturno. Éste aparece por primera vez en Italia cuando Jano era rey de la región fértil del Tíber e instruía a aquél acerca de la agricultura. De este culto proviene la célebre festividad de las *Saturnalia* [238]. Saturno representa pues un mito de fecundidad que se adapta perfectamente al tema estudiado. No es difícil imaginar que Flegetânîs, que estaba muy familiarizado con el movimiento de los planetas ("mit der sternen umbereise") [239] y sus significados secretos ("sach... im gestirn mit sînen ougen verholenbaeriu tougen") [240], fuese el primero en introducir el mito de Saturno en la leyenda del santo Grial. Recordemos que, según Wolfram, Flegetânîs también fue el primero en

---

[236] "Dô der sterne Sâturnus wider an sîn zil gestuont" (*Parzival,* 489, 24-25; análogamente 492, 26 y 493, 1).

[237] La idea parece inspirada en el verso de Virgilio: "frigida Saturni... stella" (*Georgica* I, 336); véase la ed. de Martin vol. II, pág. 372. Cfr. asimismo Dante, *Convivio* II, 13; *Par.* XXII, 146; y sobre todo *Purg.* XIX, 1-5 "Nell'ora che non può'l calor diurno Intiepidar più il freddo della Luna, Vinto da terra, e talor da Saturno; Quando i geomanti lor maggior fortuna Veggiono in oriente, innanzi a l'alba".

[238] Cfr. G. Wissowa, *Religion und Kultus der Römer,* 2.ª ed., Munich, 1912, pág. 204; y en particular Macrobius, *Saturnaliorum Libri,* ed. F. Eyssenhardt, Lipsiae 1893, págs. 46 s., autor que conoció Chrétien y aparece citado en el *Erec,* v. 6738 y 6741. Véase también nuestra nota 62 del art. sig.

[239] *Parzival* 454, 15; cfr. también 454, 9-14 "Flegetânîs... kunde uns wol bescheiden ieslîches sternem hinganc... wie lange ieslîcher umbe gê tê er wider an sîn zil gestêt".

[240] *Parzival,* 454, 17; 19-20.

hablar del santo Grial y de su origen celeste [241]. Kyôt había encontrado la historia de Perceval: "Kyôt... dise âventiur von Parzivâl heidensch geschriben sach" [242]. Por consiguiente, en sus rasgos esenciales la leyenda se relataba en la fuente "toledana". Tal vez el autor de ésta, o el cronista de Anjou [243] igualmente desconocido, también habría pensado en inventar a un rey pescador [244], que aspiraba a recobrar la salud junto al altar de San Facundo.

Cuando se llevó a cabo la elaboración del tema de un rey pescador "mehaigniez" (llamado Anfortas por Wolfram) ¿habrían tomado los recopiladores primitivos de las obras del Grial (Kyôt o el cronista angevino) por uno de sus modelos a Alfonso II el Casto de Castilla, de la misma manera en que el poeta del *Mainet* había combinado las imágenes de Alfonso VI y de Zaida con las del joven Carlomagno y de la Galiana legendarios? En este caso, el nombre de *Anfortas* se explicaría quizá como corrupción de *Alfonsus*. Fruela I y su hijo Alfonso el Casto habían erigido en Oviedo el palacio real y la iglesia de San Salvador, convertida en meta de peregrinaje y renombrada por sus reliquias preciosas. Éstas y la Cruz de los Ángeles, mencionadas en las crónicas, aún se conservan. Alfonso había hecho transportar las reliquias a aquel lugar, "cum esset omnino castus et pius" [245]. Acaso deba compararse a Alfonso el Casto con el personaje de *Castis* del

---

[241] *Parzival*, 454, 21-24.

[242] *Parzival*, 416, 25-27.

[243] ¿O sería más bien de Agen (cfr. nuestra nota 144)?

[244] O bien en transformar un "rex peccator" en "rex piscator".

[245] Tudense, *Op. cit.*, pág. 74. — Toledano, ed. cit., pág. 159: "Sobrius autem et pudicus admodum fuit, pius et humilis. Ideo recte nomen Casti sortitus est". Cfr. *Poema de Fernán González*, 126, 1-4: "...Alfonso, un rey de grand valor, "El Casto" que dixeron, siervo del Criador; ...este fizo la gloria que s'diz San Salvador". No obstante, el monarca mismo se consideraba "Ego Rex Aldephonsus, indigne cognominatus Castus..." (*Esp. Sagr.*, XXXVII, 316). — Según el *Chronicon Albendense* fue Alfonso III el fundador del santuario de Oviedo (cfr. *Esp. Sagr.*, XIII, 453). Sobre otras confusiones de ambas épocas véase nuestra nota 254 abajo. Sobre Alfonso II véase también C. Sánchez Albornoz, *Asturias resiste: Alfonso el Casto salva a la España cristiana*, en *Logos VIII* (Buenos Aires, 1947), páginas 5 s.

Parzival [246] y del *Titurel* de Wolfram. Este rey de "Wâleis" y "Nôrgals" (con Kanvoleis y Kingrivâls por capitales) se casó con Herzeloyde, pero él murió pronto; así "Kastis Herzelöuden nie gewan ze wibe" [247]. El primer *Titurel,* que en diversas ocasiones se refiere al príncipe y a la princesa de Cataluña y menciona al Ehkunat de Barbastro señalado arriba (nota 228), nos habla del rey Castis y de la "virgen viuda" (35, 1) como sigue: "En estos tiempos murió Castis. Había conquistado en Montsalvage a la muy bella Herzeloide... Castis nunca hizo de Herzeloide su mujer: ella era virgen todavía cuando se entregó a los brazos de Gahmuret" [248]. La patria de éste último es Cataluña, según el *Titurel* "reciente" (v. 4564, 2). Esta obra nos habla también de Clarisa, madre de Anfortas (v. 463, 3), esposa de Frimutel e hija del rey Grassie de Granada.

Se decía que Alfonso el Casto había contraído matrimonio con una hermana de Carlomagno llamada Berta, "mas pero nunca ouo que uer con su muger... et fizo muy sancta uida" [249]. Según la leyenda castellana de Bernardo de Carpio, Alfonso el Casto ("quia eo quod non habebat filium illum tenerrime diligebat") [250], habría causado la derrota de Carlomagno en Roncesvalles. La crónica del Tudense también relaciona la figura de Alfonso el Casto con Grajal ("Graliare") [251], así como la fundación de los santos lugares en honor de Santiago y de San Facundo [252]. Los historiadores han confundido estos acontecimientos, como los que se desarrollaron en torno al personaje de Bernardo del Carpio, que pertenecen

---

[246] 496, 19.

[247] *Titurel* de Wolfram, 27, 1.

[248] *Titurel* de Wolfram, 26, 1-27, 2, según la traducción de J. Fourquet, en *La Lumière du Graal,* pres. bajo la dir. de R. Nelli, París, 1950, pág. 240.

[249] *PCG,* ed. cit., pág. 358.

[250] Tudense, pág. 75. Cfr. la obra del Toletanus (ed. cit., pág. 159): "Alfonsus ...vicit Carolum magnum regem Francorum, et Rolandum, et caeteros a seculo famosos, dictos Pares, apud montes Pyrenaeos...".

[251] Ed. cit., pág. 79 (en esta época el enemigo "Graliare direxit").

[252] Ed. cit., pág. 80. — Parece que Alfonso el Casto fue el primer rey que permitió a algunas jóvenes que contrajesen matrimonio con moros. Esta disposición dio nacimiento a la leyenda del tributo de cien vírgenes (Tudense, pág. 76; Toledano, *Op. cit.,* IV, cap. 13, *PCG,* ed. cit., págs. 359 s.). Chrétien relata un episodio análogo en *Yvain.*

en parte a la época de Alfonso III el Magno (segunda mitad del siglo IX)[253]. Es pues concebible que en una ficción poética se hubiesen superpuesto los personajes de Alfonso el Casto, de Fernando Magno y de Alfonso VI de Castilla[254], tanto más si se sabe que las figuras de Luis y de Guillermo en el *Couronnement Louis* toman rasgos no sólo de Luis el Piadoso y Guillermo de Tolosa, sino además de otros dos Luises y de un Guillermo que vivió más tarde[255]. El personaje de Carlomagno en el *Rolando* probablemente también oculta la figura de Alfonso VI (¿y de Alfonso el Batallador?), el de Ganelón probablemente a Grañón y Wanilo.

Puede pensarse también en la gran posibilidad de una confusión de *Alphonsus Castus* con el rey Arturo, cuyo prototipo histórico —según Th. Mommsen, K. Malone, J. C. Russel, W. A. Nitze y otros— era Lucius *Artor(ius) Castus,* el prefecto romano en Inglaterra en tiempos del *emperador* Adriano. En dicho caso, Arturo debió haber conservado el sobrenombre de *Castus* en la fuente del recopilador de la más antigua leyenda del santo Grial. ¿Sería el famoso puerto arturiano *Avalon* el puerto asturiano de *Avilés,* situado cerca de la costa al Norte de Oviedo, donde Alfonso el Casto fue exiliado en 795, el año de la muerte del *Papa* Adriano? (Cf. además *Cama(a)lot,* la otra corte de Arturo, y *Ca-*

---

[253] Sobre *Bernardo del Carpio* véase *Relaciones franco-hispanas...,* passim.

[254] Hasta la figura de Alfonso IV que se hizo monje en Sahagún y fue cegado por su hermano podría haber suministrado algunos rasgos: "este rey don Alffonso el quarto quiso escoger carrera de penitentia, et más por liuiandat de coraçón que por otra santidad ninguna. ...et puso de fazer rey en so logar a don Ramiro so hermano. ...Alffonso fuesse pora... Sant Fagund ... et metióse allí monge pora seruir a Dios ... don Alffonso era salido de la orden. Ca en uerdad assí como se él metiera con liuiandad en ella, assí se salió otrossí della con poco seso, et fuérase pora León et alçárase y pora cobrar el regno. ...Et el rey don Ramiro ... mandóles sacar los oios a los sobrinos et a so hermano don Alffonso. Empos esto fizo un monesterio cerca de León a onrra de sant Julián, et metió allí al hermano et a aquellos sos sobrinos, et mandóles y dar quanto ouiessen mester fasta en su muerte" (*PCG,* ed. cit., págs. 389 y 391).

[255] Véase nuestra nota 16. Sobre el tema histórico de Arturo mencionado en el pasaje que sigue véase K. Malone en *Modern Philology,* XXII (1924-25), págs. 367 s., y W. A. Nitze en *Bulletin Bibliographique de la Société Internationale Arthurienne,* V (1953), págs. 70 s.

mala, que había conservado este nombre hasta la época de Alfonso el Casto o la de Alfonso III el Magno). Así se verificaría simultáneamente la tesis de Malone-Mommsen. La *PCG*, ed .cit., pág. 347 dice: "se leuantaron contral rey don Alfonso el Casto los altos omnes de la tierra, et echáronle del regno por fuerça: e él metiósse estonces en el monesterio de Abilés. Más sacól ende Theudio, un princep poderoso..." [256]. ¿Habría de atribuírsele a éste el papel de "salvador" de un rey afligido en la leyenda asturiana / "arturiana" y ver en él también un precursor de la figura de Perceval? Señalemos también que era precisamente en la época de Alfonso el Casto y de Carlomagno cuando Arturo, que no mencionan Gildas ni el Beda, fue introducido por Nennio en las crónicas varios siglos después de su tiempo (año de 796).

El *Carlion* del *Perceval* se explicaría por una confusión de *Caerlion* [257] (Ingl.) y de *Carrión*, ciudad del reino de *León* donde también, según el *Cid*, habría residido la corte de Alfonso VI (verso 3130). Es también allí donde Alvar Fáñez Minaya encuentra al rey para ofrecerle los obsequios del Cid después de la conquista de Valencia (verso 3130). Alfonso regresa allí (verso 3532) para el castigo de los Infantes "en begas de Carrión" (verso 3481) [258], una escena elaborada según el modelo del proceso, igualmente legendario, de Ganelón en presencia de Carlomagno en "Aix". *Carlion* es una ciudad del reino de Carlomagno en la *Chevalerie Ogier*, verso 9852. *Carrión* recibió el nombre de *Karlion* en el *Renaut de Montauban*, verso 251. — ¿Haría referencia la "habi-

---

[256] Para Avilés cfr. nuestras notas 181 a 184 de *Espíritu hispánico*, II, a continuación.

[257] El *Ca(e)rlion* o *Caerlleon* ha sido discutido hasta muy recientemente. R. S. Loomis lo explicó (obra cit., pág. 481) como gall. *Kaer Llyon* y J. Pokorny (en *Beiträge zur Namenforschung*, II, 1950-51, págs. 38 s.) como *quadra legionum*.

[258] Citemos los textos respectivos del *Cid*: 1311-13 "Demandó por Alfonsso, do lo podríe fallar. Fora el rey a San Fagunt aun poco ha, Tornós a Carrión, i lo podríe fallar"; 3129-31 "Hyo, de que fu rey, non fiz más de dos cortes: La una fo en Burgos, e la otra en Carrión. Esta terçera a Toledo la vin fer oy"; 3532 "Mio Çid pora Valençia, e el rey pora Carrión"; 3480-82 "Aquí les pongo plazo de dentro en mi cort, A cabo de tres sedmanas, en begas de Carrión, Que fagan esta lid [entre los del Cid y los infantes] delant estando yo".

tación" de Carlomagno en "Loün" (*Rol.* 2910) a *León* en Castilla donde se dirigió el rey Fernando después de la toma de Coímbra? [259]. La conquista de Barbastro por el rey Sancho Ramírez después de un largo sitio, que se refleja en el *Siège de Barbastre*, data de la época en que aún vivía Fernando Magno (1064); "el historiador árabe Ibn Hayán... dice que el sitio duró bastantes días sin adelantarse nada" [260] ("cuarenta días") [261].

En el esquema siguiente intentamos resumir los problemas de las fuentes y del desarrollo de la leyenda del santo Grial tal como se presenta desde la perspectiva considerada en nuestra investigación:

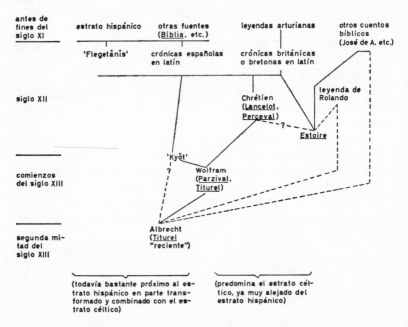

De esto se concluye que las transformaciones de los temas son más grandes en el *Perceval* de Chrétien (y en la *Estoire*) que en el

259 *PCG*, ed. cit., pág. 488.
260 *España Sagrada*, **XLVIII**, pág. 9.
261 *Esp. Cid*, pág. 148.

Parzival y los dos *Titurel*. A juzgar por esto parece justificada la famosa observación de Wolfram que Chrétien habría falseado la leyenda y que Kyôt nos habría presentado el "verdadero" asunto [262].

Li Rois Peschiere [263] del *Perceval* "se fait en une nef metre, Et va peschant a l'ameçon" (v. 3518-19). En la leyenda del Grial la pesca es una ocupación simbólica que también en la Galicia española tiene una significación espiritual. El asunto de la obra arturiana recuerda la gran misión impuesta a Santiago que es la de pescar hombres para la causa cristiana. Este último, como su padre Zebedeo y su hermano Simón (Pedro) era un pescador sobre el lago de Galilea (*San Marcos*, I, 20). Jesús llamó a los dos hermanos, que le siguieron (*San Mateo*, IV, 19-20) para convertirse en "pescadores de hombres" (*San Mateo*, IV, 19). Ellos aceptan beber la copa con el Señor y reciben el bautismo (*San Marcos*, X, 38-39). Aun después de su llegada milagrosa a la Galicia española, Santiago es tomado por un pescador. Dos episodios legendarios atestiguan esta creencia, uno relacionado con la guerra de Carlomagno contra Aigolant en España, el otro con la batalla de Coímbra en la época de Alfonso III el Magno (en 872) o bien aquélla en época de Fernando el Magno (en 1064). He aquí el texto tomado de la *Crónica de Turpín*: "Lucernam, urbem munitam, que est in Valle Viridi, quam capere usque ad ultimam nequivit. Novissime vero venit ad eam, et obsedit eam, et sedit circa eam quattuor mensium spacio, et facta prece Deo et sancto Jacobo, ceciderunt muri ejus et est deserta usque ad hodiernum diem. Quidam enim gurges atri amnis in medio ejus surrexit, in quo magni pisces nigri habentur", ["Lors chaïrent li mur et demora sanz habiteor, et una grant iaue, ausi come uns estans, leva enmi la cité, noire et horrible. Si noient dedenz grant poisson tuit noir, qui jusques aujord'ui sont noer parmi cel estanc"] [264].

---

[262] "Ob von Troys meister Cristjân disem maere hât unrecht getân, daz mac wol zürnen Kyôt, der uns diu rehten maere enbôt" (*Parzival*, 827, 1-4).

[263] *Perceval*, 3520, etc., y el que lleva el nombre de *Anfortas* en el *Parzival*.

[264] Ed. cit., págs. 10-11. Una traducción al francés moderno la da J. Bédier, *Les Légendes épiques*, vol. III, pág. 155.

La misteriosa ciudad de Luiserne aparece igualmente en el *Anseïs de Cartage*, el *Gui de Bourgogne* y los poemas de *Vivien*. Reaparece nuevamente en una variante del *Perceval* de Chrétien (v. 4902). Bédier [265] lo había identificado con el lago actual de Carucedo [266] situado entre Ponferrada y Villafranca del Bierzo [267]. L. L. Cortés y Vázquez [268] demostró que se trataba más bien del lago de Sanabria, situado al Sur de Villafranca. Los grandes peces negros que nadaban en el lago cuando a consecuencia de la intervención milagrosa de Santiago se derrumbaron los muros de la ciudad pagana, nos parece que simbolizan las almas de los defensores que escaparon a la redención [269].

Observemos finalmente que el autor del *Anseïs de Cartage* sitúa los sucesos de Luiserne, cuyo rey es "Aquilans" (v. 2156) (cf. el Aigolandus de la *Crónica de Turpín*) en la época que siguió a la toma de Coímbra, lo que se debe a una confusión entre la época [270] de Fernando el Magno y la de Carlomagno. El autor del *Anseïs* del siglo XIII que, como se sabe, conocía una versión del

---

[265] En la obra y el volumen citado arriba, págs. 152-166.

[266] *España Sagrada*, XVI, 29; 43.

[267] Villafranca del Bierzo, prov. de León (*Esp. Sagr.*, XVI, 29) acaso fuese el lugar donde se encontraba el trovador provenzal Lo Monge de Montaudon (antes de 1200) que nos hablaba de cierto "Peire Laroc" de Cardenes (Cardeña?). En Villafranca se encontraba hasta alrededor de 1247 el monasterio Santa María de Cluniaco (Cruñego). La ciudad debió su origen a los peregrinos franceses de Santiago de Compostela (desde épocas del arzobispo Bernardo). Para el Monje de Montaudon véase la bibliografía de E. Lommatzsch en *Leben und Lieder der provenzalischen Troubadours*, vol. II, Berlín, 1959, pág. 77 y los textos en págs. 32 s. de la misma obra.

[268] *La Leyenda del Lago de Sanabria*, en *Revista de Dialectología y de Tradiciones Populares*, vol. IV (1948), págs. 94-114. Cfr. sobre las dos teorías, la exposición de M. de Riquer, *Les Chansons de Geste françaises*, 2.ª ed., París, 1957, págs. 218 s.

[269] Esta explicación está afirmada por mi colega J. Szövérffy, renombrado por su estudio de los himnos medievales, al que también debemos la información dada en nota 121.

[270] Esto también vale para la expedición legendaria de Carlomagno a Santiago (según el *Turpín*). — Señalemos que debe corregirse la observación de A. De Mandach que Alfonso IV "desarrolló el peregrinaje (= Oviedo) que creara su padre" (pág. 43).

Rodrigo castellano, la *Crónica de Turpín* y los primeros "poemas antiguos" franceses, también menciona al rey Arturo en su poema. La geografía tal cual se presenta en la literatura épica contribuye en gran medida a embrollar los hechos. ¿Qué sentido debe atribuirse, por ejemplo, al topónimo *Nobles,* de uso frecuente en las refundiciones en prosa y los cantares de gesta más recientes? En el *Guy de Bourgogne* las localizaciones son relativamente correctas, lo que probablemente se deba a su modelo, la *Crónica de Turpín.* El *Guy de Bourgogne* parece confirmar la hipótesis de que *Nobles* significa Coímbra (cf. "Il a pres de VII ans que de Nobles parti, Quant [Charlemagne] ala a Luiserne")[271]. Sin embargo, P. Aebischer no acepta esta identificación y propuso Pamplona[272]. No obstante hay que señalar que la *Karlamagnussaga* parece marcar una distinción entre *Nobilis* y *Pamphilonia.* Según la cuarta rama, que deriva igualmente de la *Crónica de Turpín,* Carlos se apodera de Pamplona (*Pamphilonia*) después de un sitio de tres meses, luego va a Compostela y ocupa el resto de España (no obstante, no se menciona Coímbra) para dirigirse finalmente a Lucrina (= Lucerna, Luiserne). Según la quinta rama, que está emparentada con la *Chanson de Saisnes,* sitia *Nobilis* sin lograr su propósito; es Rolando quien obtendrá la victoria durante la ausencia del emperador, que ya había partido a la guerra del otro lado del Rin. En lo que concierne a *Noples, Nobles* (*Nubles*), *Nobilis* en el texto del *Rol.,* hay una teoría bastante antigua de *Noblejas,* cerca de Toledo. Pero con la ayuda de las variantes de la *Canción de Rolando* en efecto se puede relacionar el *Nobles* (*Nubles*) con *Co(n)i(m)bre,* cfr. var. *Conubre* en el *Rol.,* y *Cornuble* en *Fierabrás,* que al parecer derivan todas de *Conimbri(g)a* = *Coímbra.* Es el sitio de Coímbra. por Fernando el Magno que habría durado siete años[273], según el Toledano VI, 11, página 125 y la *PCG,* 487. Conforme a estos mismos autores, Alfon-

---

[271] Ed. A. Michelant (París, 1858), págs. 1 y 57.

[272] En *Textes norrois et Littérature française du Moyent Âge,* I, Ginebra-Lille, 1954, pág. 11.

[273] Sobre la duración también de 7 años que los autores de crónicas y poemas atribuyen al sitio de Zaragoza cfr. *Esp. Cid,* 11.

so VI efectuó una nueva ocupación (VI, 22, págs. 136 y 539 resp.), datando la primera de la época de Alfonso III (en el siglo IX).

En el relato de la *PCG*[274] que trata de la visión del peregrino antes de la toma de Coímbra, Santiago se llama "cauallero de Cristo". La leyenda ya se encuentra en la historia del Toledano[275], pero fue ampliada con elementos contenidos en el *Liber Sancti Jacobi*[276]. Así leemos en el texto del *Chronicon* de Lucas Tudense: "Venerat enim ab Hierosolymis quidam Graeculus peregrinus, qui in porticu ecclesiae B. Iacobi diu permanens vigiliis et orationibus insistebat. Cumque intrantes populi laudando, beatum Iacobum militem decantarent, ipse peregrinus dicere coepit eum non fuisse militem, sed piscatorem. Cum vero pernoctaret in oratione, subito raptus in extasi, ei Apostolus Iacobus apparuit, et tenens quadam claves manu cum alacri vultu alloquens dixit. Heri, inquit, pia precantium vota deridens dicebas me militem non fuisse. Post haec allatus est magnae staturae splendissimus equus ante fores ecclesiae, cuius nimia claritas totam apertis ianuis ecclesiam perlustrabat. Quem Apostolus ascendens innotuit peregrino illis clauibus se civitatem Conimbriam aperiturum, et Regi Fernando in crastinum circa tertiam diei horam se daturum"[277]. Aquí Santiago afirma igualmente ser "milites" (sin negar que al mismo tiempo es "piscator")[278]. La versión de la *PCG*: "mientre el rey don Fernando teníe aun cercada Coýmbria que se le non daua, acaesció assí que un peregrino ueno en romería de tierra de Gresçia a Sant Yague, et auíe nom-

---

[274] Página 487.

[275] Lib. VI, cap. 11.

[276] Véase Menéndez Pidal en la introducción a su edición de la *PCG*, vol. II, pág. CLXVI.

[277] Ed. cit., págs. 93 s.

[278] Comp. la observación de Castro (en su obra cit., pág. 154) subrayando que el peregrino griego "could not conceive how one of Christ's Apostles, a fisherman by trade and a pedestrian who had never been on a horse, could be transformed into an equestrian soldier". Agreguemos la observación de Martin en su ed. del *Parzival*, vol. II, pág. LIII: "Nach der Prophezeihung Merlins (Vii, 3 der Ausgabe von San Marte, Halle, 1834) werde einst ein *niveus senex* auf weissem Rosse kommen und in blutigen Siegen seinem Volke die alte Herrlichkeit zurückbringen: man verstand darunter Arthur".

bre Estiano et era obispo, et dexara el obispado por trabaiar mas
su cuerpo en el seruicio de Dios; et uiniendo él en la eglesia de
sant Yague et estando y faziendo uigilias et oraciones, oyo un día
dezir a los de la uilla... que sant Yague parescíe como cauallero en
las lides a los cristianos. Et aquell obispo quando lo oyó, pesól
et díxoles: "amigos, non le llamedes cauallero, mas pescador". Et
él teniendo en esta porfía, plogó a Dios que se adormeció et pares-
ció en el suenno sant Yague con unas llaues en la mano, de muy
alegre contenente, et dixól: "Estiano, tú tienes por escarnio porque los romeros me llaman cauallero et dizes que lo non so; et
por eso uin agora a ti mostrárteme por que nunqua iamás dubdes
que yo non so cauallero de Cristo et ayudador de los cristianos
contra los moros". Et él diziendo esto fuel aducho un cauallo muy
blanco, et ell apóstol caualgó en él a guisa de cauallero muy bien
guarnido de todas armas claras et fermosas, et dixol allí en aquel
suenno cóme queríe yr ayudar al rey don Fernando que yazíe
sobre Coýmbria VII annos auíe ya: 'et por que seas más ciert
desto que te digo, con estas llaues que tengo en la mano abriré
yo oras a ora de tercia la çibdad de Coýmbria, et darla e al rey
don Fernando' " [279]. Una tercera aparición de Santiago como caballero que combate por la causa de los cristianos, frecuentemente
citada por los historiadores castellanos del siglo XIII, tuvo lugar en
el momento de la batalla de Calahorra que el rey Ramiro libró
contra los moros: "Bello inquam apparuit sanctus Iacobus, non
ficte, ut olim de Castore et Polluce finxere Romani" (Rodericus
Toletanus) [280]. En forma semejante, Santiago, el "buen saint de

---

[279] Ed. cit., cap. X, pág. 159.
[280] Ed. cit., cap. X, pág. 159. Por otra parte esto prueba que el mito
de los Dioscuros no se había olvidado y que ya en aquella época medieval
se creía que había que defenderse contra una idea de la identificación de
la misión de Santiago con el papel atribuido a los hijos de Júpiter (sobre este
tema véase también *Notas sobre temas épico-medievales*, págs. 88 s. y los
trabajos de Castro y Sánchez Albornoz citados en este estudio). ¿Sería la
ciudad de *Calahorra* (*Calagurram* o *Calagorinam civitatem* en Schottus,
vol. I, págs. 159 y 549) el reino de *Gorre* del *Lancelot*? En *España Sagrada*,
vol. XXXIII (1781), M. Risco nos habla de un "estado miserable a que vino
la Iglesia de Calahorra en el siglo décimo" (pág. 182); "la S. Iglesia de
Calahorra padecía en el siglo diez la más estrecha esclavitud"; "Calahorra

Galise" [281], se le había aparecido al Carlomagno de la *Prise de Pampelune* y de la *Entrée d'Espagne* para ordenarle que conquistase el país. Nuevamente la imaginación sitúa los sucesos relatados en el "camin de l'apostre" [282]. El autor de la *Entrée* declara que sigue el relato de Turpín además de los de "duos bons clerges, Çan Gras et Gauteron, Çan de Navaire e Gauter d'Aragon" (v. 2779-2780). Se remite en particular a éste último como autoridad: "Cil Gauter dist plus de nus autres on" (v. 2793), pero también Jean Gras de Navarre "dit bien en son langage" (v. 2930). Según la opinión del poeta de la *Entrée*, estos dos escritores ("le dui troveor" v. 2810) son los que, junto con Turpín, conocen la verdadera historia mucho mejor que los mediocres juglares de su tiempo [283]. También aquí se alude a dos autores "españoles" desconocidos que, como Turpín y Kyôt, han suministrado fuentes importantes de los poemas compuestos más allá de los Pirineos.

En lo que concierne el tema del lago en las leyendas arturianas, agreguemos que la residencia de Triboët (el herrero que repara la espada de Perceval) se encuentra "Au lac qui est sor *Cotoatre*" (*Perceval*, v. 3675). Según Wolfram (v. 434, 25 s.) la espada le fue dada a Parzival por Anfortas, el rey pescador. Emerge intacta después de haber sido sumergida en el lago. La significación simbólica de esta acción, así como la localización de Cotoatro, sigue siendo un problema abierto de la crítica literaria [284]. Seña-

---

perseveró en su infeliz cautividad hasta el año 1045, en que el Rey Don García, libre de otros cuidados, la tomó por asalto, y no sin especial asistencia del Cielo" (pág. 183); "animado con la admirable aparición de San Millán" (pág. 215 — cfr. nuestras notas 211 arriba y 138 de la continuación).

[281] *Prise de Pampelune*, v. 1434.

[282] *Prise de Pampelune*, v. 1818. — Sobre otros poemas franceses que reflejan los sucesos en el camino de Santiago, cfr. R. Bossuat, *Floire et Blancheflor et le Chemin de Compostelle*, en *Saggi e Ricerche in Memoria di E. Li Gotti*, Palermo, 1962, I, 263-273; y Menéndez Pidal, en *Revista de Filología Española*, X (1923), págs. 329-372, éste último sobre el *Pèlerinage du roi Louis* (de Francia), poema perdido, una de cuyas versiones en español sirvió de fuente para los cronistas de la España medieval (véase también la introducción a la ed. cit. de la *PCG*, pág. CXCIII).

[283] Véanse los versos 2763 a 2829.

[284] Hilka, ed. cit., pág. 698: "Über die Lage oder die Bedeutung von

lemos aquí el *río Coto* cerca de *Nogales* [285] y a mitad de camino entre *Lugo* (Galicia) y Oviedo. Este Lugo era el *Lucus Augusti* con los manantiales sulfurosos que devolvían la salud y ya conocían los romanos. *Lucus Asturum* era la antigua denominación de Oviedo. Las dos ciudades estaban unidas por el proyecto de Alfonso el Casto de "fabricar allí [en Oviedo] una Iglesia a honra del Salvador, la cual fuese de la misma construcción que la de Santa María de Lugo", según un pergamino del Archivo de Lugo [286]. A siete kilómetros de Oviedo se encuentran las aguas termales de Caldas de Priori. El "lago" de Cotoatro es llamado *Loc* por el autor de la *Saga* noruega de Perceval: "er Loc heitir, undir Kurvatus fjalli" (= situado cerca de los montes de Kurvatus) [287]. Este *Loc* bien puede ser un reflejo de *Lucus, Lugo*, el *Kurvatus* una reminiscencia de *Carba(r)tos* pertenecientes al obispado de *Lucerna* (cf. *Luiserne!*) en el Noroeste de España [288]. Desde el Concilio de Lugo "todas las Asturias fasta los montes Pirineos" pertenecieron a esta sede [289]. En cuanto a *Lucerna,* ya Menéndez Pidal reparó en una confusión histórico-geográfica ("errado el nombre") en su índice onomástico y toponímico de la *PCG* [290]. La *Continuation Gerbert* del *Perceval* nos indica que *Cothoatre* (sic) fue "manoirs... au roi *Frolac*" (600) [291]. Se trata tal vez del rey *Fruela,* un contemporáneo de *Galafre* de Toledo, padre de Alfonso

Cotoatre habe ich nichts eruieren können". Es *Karnant* en el *Parzival* (= "Connaught en Irlanda" según Lachmann-Hartl, pág. 438). *Cotoatre* y *Karnant* recuerdan tal vez el lago de *Carracedo* mencionado arriba.

[285] ¿Reflejan *Norgâls* y *Wâleis* (en *Parzival*) Nogales y Galicia? Cfr. ya K. Simrock (*Parzival und Titurel,* 6.ª ed., Stuttgart 1883, págs. 341 y 356): "die Königreiche Wâleis und Norgâls mit ihren Hauptstädten Kanvoleis und Kingrivâls in England zu suchen [es decir en Gales del Norte] ... Wolfram setzt sie aber nach Spanien"; "Jenseits der Pyrenäen wird... der Schauplatz bestimmter, und die Bezüge auf den Gral mehren sich". — Para *Kanvoleis* véase la nota 21 de *El sustrato hispano-portugués...* a continuación.

[286] *España Sagrada,* XL, 112. Cfr. también la nota 151 del art. sig.

[287] Cfr. Hilka, loc. cit.

[288] Véase Tudense, *Op. cit.,* págs. 55 s.; *PCG,* ed. cit., pág. 296. Cfr. también *Cervatos* con una colegiata del siglo XI, cerca de Reinosa.

[289] La misma obra, pág. 295.

[290] Página 816.

[291] Citado según Hilka, ed. del *Perceval,* pág. 698.

el Casto y fundador del templo de San Salvador de Oviedo [292], del que ya hemos hablado más arriba. ¿Sería el misterioso rey del Grial [293], el padre del rey pescador del *Perceval*? En tal caso la leyenda del Grial y de Perceval consistiría como la *Canción de Rolando* en dos estratos principales: un estrato de asuntos transformados pertenecientes a la época "carolingia" (siglo VIII) al que se agrega el de la época "alfonsina" (siglo XI).

En *Ponthus et Sidone,* Ponthus es el hijo del rey *Tiber* (o *Tyber, Thibor, Tiburt)* [294] de Galicia y sobrino del príncipe de Asturias. La Coruña desempeña un papel esencial; Galicia es conquistada por *Bro(a)das,* hijo del sultán de Babilonia, Inglaterra por *Karodas* (o *Karados*) [295] igualmente hijo del sultán.

Aquí ponemos fin a este primer esbozo de una nueva exposición. Sabemos bien que por el momento sería prematuro querer reconocer resultados definitivos que, por otra parte, acaso nunca permita el estado fragmentario o transformado de los textos medievales. Recordemos que en los pasajes estudiados se trata de algunos temas principales de la leyenda del santo Grial y de Perceval que tienen rasgos esenciales en común con las tradiciones

---

[292] "Pobló la cibdad de Ouiedo, et tornó y ell obispado de la cibdad de *Lucerna* la que los vuandalos poblaron en Asturias" (*PCG,* ed. cit., pág. 337). "Matáronle en Cangas por uengança dell hermano (llamado Vimarano, que Fruela había muerto con su propia mano), et fue soterrado en Ouiedo con su mugier donna Monnina" (la misma obra, pág. 343).

[293] He aquí una última sugerencia: Titurel = Ti (quizás en vez de *Rei, Roi*) + *Turel* < *Truel* por *Fruel.* Pero véase la nota 160 del art. sig. El *Frolac* mencionado arriba es "roi de France" en el *Didot Perceval* (ed. W. Roach, Filadelfia 1941) y "duque de Alemania" en la *Estoire de Merlin* y *Le Livre de Lancelot del Lac,* siendo las variantes de este nombre *Froille(s), Frolei, Frol(l)es.* Un *Froil(l)e* es caballero en el *Tristan en Prose.*

[294] Repararemos en que *Tiber (Timbor)* también es el nombre de la madre francesa de Bernardo del Carpio (nuestra pág. 42 arriba). Conforme a J. Horrent es "desconocido en la gesta francesa, ...una invención española" (obra cit., pág. 474).

[295] Otros nombres semejantes: *Karadues (Erec,* 1719); cfr. *Karadigne* = Cardeña, cerca de Burgos; *Cardos* de Bradigans, rey sarraceno (*Enfances Ogier,* 4823); *Car(a)dos,* rey de Estrangorre, y otro *Carados (Karados)* de la leyenda arturiana (véase O. Sommer, *The Vulgate Versions,* vol. VII, Wasthington, 1916), pág. 20. Para *Estrangorre* cfr. nuestra nota 138, en página 245.

más significativas de España. En resumen: 1) la fuente más remota del *Parzival* señala a Toledo (Flegetânîs y Kyôt); 2) el texto de la obra de Wolfram contiene numerosas alusiones a España (topónimos y nombres de persona — lo mismo que el *Titurel* de Albrecht); 3) los acontecimientos de Sarras en el relato de la *Estoire* nos recuerdan la historia de la toma de la mezquita de Toledo por el arzobispo Bernardo y un episodio del *Rolando* que se refiere a la conquista legendaria de Zaragoza; 4) el castillo del santo Grial en la leyenda de Perceval podría relacionarse con los santuarios de Oviedo y de Sahagún históricos — es en éste último donde una copa preciosa fue venerada en la época de Fernando el Magno; 5) es posible que la leyenda de Perceval sea un reflejo poético del padre caballero Bernardo de Cluny, abad de Sahagún, más tarde de Toledo y primado de España; 6) el país de los gigantes que destruirá la lanza santa puede situarse al Noroeste de la Península Ibérica [296], el *Munsalvaesche* sería un monasterio de España septentrional o una montaña donde fue erigido dicho santuario; 7) la ciudad de *Camalot* que se menciona en el *Lancelot* y la *Estoire* sirve como punto de partida para la toma del territorio no conquistado, un papel que incumbe a Camala (Sahagún) [297] en la historia de la

---

[296] También es el rey Arturo que mata el "gigantem ex partibus Hispaniarum" refugiado "in cacumine montis... Michaelis" (segundo Geoffrey, *Hist. Reg. Brit.* X, 3, y *Estoire de Merlin*, ed. Sommer, pág. 428). M. de Riquer (en *Un aspecto jurídico en Li Contes del Graal, Romania*, LXXXII, 1961, pág. 403 s.) compara *Perceval*, 7371-92 y 8411-13 con un texto del *Fuero Real de España* (cap. De los rieptos y desafíos) del año 1255. Sobre el paso de algunos elementos de la *Crónica Najerense* (leyenda de la "Condesa traidora") al *Beuve de Hantone* y por medio de éste al *Tristán de Leonois*, véanse nuestras *Interpretaciones hist.-leg.*, nota 31. El "*Arestagnus* [var. *Arastagnus, Aristagnus*], rex Britannie [Britagnorum, cum tribus milibus virorum fortissimorum]" ("*Arastan[ne]s*, le rois de Breta[i]gne" — *Crónica de Turpín*, ed. Smyser y ed. Mortier, respect.) se llama *Tristany* en la traducción catalana del siglo xv (*Turpí, Història de Carles Magnes e de Rottlá*, ed. M. de Riquer, Barcelona, 1960). ¿Reflejaría el nombre de *Iseut* el de *Zaida* (*Isaide*), el de Marc el rey o conde de una marca? (Cfr. por ejemplo, en el *Carmen Campidoctoris*, 93 "Marchio namque comes Barchinone"; y véase nota 99 arriba). En tal caso la fusión con la leyenda céltica de Drestan no sería anterior al siglo xii, lo que en efecto parece indicarnos la tradición escrita. Cfr. nota 166 en la pág. 249.

[297] También es a orillas del Cea donde se había construido un monas-

cruzada española y según las leyendas carolingias que se relatan en la *Crónica de Turpín* y el *Anseïs*; 8) el simbolismo relacionado con el tema de la fertilidad perdida y restablecida en la leyenda del Grial parece coincidir con las tradiciones de San Facundo (Sahagún que fue poblada por numerosos franceses); 9) el rey "méhaigniez" ocultaba —como su padre y el rey Arturo— algunos rasgos de los monarcas de Castilla; 10) su ocupación de pescador recuerda la tarea impuesta a Santiago de Galicia y el simbolismo vinculado a este personaje en la Biblia y las leyendas españolas.

Una parte de estas analogías nos parece ser única, pues no se encuentra en la historia ni la literatura de los otros países. El simbolismo de estos pasajes, frecuentemente enigmático a primera vis-

---

terio en honor a San Cristóbal (año 968 según el Tudense, ed. cit., pág. 84). Según la leyenda éste había llevado a Cristo de una orilla a la otra. Considerado nativo de Córdoba en la Edad Media, también se le veneró en Toledo. Aparece junto a Santiago en el himno *Hujus Diei Gloria*. Para éste último véase J. Szövérffy, *Zur Analyse der Christophorus-Hymnen*, en la revista *Philologie*, vol. LXXIV (1955), págs. 4-5. El himno más antiguo de San Cristóbal es un texto de origen mozárabe conservado en diversos manuscritos de Madrid y de Toledo (provenientes de Silos). Szövérffy, en su libro *Szent Kristóf-Der Heilige Christophorus und sein Kult*, Budapest, 1943, págs. 12 s.; 27 s.; 48 s.; 64 s., señala asimismo que San Cristóbal era originariamente un gigante (un segundo Goliat, un nuevo Hércules). Las acciones de la leyenda se desarrollan "in Licia" (que puede confundirse fácilmente con Galicia, el país de los "gigantes", bordeado por el río Cea, donde se encontraba el santuario mencionado de San Cristóbal). Es allí también donde después de la conversión de San Cristóbal (quien anteriormente tenía puesta su fe en Apolo y Mahoma, según una tradición) se realizó el milagro del bastón que reverdece y donde el santo se dedica a la ocupación de pescador. El propio Szövérffy ha reconocido algunas afinidades entre las figuras de Cristóbal y de Perceval (*Beiträge zur Christophorus-Frage*, en *Die Nachbarn*, vol. II (1954), pág. 67; *Deux Héros féodaux: Perceval et Saint Christophore*, en *Aevum*, XXXVI, 1962, 258-267). Agreguemos aquí que Coímbra, según el *Cronicón Complutense* (véase *España Sagrada*, XIV, 92, y Menéndez Pidal, *Esp. Cid*, pág. 690) fue "capta... in vespera S. Christophori", fecha significativa, como parece, escogida para la liberación de la ciudad. En cuanto a las analogías de la leyenda reciente de Julián el Hospitalario señalemos que había monasterios que llevaban el nombre de San Julián en las regiones de Oviedo y de León desde la época de Alfonso el Casto (cfr. el albergue de Julián el Hospitalario visitado por Perceval; v. 1538).

ta, parece concordar con el misticismo particular del espíritu hispánico de la época caracterizada por la fundación y el desarrollo de los santuarios en Castilla como en Galicia, notablemente bajo el reinado de Alfonso el Casto, Alfonso III, Fernando el Magno y Alfonso VI. Puede suponerse que un autor como Kyôt [298] estaba familiarizado con las tradiciones españolas y que fue de los primeros que las transmitieron. Así creemos haber presentado una primera selección de analogías en las que hasta ahora no se ha o se ha reparado apenas, pero que son dignas de consideración en vista de futuras investigaciones que deberían conducir más lejos. La estratificación de las leyendas tiene dos aspectos, uno cronológico y otro geográfico. El primero se explica por la repetición de ciertos sucesos históricos semejantes: por ejemplo las diversas tomas de Coímbra, los diferentes sitios de Zaragoza, los dos "emperadores", el desarrollo de Camala-Sahagún en dos épocas, etc.; el otro por la existencia de homónimos o de denominaciones de fácil confusión: Galicia/Gales, Bretonica/Bretaña, los topónimos y personajes asturianos y "arturianos", etc. Estas dos perspectivas son esenciales para la investigación futura de las leyendas épicas. Aunque hemos presentado los detalles en forma de preguntas, a fin de dar al lector imparcial la posibilidad de juzgar por sí mismo, la orientación general de los resultados obtenidos no da lugar a dudas acerca de una dirección que tendrán que tomar las nuevas investigaciones, que deberán conducir a una revisión sistemática de los cantares de gesta y de la épica cortesana. Los hispanistas tendrán un puesto importante en ella.

---

[298] Lo que falta no es solamente la fuente más importante de *Parzival,* sino precisamente la de la *Canción de Rolando,* otro "latînsche Buoch"; la *Gesta Francorum.*

ESPÍRITU HISPÁNICO EN UNA FORMA GALORROMANA (II)

LA LEYENDA DEL SANTO GRIAL Y ESPAÑA

EL 'FLEGETÂNÎS' Y 'KYÔT' HISTÓRICOS (TOLEDO)

En el estudio precedente señalamos los elementos principales del *Perceval/Parzival,* de la *Estoire du Graal* y de los dos *Titurel,* relacionados con España. En referencia al *"Flegetânîs"* discutimos *Felek thāni,* el título de un libro árabe [1], y propusimos a guisa de

---

[1] Entre las teorías presentadas hasta aquí subrayemos además la de P. Hagen que quiere identificar *"Flegetânîs"* con *Thabit* Ibn Qurra (m. en 901), llamado Thébit y a quien Wolfram efectivamente menciona en *Parzival,* 643, 17 *(Thêbit).* Véase el comentario y la bibliografía de E. Martin en su edición de *Parzival,* vol. II (Halle 1903), pág. 350. Sobre *Thabit* cfr. ahora P. Duhem, *Le Système du Monde,* vol. II, París, 1914 y 1954, páginas 117-119; 237-249; 256-259; III, 380 s.; 412 s.; 427 s.; 481 s.; y G. Sarton, *Introduction to the History of Science,* vol. I, Baltimore, 1950, páginas 599 s. Comp. también P. Boncompagni-M. Steinschneider, *Vite di Matematici Arabi,* en *Bullettino di Bibliografia e di Storia delle Scienze matematiche e fisiche,* vol. V, Roma, 1872, págs. 443-447; y F. J. Carmody, *The astronomical Works of Thabit b. Qurra,* Berkeley-Los Angeles, 1960. — Thabit nació en Mesopotamia (Sarton, 599) pero se consideraba "di nazione Spagnuolo" (Boncompagni, 443). Cfr. J. M. Millás Vallicrosa, *Nuevos Estudios sobre Historia de la Ciencia española,* Barcelona, 1960, págs. 191-210. — Wolfram también menciona *"Kancor"* (en *Parzival,* mismo lugar) designando con este nombre a otro sabio de Bagdad del siglo IX que se había especializado en medicina (véase Martin, ed. cit., II, 445).

ensayo *Toletanus, Ferecio* (**Ferrezolanis*), *Pherekydes* y *Phlegon* (*Flegonte, Flebietan*)[2]. Agreguemos ahora a esta lista al astrónomo árabe *Al-Farghānī* (de la primera mitad del siglo IX), muy conocido en la Edad Media bajo el nombre de *Al-Fergani, Alfarganus* o *Alfregani*[3], y que aún cita Dante[4]. El nombre completo del sabio tolomeo, nacido en Farghānā en Transoxiana (Turquestán, Samarcanda), era Abu-l-'Abbas Mohammed Ahmad Ibn Kathīr Al-Farghānī.

Dante conocía también las obras del famoso traductor y mago Miguel Escoto (o Scot) que con cierta probabilidad no es otro más que el maestro *Kyôt*[5], el encantador[6] y "provenzal"[7]. Citemos

---

[2] En nuestro estudio precedente, págs. 166 ss.

[3] Duhem, II, 44-47; 51-53; 206-211; III, 219-221; 466-469; y Sarton, I, 567; Boncompagni-Steinschneider, 431-433. Cfr. asimismo J. M. Millás Vallicrosa, *Las Traducciones orientales en los Manuscritos de la Biblioteca Catedral de Toledo*, Madrid, 1942, págs. 17; 19; 141 s.; 166; 173 s.; 180; 196; 200; 219 s. Bastante difundido estaba el libro de Muhamedi Alfragani Arabi, *Chronologica et Astronomica Elementa* (ed. J. Christmann, Francfort, 1590). Otra obra: *Alfragani liber in scientia astrorum et radicibus motuum celestium*, códice de 1135, ed. Nuernberg 1537, París 1546. Recientemente F. J. Carmody editó Al-Farghani, *Differentie Scientie Astrorum*, Berkeley, 1943. — Ya en 1954 en el artículo *Interpretaciones histórico-legendarias en la épica medieval*, de la revista *Arbor*, XXX, pág. 189, n. 30, calificamos el problema de "Flegetânîs" como tarea futura de los críticos literarios arabizantes.

[4] *Convivio*, II, 14, 95. Alusiones frecuentes al sistema celeste también en *Paradiso*. Véase P. Toynbee, *Concise Dictionary of Proper Names and notable Matters in the Works of Dante*, Oxford, 1914, págs. 22 s.; y del mismo autor, *Dante's Obligations to Alfraganus in the Vita Nuova and Convivio*, en *Romania*, XXIV (1895), 413-432. — Comp. también el movimiento diurno como siendo el que, según Al-Farghānī, mueve el todo (Duhem, II, 207, cita: "duobus primis motibus caeli, quorum unus est motus totius, alter vero stellarum"), con *Par.*, XXXIII, 145.

[5] "Kyôt der *meister* wol bekant" (*Parzival*, 453, 11); "Kyôt der *meister* wîs" (455, 2).

[6] "Kyôt *la schantiure* hiez" (416, 21), es decir "l'enchanteur". Algunos críticos opinaban que se trataba de un "cantor" (fran. ant. *chanteor*); cfr. Martin, II, 328.

[7] "Kyôt ein *Provenzal*" (416, 25; véase también 805, 10 y 827, 5).

Inferno, XX, 115-116: "Michele Scotto fu, che veramente Delle *magiche frode* seppe il gioco"; y entre los otros muchos autores italianos [8] solamente a Boccaccio, *Decamerone,* VIII [9]: "un gran *maestro in nigromanzia*", y al Anónimo Fiorentino del siglo XIV: "fu questo Michele *della Provincia di Scozia*" [9]. Señalemos también que su libro sobre la astronomía lleva una dedicatoria a Étienne *de Provins* [10], y particularmente que Jacob Anatoli *de Provence,* según conjeturas verosímiles, fue quizá el colaborador de Escoto en las traducciones del hebreo [11]. Después de haber estudiado en Oxford y en París, Miguel Escoto vivió durante algunos años (aproximadamente de 1209 a 1221) en Toledo [12], donde aprendió el árabe y se convirtió en uno de los traductores más distinguidos de

[8] Véase G. A. Scartazzini, en *La Divina Commedia di Dante,* vol. I, Leipzig, 1900, págs. 339 s.

[9] Scartazzini, obra cit., I, 340. En aquella época Escocia era una provincia de Gran Bretaña, la cual se encontraba por su parte "bajo el yugo de los normandos" franceses (J. H. Burton, *History of Scotland,* vol. II, Edinburgo, 1901, pág. 3). Cfr. J. Wood Brown, obra cit. en nuestra nota 14, pág. 6; "That part of the Scottish lowlands adjacent to the See of Durham and in a sense its *province,* as subject to its influence, just as Provence, the analogous part of France, had its name from the similar relation it bore to Rome". Véase este mismo libro, pág. 275, acerca del "magistro infra provinciam" del texto de las *Regesta Vaticana.*

[10] Ms. 98-22, N 324 del Inventario de 1727 de la Biblioteca Capitular de Toledo, fol. 2r: "Tibi, Stephane de Prouino". Véase Millás Vallicrosa, obra cit., pág. 202; y Sarton, II, 579. Étienne de Provins figura en diversas cartas de 1211 a 1221; cfr. E. Renan, *Averroès et l'Averroïsme,* 4.ª ed. París, 1893, pág. 206, n. 1.

[11] Véase Sarton, II, 565 s.; 581; Duhem, III, 300-302; *Encyclopaedia Judaica,* vol. II (1928), págs. 772-774. Jacob Anatoli de Provence (1194-1256?), talmudista, averroísta y traductor de Al-Farghānī como Escoto, acaso fuera confundido por Wolfram con éste último al componer los textos citados en nota 7.

[12] "Toledo und Nigromantie war einerlei... Von allen Ländern gehen angeblich die scholares um Nigromantie zu studieren nach Toledo" (V. Rose, *Ptolemaeus und die Schule von Toledo,* en *Hermes,* vol. VIII, 1874, pág. 343). Escoto murió alrededor de 1232 y no en 1291 como incomprensiblemente indica P. Gallais, en *Cahiers de Civilisation Médiévale,* VI, 1963, pág. 351.

esta lengua al latín [13]. Su obra principal fue el *Liber Astronomiae* [14]
de Al-Biṭrūǧī [15] (o Al-Bitrogi, Alpetragius) [16] de la segunda mitad
del siglo XII. Al-Biṭrūǧī tomó muchas de sus ideas de la escuela
filosófica de los árabes y hebreos de España conocida por el nombre de Hermanos de la Pureza y de la Sinceridad [17], que se basa
en parte en la astronomía de Al-Farghānī. Esta última ya había
sido trascrita al latín por el judío converso Jo(h)annes Hispanus (o

---

[13] Millás Vallicrosa, obra cit., págs. 10 s.: "En Toledo tradujo, a principios del siglo XIII, el célebre traductor Miguel Escoto; en uno de los
manuscritos... se terminó la traducción de la obra astronómica de Alpetragius en viernes, a 18 de agosto del año 1217, con la colaboración del le-
vita Abuteus, en el cual, al parecer, hay que reconocer al judío converso
Andrés, aludido por Rogerio Bacon... El centro principal fue, sin disputa
alguna, Toledo... Tampoco en Barcelona, así como en las florecientes ciudades de Languedoc y Provenza... Otro conducto... fue la corte de los
Hohenstaufen en Sicilia y la de Carlos de Anjou en Nápoles... Hacia el
último tercio de la Edad Media ya encontramos bastantes traducciones de
obras árabes que llegaron al latín a través de traducciones hebreas, como es
el caso con muchos tratados de Averroes. En general, estas traducciones
medievales pecan de un extremado literalismo que las hace a veces ininte-
ligibles o bien oscuras...". Cfr. también Cervantes, *Quijote*, I, cap. IX, sobre
el "morisco aljamiado" en Toledo, que ayuda al autor a traducir la historia que compuso Cide Hamete Benengeli y que había sido comprada en
esta ciudad.

[14] Sobre ésta y las demás obras de Escoto cfr. Duhem, III, 241-249;
344-347, Sarton, II, 579-582; L. Thorndike, *A History of Magic and Experimental Science*, vol. II, Nueva York, 1923, págs. 307-337. Véase también
J. Wood Brown, *An Enquiry into the Life and Legend of Michael Scot*,
Edimburgo, 1897; F. Ferguson, *Bibliographical Notes on the Works of
Michael Scot*, en *Glasgow Bibliographical Society Records*, vol. IX (1931),
págs. 75-100; y A. H. Querfeld, *M. Scottus und seine Schrift De Secretis
Naturae*, Leipzig, 1919 (tesis). Comp. además M. Menéndez y Pelayo, *Historia de los Heterodoxos Españoles* (ed. de Madrid, 1956), vol. I, páginas 492 s.; R. Menéndez Pidal, *España, eslabón entre la Cristiandad y
el Islam*, Madrid, 1958, pág. 49; L. Thorndike, *M. Scot*, Londres, 1965.

[15] Véase Duhem, II, 146-157; 220-222; 251-254; III, 241-248; 258-260;
272-274; 282-284; 327-333; 345-350; 420-430; 437-439; 449-452; Sarton,
II, 399 s.

[16] Mencionado por Dante en la forma de Alpetragio en *Convivio*, III,
2, 37.

[17] Cfr. F. H. Dieterici, *Die Philosophie der Araber im X. Jahrhundert*,
Leipzig, 1876-79; *Die Lehre von der Weltseele bei den Arabern im X. Jahrhundert*, Leipzig, 1872; Duhem, II, 50-51; 166-171; 215-220; 357-359.

Hispalensis o Avendehut, Solomon Ben David)[18], y por Gerardus Cremonensis[19] (ambos vivieron en el siglo XII y llevaban el sobrenombre de *Toletanus*)[20]. A éste último lo llamó "Gerardus tholetanus"[21] un contemporáneo, el inglés Daniel of Morley, que también había estudiado ciencias en Toledo. — Si Wolfram, en *Parzival*, y Albrecht, en el *Titurel* "reciente", nos dicen que "Kyôt" halló la historia del santo Grial (por "Flegetânîs") en Toledo y la volvió a encontrar en las crónicas latinas en Anjou, debemos hacer hincapié en que Escoto/"Kyôt" tuvo una razón particular para dirigirse allí a fin de informarse acerca de la "materia de Bretaña"[22]: Inglaterra y Escocia, su patria, estaban gobernadas por los angevinos[23].

Antes de discutir los detalles, presentemos ya aquí nuestra conclusión fundamental en forma de hipótesis de trabajo: Miguel Escoto había encontrado en Toledo (después del año 1209) el ma-

---

[18] Véase Duhem, III, 117-183; Sarton, II, 169-172; Thorndike, II, 73-78; 183 s.; 794 s.; M. C. Díaz y Díaz, *Index Scriptorum Latinorum Medii Aevi Hispanorum*, Madrid, 1959, págs. 216-221. Cfr. asimismo Millás Vallicrosa, obra cit., pág. 174; y Menéndez Pidal, *España, eslabón*, pág. 39. Johannes también parece ser un traductor de Thābit (comp. Sarton, Díaz y Thorndike). Es posible que por esta vía Wolfram se hubiese confrontado con las ideas de Thābit. El colaborador de Johannes era el filósofo y arcediano de Segovia, Domingo Gundisalvo (o Gundissalinus). Para éste último cfr. Sarton, II, 172 s.; Duhem, III, 179-182; L. Baur, *Dominicus Gundissalinus, De Divisione Philosophiae*, editada y estudiada (Münster 1903), véase páginas 364-368 para la influencia sobre Miguel Escoto. — Por intermedio de Johannes Hispanus y Jacob Anatoli puede haberse introducido en la leyenda del santo Grial una parte de los elementos hebraicos proporcionados por la crítica (últimamente U. T. Holmes y la Hermana M. A. Klenke, *Chrétien, Troyes, and the Grail*, Chapel Hill 1959).

[19] Duhem, III, 216-223; Sarton, II, 338-344; Thorndike, II, 87-90; 119 s.; 758 s.

[20] Sarton, II, 169; Rose, art. cit., pág. 332. De modo semejante, Escoto fue llamado "magistro Michaele Scotto *Toleti*" en el manuscrito de Madrid de su versión de Al-Bitruji publicada en 1217; cfr. Ch. H. Haskins, *Michael Scot and Frederick II*, en *Isis*, Bruselas, 1921, pág. 251, nota 3.

[21] Cfr. Thorndike, II, *88*.

[22] Para la "Bretaña" véanse nuestras notas a continuación, último capítulo, pág. 250 s.

[23] Más tarde Escoto había ido a Alemania e Italia, donde se convirtió en el astrólogo predilecto del emperador Federico II de Sicilia.

nuscrito árabe de una obra principal de Al-Farghānī, así como las traducciones de Johannes Toletanus-Hispanus y de Gerardus Toletanus-Cremonensis ("latînschen Buochen"), la de éste último acaso en Anjou ("Anschouwe"). Al efectuar la búsqueda de la misma historia en España, en Francia y en Inglaterra, también había dado con la fuente de Chrétien basada no solamente en Al-Farghānī en las versiones de Johannes y Gerardus, sino al mismo tiempo en una crónica latina de los reyes de España que igualmente llevaba por autor el nombre de un Toletanus [24]. Esta fuente había combinado a los tres Toledanos y, a la manera de Geoffrey de Monmouth y de Guillermo de Malmesbury, probablemente había confundido varios hechos históricos con los elementos tomados de las leyendas británicas. El *Perceval* de Chrétien, así como una relación perdida de Miguel Escoto sobre lo que había hallado, estaba en manos de Wolfram († hacia 1220), quien habría compuesto bastante tarde la versión conocida de su *Parzival* [25]. De la misma manera como los elementos heterogéneos de la fuente de Chrétien pasaron por la obra de un mismo Toletanus, Wolfram había asimilado el nombre de Escoto al de su "Kyôt von Katelangen", un personaje de su poema, a menos que se trate de un error de ortografía (¿habría

---

[24] Cfr. B. Sánchez Alonso, *Fuentes de la Historia española e hispano-americana*, vol. I, 3.ª ed., Madrid, 1952, passim; R. Menéndez Pidal en la introducción a su edición de la *Primera Crónica General*, vol. I, Madrid, 1955, págs. XXXIX-XLI ("fuentes perdidas"). En *Reliquias de la Poesía épica española*, Madrid, 1951, págs. XVI s. Menéndez Pidal nos habla de la "enorme destrucción de libros" en España. Señalemos aquí la interesante observación de M. Milá i Fontanals, en *De la Poesía heroico-popular castellana* (1873, nueva ed. Barcelona, pág. 474): "La primera mención de nombres galeses que hallamos en la literatura castellana es la de los *Anales Toledanos primeros* (*Esp. sagr.* XXII, 381) que llegan tan sólo al año 1217: "Lidió el rey Citus (léase Artús) con Mordret en Camlenc (Camlan). Era MLXXX' (año 1042!)". Debe observarse que 1217 es precisamente un año en que Miguel Escoto aún se encontraba en Toledo.
[25] Según G. Ehrismann, *Geschichte der deutschen Literatur bis zum Ausgang des Mittelalters,* II, I, Munich, 1927, el *Parzival* se concluyó hacia 1210 (pág. 217). Sin embargo no se le había "gleich im Gesamtumfang veröffentlicht, sondern in Abschnitten. ...Ohne Entscheidung der Quellenfrage (Chrestien und Kyôt) lässt sich über die Art und den Umfang späterer Einschaltungen etwas Sicheres nicht bestimmen. ...Umstritten ist auch... die Entstehungszeit des Prologs" (pág. 232).

reemplazado un copista por *k* las *s* y *c* estrechamente unidas en el modelo, y habría de explicarse la *y* por el genitivo *Scoti?*)[26]. Asimismo, el pasaje de *Farghānī, Fergānī, (Al)freganus > Fregānīs, Flegānīs* + Tole*tanus > Flegetânîs* no ofrece ninguna dificultad fonética particular. El esquema siguiente resume las nuevas sugerencias.

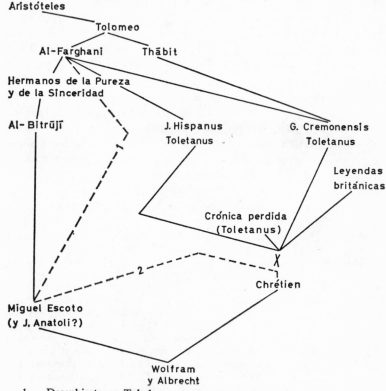

1. — Descubierto en Toledo.
2. — Redescubierto en los libros latinos en Anjou, etc.

[26] Por ejemplo "Mich. Scoti de noticia conjunctionis..." en el Incipit del ms. Bibl. Nat. (París) 14070; "Michaelis Scoti ars astronomica" en el ms. Escorial E-III-15; "Eximii... Michaelis Scoti" en la ed. Bologna 1495; "Explicit tractatus magistri Michaelis Scoti de alkemia" en el ms. Corpus

Según las tradiciones literarias, "Kyôt" habría buscado la historia ya conocida por el manuscrito de la obra de "Flegetânîs" en las crónicas latinas de los diversos países: "ze Britâne unt anderswâ, ze Francrîche unt in Yrlant", según Wolfram [27]; o en Francia, en Cataluña ("Kathelangen") [28], en Bretaña o en España ("man vindetz ouch in Spangen"), según Albrecht [29]. Fue en Anjou donde la volvió a encontrar [30]. Flegetânîs, según la indicación de "Kyôt" en Wolfram, descendía de Salomón de la raza de Israel (por el lado de su madre), siendo pagano (árabe) por su padre [31]. Ahora bien, en Toledo y en la España musulmana se tenía costumbre de derivar su linaje de preferencia del de Salomón [32], aun siendo árabe o cristiano. No sólo eran israelitas gran número de sabios distinguidos y casi todos los traductores, muchos de los cuales se habían establecido en Toledo, el centro del arte mágica por excelencia [33],

Christi 125; "Michaelis Scoti astronomi Salernitani liber de animalibus" en el ms. Bologna 693; "Explicit nicromantiae experimentum illustrissimi doctoris Domini Magistri Michaelis Scotti" en el ms. Laurenziana P. LXXXIX, sup. cod. 38; etc. (Véase Thorndike, II, 308-310; Ch. H. Haskins, *Studies in the History of Mediaeval Science*, Cambridge, Mass., 1924 y 1927, páginas 272-298). Comp. también el *scot(t)icus* empleado en el texto (S. H. Thomson, *The Texts of Michael Scot's Ars Alchemiae*, en *Osiris*, vol. V, Bruges, 1938, págs. 533 s.).

[27] *Parzival*, 455, 10-11.

[28] Para "Kathelangen" cfr. *Espíritu hispánico* (1), passim. — El *Erec* alemán de Hartmann menciona un "Marlivliôt von Gatelange" (ms. *A*) y un "Barcinier" (v. 1679). El primero quizá fuera tomado del Wolfram (*Parzival*, 186, 22; 190, 16, y *Titurel*, 23).

[29] *Der jüngere Titurel*, 5791, 1-4. Esta obra estaba muy difundida; han llegado hasta nosotros 42 manuscritos del texto o de fragmentos.

[30] *Parzival*, 455, 12; *Der jüngere Titurel*, 5791, 3.

[31] *Parzival*, 453, 26-27; 454, 1.

[32] Por ejemplo Thābit (cf. Martin, II, 350; Thorndike, I, 662), Alcoati (Rose, pág. 337, n. 1: "salomoni filii alcoati christiani toleti"), y acaso Johannes Hispanus (Sarton, II, 169; 172).

[33] Varias leyendas se habían desarrollado sobre este tema, por ejemplo la de Hércules como maestro del arte toledano (en Pedro de Rojas, *Historia de Toledo*, cap. XV). Se considera que la Cueva de Hércules en Toledo es la cueva donde el rey Rodrigo había abierto el palacio misterioso y veía, como en una visión premonitoria, la invasión de España por los caballeros moros (*PCG*, 307, de acuerdo con el Toledano III, 18, y el Tudense, página 70). Virgilio había aprendido nigromancia en Toledo, según *Les Faicts*

ya al finalizar la época de Nabucodonosor [34], sino que además en la Edad Media se atribuían libros mágicos al propio Salomón. Particularmente durante el siglo XIII y antes fue considerado mago y autor de diversos tratados astrológicos, entre los que se cuenta el *Fragmentum de Planetarum Influentia*, los *Secreta Secretorum* y el *Liber Sacratus*, donde escribe sobre nigromancia, las apariciones de los ángeles y otros misterios divinos [35]. También Alberto Magno menciona cinco tratados execrables atribuidos a Salomón [36]. Esto puede ser significativo en lo que concierne al *Parzival*, 453; 23; 26; 30 "Ein heiden (pagano) Flegetânîs… Was geborn von Salmôn… Der schreip von grâles âventiur" (fue él quien escribió sobre la historia maravillosa del Grial). Independientemente del sentido exacto de este último verso, comprendemos por qué

merveilleux de Virgille (cf. D. Comparetti, *Virgilio nel Medio Evo*, vol. II, 1872, pág. 267). Sobre la enseñanza de este arte en Toledo véase también la *Gesta Rerum Anglorum* de Guillermo de Malmesbury, las leyendas épicas alemanas de *Biterolf und Dietlieb* y *Die gute Frau*, así como el *Conde Lucanor* de Juan Manuel, ejemplo XI (Don Illán el Gran Maestro de Toledo). Recordemos también el Garcilaso de la Vega del *Conde Lucanor* que "cataba mucho en agüeros", y la alquimia como tema literario en el *Conde Lucanor*, ej. XX; *Caballero Cifar*, ed. C. P. Wagner, págs. 446 s. La astrología todavía fue discutida de una manera bastante imparcial por Juan Ruiz en el *Libro de Buen Amor*: "Muchos hay que trabajan sienpre por clerezía… En cabo saben poco: que su fado les guía, Non pueden desmentir a la astrología" (125, 1; 3-4); "Creo ser verdaderos, Segund natural curso, los dichos estrelleros" (127, 3-4): "Yo creo los estrólogos verdad naturalmente; pero Dios, que crió natura e açidente, Puédelos demudar e fazer otramente, Segund la fe cathólica: yo desto so creyente" (140, 1-4); "Ellos e la su çiençia son çiertos, non dubdosos; Mas contra Dios non pueden yr nin son poderosos" (150, 3-4).

[34] Véase *Espíritu hispánico* (I), n. 89.

[35] Véase Thorndike, II, 279-289. La nigromancia fue condenada por el autor de la *Crónica de Turpín* —al hablar de la época carolingia— y expresamente excluida de las artes liberales: "Nigromantia ex qua oriuntur piromantia et ydromantia, et liber sacratus, immo execratus, non ibi (en el palacio edificado por Carlomagno) depictus fuit, quoniam libera ars minime habetur. Et idcirco ars adulterina dicitur" (ed. cit., págs. 88 s.).

[36] Thorndike, II, 280. Dirijamos también la atención hacia los dos "gigantes" antiguo-medievales "Athlas magnus astrologus rex Ispaniensium" y "Nemroth inspector celorum". Philippe de Thaon trata a éste último en su *Cumpoz* (año 1119), y más tarde en España el Arcipreste de Talavera. Véase Haskins, obra cit., págs. 336-345.

"Kyôt" en Wolfram atribuye tanta importancia a la descendencia semijudía del árabe "Flegetânîs", que era él mismo *"fisîôn"* (453, 25) [37].

También cabe preguntarse por qué "Kyôt" en Wolfram hace hincapié en que "Flegetânîs": "an ein *kalp* bette als ob es waer sîn got" (454, 2-3). Citemos según la traducción de Hatto [38] los versos 454, 1-8; "Era pagano por su padre, este Flegetânîs que adoraba un becerro como si fuese su dios. ¿Cómo es posible que el Diablo se burle de esta manera de personas tan sabias, sin que el Todopoderoso, que conoce todas las maravillas, los haya apartado o un día los aparte de error?" Esta interpretación, que por otra parte era corriente en los círculos críticos, no corresponde en absoluto al hecho histórico: ni los árabes ni los judíos adoraban un becerro en la época de "Flegetânîs". Se tratará de una indicación basada en una palabra corrompida. He aquí una sugerencia: *kalp* = árabe *khalifa*, lat. *calipha*. Es bien sabido que los cristianos de la Edad Media creían que los árabes adoraban las imágenes de Mahoma. Los sucesores y representantes de éste último son los califas [39].

Pero volvamos ante todo a la magia y la astrología. "Salomón", Thābit [40], Al-Farghānī y Miguel Escoto eran considerados sabios en ambos dominios. En cuanto a la astrología, remitamos al lector a *Espíritu hispánico* (I), págs. 199 s., donde se trata el mito de Sa-

---

[37] Esta palabra significa "físico" (según Martin, II, 350), "contemplador de los astros" (según M. A. Hatto, en *Les Romans du Graal*, Coloquios de Estrasburgo, 1954, París, 1956, pág. 169), o acaso "teórico-astrólogo, visionario" (el ms. *Gd* da "vision" — cfr. nuestra nota que explica el nombre de la "Celestina" en la célebre obra española). Otra posibilidad que debemos considerar es *fisîôn* < fran. ant. *fisicien* "médico" o "médico-astrólogo" (lo que era Al-Farghānī en menor medida que su sucesor, Miguel Escoto —véase en particular pág. 234 abajo). Para *fisicien* cfr. Tobler-Lommatzsch, *Altfranzösisches Wörterbuch*, vol. III, col. 1881 s.; San Marte, *Parcival-Studien*, I: *Guiot von Provins*, Halle, 1861, pág. 261.

[38] Véase el estudio citado en la nota precedente.

[39] Podría pensarse también en *kalp* por lat. *calix*, pero la observación de Wolfram sobre el Diablo citada más arriba se opone a esta hipótesis. Cfr. n. 195.

[40] Sobre Thābit véase ahora el libro de F. J. Carmody, *The Astronomical Works of Thābit ben Qurra*, Berkeley-Los Ángeles, 1960; pero cfr. *Speculum* XXXVII (1962), págs. 99 s.

turno en el *Parzival.* Este tema también lo trata "Salomón" en una de las obras que se le ha querido atribuir [41]. Según Miguel Escoto el gigante Atlas fue quien introdujo la astronomía en España [42] (cf. *Espíritu hispánico* (I), págs. 187 s., sobre *Logres* y España como países de gigantes). Wolfram enumera los nombres de los siete planetas en lenguaje "pagano" (es decir, árabe): "Siben sterne si dô nante Heidensch... Zwâl..., Almustrî, Almaret... Samsî..., Alligafir..., Alktêr..., Alkamêr" (782, 1-12) [43]. De su movimiento depende el estado de salud del rey del Grial (490, 3 s.). Sólo la lanza puede aliviar el dolor. Se habían ensayado sin resultado las numerosas recetas halladas en los tratados medievales de medicina ("arzetbuoche"; v. 481, 6), entre cuyos autores eran Johannes Hispanus y Miguel Escoto. Éste escribe: "Nam tot sunt medicine quot sunt infirmitates et haec constant in tribus videlicet in verbis, herbis, et lapidibus, virtutes quorum quotidie videmus ut in hostia sacrata super altare in magnete et ferro navigantes in alto mari, et in emplastris, pulveribus, et consertis" [44]. El tema del unicornio como remedio contra las enfermedades y la posibilidad de capturarlo con la ayuda de vírgenes (*Parzival,* 482, 24 s.) se encuentra en San Isidoro de Sevilla [45] (siendo su fuente Solino) y Hildegarde de Bingen [46]. No hay casi ningún tema en el *Parzival* que históricamente no aluda también a España.

En *Parzival* algunos aspectos astronómicos se relacionan con el origen mismo del Grial. Citemos los versos 454, 9-30 según la traducción de Hatto [47]: "Flegetânîs, el pagano, sabía determinar exactamente la desaparición de cada astro y su reaparición, y cuánto tiempo emplea para recorrer su órbita antes de volver a encontrarse en el punto de partida. El curso circular de los astros arrastra tras

---

[41] Thorndike, II, 289.

[42] Obra citada, II, 322.

[43] Se trata de Saturno, Júpiter, Marte, el Sol, Venus, Mercurio y la Luna.

[44] Thorndike, II, 324, n. 4; véase también II, 331 sobre la *Phisionomia* de Escoto.

[45] Para el texto véase Martin, II, 369.

[46] En su obra *Subtilitates,* VII, 5. Cfr. Thorndike, II, 146.

[47] Contenido en el artículo citado arriba.

de sí la multitud inmensa de los humanos [48]. Los ojos del pagano Flegetânîs observaban en los astros —de los que no hablaba sin estremecerse— los misterios ocultos. Afirmaba que había un objeto llamado Grial: el nombre que se le daba lo había leído sin vacilación en los astros. Una tropa [de seres supremos, de ángeles] lo depositó en la tierra, y volvió a las alturas, más allá de las estrellas. Que sea o no su inocencia lo que les hace volver, el hecho es que desde entonces son gentes cristianas por el bautismo las que tienen necesidad del objeto, sujetas a una vida de disciplina y de renunciamiento. Son siempre hombres de gran virtud los que son llamados al servicio del Grial". Es pues un símbolo astrológico que se transforma en misterio cristiano.

Conforme a Wolfram, el Grial sería una piedra: 469, 7 "Er heizet *lapsit exillis*"; 469, 28 "Der stein ist ouch genant der *grâl*". Para la explicación del primero se ha remitido a *iaspis* (ms. *gg*) *erillis* (ms. *G, < lat. herilis?* = "dominicus, que pertenece al Señor"), *lapis* (ms. *d*), *lapsit exilis* (ms. *g < lapsi de + ex caelis?* = "que cayó del cielo"), etc. [49]. Sin duda Wolfram pensaba en una piedra preciosa o en un meteoro [50]. Los lapidarios de la Edad Media y el propio *Parzival* y *Titurel* "reciente" abundan en ejemplos de piedras preciosas. Un número de autores, entre los que se cuenta a Al-Farghānī, Gerardus Cremonensis y Escoto [51] habían publicado obras acerca de los meteoros.

En lo que concierne el *lapsit exillis*, debe procederse por tanteo. ¿Se trataría de una piedra mágica, como las gemas gnósticas [52] o

---

[48] Nota del traductor: "Lo cual significa que los destinos humanos están ligados a las revoluciones de los astros".

[49] Véase Martin, II, 359 s.

[50] Según una tradición germánica el Grial era la piedra luminosa de la corona de Lucifer que se volvió negra después de la caída (cfr. San Marte, *Parcival-Studien*, II, págs. 53 s.); *Parzival*, 471, 15 s., parece ser un reflejo de esta leyenda.

[51] Cfr. la bibliografía citada de estos autores; además: F. H. Forbes, *Mediaeval Versions of Aristotle's Meteorology*, en *Classical Philology*, vol. X (1915), págs. 297-314.

[52] Véase Thorndike, I, 379 s. — Cfr. también el catálogo de gemas diversas en el *Parzival*, 791, 1-30 y el *Titurel* "reciente", 528-546. Sobre éste último comenta F. Zarncke, en *Der Graltempel — Vorstudie zu einer Ausgabe des Jüngeren Titurel*, Leipzig, 1876, págs. 550 s.

las que menciona Hildegarde de Bingen [53], o la piedra mágica de Thābit [54], o la filosofal mencionada en la historia de _Morienus y Calid_ [55]? También puede pensarse en una contrafigura de la _Kaaba_, la piedra negra [56] en la Meca. ¿O en lugar de una piedra sería más bien una bandeja o un vaso, como la copa adivinatoria de plata de José [57], o bien el vaso mágico de Miguel Escoto [58]? Acaso puedan añadirse a esta lista las indicaciones dadas para la composición del sello del Dios viviente, contenidas en el _Liber sacer_, que también se llama el _Libro de los Ángeles_, atribuido a Salomón [59]. Se-

---

[53] Thorndike, II, 142 s.

[54] La misma obra, II, 556 s. Thābit y tantos otros fueron mencionados por Alberto Magno, quien en diversos escritos se ocupa de las obras de los magos medievales (Thorndike, II, 548-560). Finalmente, no hay que excluir la posibilidad de una confusión con el _Qarastūn_ de Thābit, traducido por _Liber Charastonis_ (si bien el _charastonis_ no es una piedra sino una balanza). Cfr. F. Buchner, _Die Schrift über den Qarastūn von Thābit b. Qurra_, en _Sitzungsberichte der physikalisch-medizinischen Sozietät_, vol. LII, Erlangen, 1922, pág. 148.

[55] La misma obra, II, 216 s.

[56] La "piedra aymant" de Mahoma, que en el texto de la _PCG_ (ed. cit., pág. 268) traduce el "lapis niger" del Toledano.

[57] _Génesis_, XLIV, 5.

[58] Thorndike, II, 321: "a white dove is to be beheaded, its blood collected in a glass vessel, a magic circle drawn with its bleeding heart; and various prayers to God, invocations of spirits, and verses of the Bible are to be repeated". Cfr. también pág. 320: "The gazing into clear, transparent, or liquid surfaces for purposes of divination is performed..., with some observance of astrological hours"; pág. 331: "While on the subject of divination we may note that a geomancy and a chiromancy have been ascribed to Michael Scot, and also prophetic verses concerning the fate of Italian cities in the style of the Sibylline verses and prophesies of Merlin"; página 323: "the planets are moved by angels"; "Names of angels also occur in some of his astrological diagrams". Aquí debemos remitir también a la escuela de filósofos árabes llamada los Hermanos de la Pureza y la Sinceridad. Según ellos los ángeles forman el coro más elevado y los ejércitos de Dios. Ocho ángeles sostienen el trono señorial. El Alma universal ejerce una fuerza especial que los filósofos y los médicos llaman naturaleza, pero la Religión le da el nombre de ángel. Ver Dieterici, _Weltseele_, pág. 18; Duhem, II, 170; 208.

[59] Thorndike, II, 288 s.: "Very elaborate directions are given for the composition of the seal of the living God. Circles are drawn of certain proportions emblematic of divine mysteries, a cross is made within, nume-

ñalemos finalmente que en el *Perceval* de Chrétien el Grial no es una piedra, sino un objeto de oro adornado con piedras preciosas (3232-39).

No obstante, Wolfram había reconocido en el *lapsit exillis* una piedra. Nos parece bastante probable que en su imaginación, y particularmente en la de su refundidor, el autor del *Titurel* "reciente", se hubiese fusionado todo tipo de concepciones cristianas y orientales: un ara de piedra negra (como la que se conserva en San Isidoro de León), por ejemplo, la fuente de oro y de ágata perteneciente al cáliz de Doña Urraca (León), una custodia (como la de la catedral de Toledo), la piedra filosofal o bien uno de los talismanes mágicos como los que se mencionaban todavía en el libro titulado *Picatrix*, la versión latina del *Gayat al-hakim* por Maslama Ibn Ahmad de Madrid y Córdoba (muerto antes de 1007) compuesta por la escuela de traductores de Alfonso el Sabio [60]. Se considera que esta obra, cuyo título parece corresponder a *Bucratis* = "Hipócrates", desarrolla las ideas de los Hermanos de la Pureza y de la Sinceridad (que también contienen las de Plotino) [61]. Nos habla, entre otras cosas, de talismanes de piedras y de plegarias dirigidas a los "demonios" de los planetas. Un talismán de este tipo servía para hacer descender la "espiritualidad"

---

rous letters are written down equidistant from one another... Finally, there are sacrifices, purifications, suffumigations, invocations, and prayers to be performed and offered. This seal, we are told, "will conquer the celestial powers, subjugate the aerial and terrestrial together with the infernal; invoke, transmit, conjure, constrain, excite, gather, disperse, bind, and restore unharmed; will placate men and gain petitions from them graciously, pacify enemies", etc.

[60] Cfr. nuestra nota 127 a continuación. — Si *Picatrix* realmente ya era conocido por Miguel Escoto (véase Querfeld, obra cit. pág. 13), habría que preguntarse si se había servido de otra traducción latina o del texto árabe.

[61] Para esta hipótesis señalemos ahora la reproducción del dibujo de Elias Ashmole, *Theatrum Chemicum Britannicum* (1652), publicado en *Studies in the Renaissance*, vol. VIII (1961), pág. 27. Conforme a esta tentativa —bastante reciente— de explicar la oscura piedra filosofal, el centro de los diferentes círculos del "Caelum Philosophorum" considerados de importancia para la medicina y bastante semejantes a la forma exterior de un astrolabio plano, es el "centrum lapidis" (loc. cit., pág. 28 del artículo de S. K. Heninger, Jr., *Some Renaissance Versions of the Pythagorean Tetrad*).

(angélica o divina) del planeta a la piedra, de donde se difunde a todo aquello que entra en contacto con ella [62]. La crítica tuvo dificultad en establecer una conexión lógica entre el *lapsit exillis* y el *grâl* (franc. ant. *graal*) < *gradale* o *gradalis*. Las explicaciones encontradas [63] se basaron en el léxico de Du Cange [64], que consigna *gradale* = "catini species, pro grasale", y *gradalis, -us* = "vas mensarium". Pero se han pasado por alto las otras dos significaciones que Du Cange menciona en primer lugar: 1. *gradale* = "responsum, vel responsorium, quia in gradibus canitur"; 2. *gradale* = "gradus, grado". Este último bien puede referirse a la graduación circular en grados que llevan todos los astrolabios [65]. En este caso el *lapsit exillis* del *Parzival* no sería

---

[62] Véase el artículo de H. Ritter, *Picatrix, ein arabisches Handbuch hellenistischer Magie*, Bibliothek Warburg, Vorträge, 1923, págs. 94-124. En pág. 95, Ritter también dirige la atención hacia Rabelais quien "behauptet übrigens im *Pantagruel* [XXIII], in der Zeit als er an der Schule von Toledo studierte, habe er von dem 'Révérend Père en Diable Picatrix, docteur de la faculté diabolique', Belehrung empfangen". Cfr. también Thorndike, II, 813-824. Para la influencia de Thābit en Maslama y las plegarias orientales a Saturno (en *Picatrix*, III, 8) ver la nueva edición de *Picatrix* — *Das Ziel des Weisen* von Pseudo Magriti, traducida al alemán por H. Ritter y M. Plessner (Studies of the Warburg Institute, vol. 27, Londres, 1962).

[63] Véase *Espíritu hispánico* (I), pág. 182 n. 160, y M. Roques en *Les Romans du Graal*, págs. 5-14.

[64] *Glossarium mediae et infimae Latinitatis,* tomo III, París, 1843, página 545.

[65] Cfr. H. Michel, *Traité de l'Astrolabe,* París, 1947, pág. 38. Los astrolabios occidentales llevan además en el dorso dos graduaciones circulares, una de las cuales indica los días del Calendario, la otra los signos y grados del Zodíaco (la misma obra, pág. 39). Según un antiguo *Livre de l'Astrolabe,* que cita Boncompagni-Steinschneider (art. cit., pág. 468 y 476), "prima res in qua debemus considerare est gradus ascendentis". La observación de que "astro vult dicere lineae" es errónea, pero característica de la Edad Media. El mismo libro pretende que el astrolabio fue inventado en la época de Salomón. Sobre las graduaciones y el margen graduado hacia el que se vuelve la dioptra (o aranea, arachne), ver Pauly-Wissowa, *Real-Encyklopädie,* vol. II (1896), col. 1799 s.; *The Encyclopaedia of Islam,* I, Leiden-Londres, 1960, págs. 722-28. Nos referimos en particular a las obras de R. T. Gunther, *The Astrolabes of the World,* Oxford, 1932; S. García Franco, *Astrolabios existentes en España,* Madrid, 1945; M. Destombes, *Un Astrolabe carolingien et l'Origine de nos Chiffres arabes,* en *Archives internationales d'Histoire des Sciences,* XV (1962), págs. 3-45. Este último destaca que

una piedra, como opina Wolfram, sino que designa, bajo una forma corrompida, un *(astro)lapsus ex caelis*. Du Cange [66] explica *Astrolapsus* por *Astrolabium*. Por su etimología griega la palabra astrolabio significa "tomar las estrellas" [67]. Ahora bien, Al-Farghānī era el autor de dos libros sobre el astrolabio [68]. El astrolabio medieval, fabricado de preferencia en Toledo, se compone normalmente de varios discos planos [69]. Como éste, el santo Grial tenía signos o dibujos imposibles de descifrar según el *Titurel* "reciente": "Des Grâles Zeichenunge kan niemand gar vol diuten" (497, 1) [70]. Así el misticismo de la leyenda del santo Grial y particularmente las obras alemanas, revelarían en el fondo orígenes (greco)-árabes bajo formas hispano-moriscas que caracterizaban el cristianismo heterodoxo de la España medieval.

Es bien posible que el *lapsus* "movimiento gradual, también caída gradual" (= "per gradus"; Tito Livio) en *astrolapsus* o *astrolabium*, refiriéndose a este movimiento de los astros, fuera

los astrolabios también se conocían por el nombre de horóscopo (páginas 10 s.) utilizado para las predicciones; asimismo la importancia de los trabajos de Maslama para el desarrollo del astrolabio (págs. 17 s.). Para ilustraciones de astrolabios cfr. Michel, obra citada, passim; *Enciclopedia Italiana*, V, 96 s.; Destombes, art. cit. La tesis de J. Frank, *Die Verwendung des Astrolabs nach Al-Chwârizmî*, en *Abh. z. Gesch. d. Naturwiss. u. d. Medizin*, vol. III, Erlangen, 1922, contiene otras informaciones útiles. Sobre los astrolabios en España véase Millás Vallicrosa, *Nuevos estudios...* páginas 66-78. Cfr. nuestra nota 80 a continuación. Señalemos también el trozo de tierra cocida que se conserva en el Museo Americano de Historia Natural en Nueva York, que parece ser un plato hondo y muestra los signos del zodíaco según la concepción de los griegos de Alejandría (cfr. G. Abetti, *The History of Astronomy*, trad. Nueva York, 1952, pág. 146).

[66] *Glossarium*, tom I, 1840, pág. 458.

[67] Véase E. Esclangon en la obra que cita H. Michel, pág. V. La palabra árabe es *asturlab*.

[68] Michel, págs. 9 y 182; Sarton, I, 567.

[69] La misma obra, págs. 31 s. Ver asimismo las numerosas reproducciones de astrolabios conservadas en el libro de Michel. Para el astrolabio de *Lupito Barchinonensi* (fin del siglo X) y sobre un tal *Berengarius*, así como sobre *Borellus*, "el duque de la España Citerior", comp. Thorndike, I, 698 y 701 s.; 704.

[70] No obstante, conforme al *Parzival* de Wolfram, Flegetânîs había leído el nombre que se daba al objeto llamado Grial sin vacilación en los astros (ver el texto citado arriba).

asociado por "Flegetânîs" al "curso circular de los astros" (trad. Hatto) y la caída de una de estas estrellas (cf. "stellas praecipites caelo labi"; Virgilio). Esto explicaría a Wolfram, v. 454, 9-13 (citados arriba en la trad. de Hatto) y la tropa de seres supremos que depositó el Grial en la tierra. Y así se explicaría al mismo tiempo *gradale* "gradus" > *graal* (pero cfr. nuestras observaciones a continuación en pág. 243). El "Mit Spera Cirkel Schîben" del *Titurel* "reciente" (v. 2633, 4) [71] permite otra comparación con el astrolabio.

¿Por qué habría de ser precisa la presencia de un astrolabio, o de la piedra filosofal o de un talismán para el misterio del Grial (antes de su transformación en símbolo cristiano)? La respuesta no es difícil si nos servimos de una indicación de Miguel Escoto y de textos del *Perceval/Parzival*. En éste último el asunto gira en torno al alivio del dolor del rey bajo el signo de Saturno [72] y en el período en que cambia la Luna: 490, 7-8 "Unt des mânen wandelkêre Schadet ouch zer wunden sêre"; 491, 5 "Gein des mânen wandel ist im wê". Es entonces cuando delante del Grial se introduce la "*lance* qui *sain(n)e*" (*Perceval*, 4653, etc.) [73] en la herida. Wolfram traduce "*lance*" por "sper" (489, 22, etc.) y los refundidores de la leyenda del Grial transforman la "*lance qui sai(n)ne*" en "*lance sainte*". En realidad no parece tratarse ni de una ni de otra, sino del simple procedimiento médico de la sangría que se empleaba en el período de la Luna decreciente [74]. He aquí el texto

[71] Véase *Cataluña y Aragón...*, pág. 271, nota 34.

[72] Véase *Espíritu hispánico* (I), págs. 199 s. Las traducciones de *Sententie Astrolabii* del árabe al latín ya se conocían en el siglo x. Véase Millás Vallicrosa, *Assaig d'Historia de les Idees físiques i matemàtiques a la Catalunya medieval*, vol. I, Barcelona, 1931, págs. 275 s., y Díaz, obra cit., pág. 150.

[73] Citas del texto de *Perceval* según la 2.ª ed. de W. Roach (Ginebra-París, 1959).

[74] Advirtamos que el Viernes Santo la luna es regularmente decreciente. Ricardo Wagner parece tener razón, intuitivamente, al hablarnos de un "Karfreitagszauber" en su *Parsifal*. Por otra parte, uno podría preguntarse si la leyenda primitiva ya se refería al Viernes Santo (y si los peregrinos mencionados tenían por meta un santuario cristiano), puesto que todos los viernes son santos entre los pueblos árabes y sus peregrinajes se dirigen hacia la Meca. Cfr. también nuestra nota 156.

en que Miguel Escoto, según una receta medieval, todavía aconseja al emperador Federico II de Sicilia que evite la sangría cuando la luna se encuentra en Géminis: "Eligitur purgatio et diminuitio *sanguinis* et proprie manus luna existente in signo igneo vel aereo, excepto in signo Geminorum quod dominatur manibus et brachiis notando quod tunc geminari solet percussio *lanceole*. Hoc autem voluit videre dominus meus F. imperator et sic quadam vice luna existente in signo Geminorum vocavit suum barberium dicens ei: 'Est modo tollere sanguinem?'... Tunc dedit sibi verbum et in uno ictu *exivit rivulus sanguinis*" [75]. A través de esto también se explica "La *lance* dont la pointe *saine*, Et si n'i a ne char ne *vaine*" (*Perceval*, 3549-50). Comp. *Rég. du Corps*, 36, 34: "Les *vainnes*... quant eles sont *sainnïes*... gardés que li *lancete* ne voist trop dedens..." [76]. La "*lance* qui *sain(n)e*" sería pues la "lanceta" (del médico) que "sangra" [77].

El propio Miguel Escoto había dicho: "ego Michael Scotus multociens sum expertus et semper veracem inveni" [78]. Su astronomía [79] está basada principalmente en Al-Farghānī [80], pero también

---

[75] *Liber introductorius,* Cod. Lat. Monacensis, N 10268, fol. 114 v. Aparte de este manuscrito de Munich existen otros, uno de ellos en París, Bibl. Nat., Nouv. Acq. Lat., núm. 1401, uno en Oxford, MS Bodley, núm. 266, uno en El Escorial, MS f. III, 8, y otro más reciente en Munich, Cod. Lat. 10663, y varios extractos en diversos lugares. El texto citado arriba ya fue impreso en C. H. Haskins, obra cit., pág. 289, núm. 108. Véase también Thorndike, II, 322-324. El astrólogo recibe instrucciones sobre el uso del astrolabio en M. Escoto, *Lib. Intr.,* cod. cit., fol. 121r sig.

[76] Cit. conforme a Tobler-Lommatzsch, *Altfranzösisches Wörterbuch,* vol. IV (1960), col. 123.

[77] Desde el estudio de K. Meringer y K. Mayer, *Versprechen und Verlesen,* Stuttgart, 1895, la crítica ha demostrado suficientemente que los errores de los copistas abundan en los manuscritos medievales, cuyos originales se han perdido en los más de los casos. Véase también *Espíritu hispánico*, I, passim. Es posible que se haya producido una confusión con la lanza de Pelles en Ovidio, en la que M. de Riquer parece reconocer el origen del tema (*La Lanza de Pelles,* en *Romance Philology,* IX, 1955-56, págs. 187 s.). La transformación en lanza de Longines es igualmente posterior.

[78] Haskins, obra cit., pág. 281.

[79] *De Caelo et Mundo,* que lleva la dedicatoria a Étienne de Provins (canónigo de Reims en 1231), fue compuesta después de 1217. Véase Haskins, op. cit., pág. 278.

[80] Haskins, obra cit., 14 y 288. Escoto, en su libro titulado *Commenta-*

cita a Thābit [81], lo cual explicaría la presencia de "Flegetânîs" y de "Thêbit" en la obra de Wolfram. En un texto, Escoto, el "astrorum scrutator" [82], se refiere a las "tabule Tolletane [83] vel alie meliores eis ac faciliores si unquam appareant, studiosa compotatio algorismo in suis speciebus, horologium perfectum, *astrolabium* integrum quadrans iustum, et spera lignea qua utuntur phylosophi ad oculum cum tractatu regularum Pariensi, cui spere in nostro magisterio addidimus circulos planetarum sperales quos collocavimus seriatim infra zodiacum cum corporibus planetarum designatis" [84]. Ahora bien, si el rey del Grial fue un predecesor de Federico II en lo que concierne a su confianza en la astrología, debería considerarse ("ce Roy... qui moult entendoit en nygromance") [85] que era originariamente un "pecador" antes que un "pescador" en lo que de todos modos parece haberse convertido simultáneamente [86]. Así

---

rius... Bononiae, 1495 (hemos visto el ejemplar de la Biblioteca Marciana de Venecia, Inc. 736) designa a Al-Farghānī como "auctoritatez astrolabij" (fol. XVIIr). (Un tratado sobre el astrolabio se encuentra en el Museo Británico; ver C. Brockelmann, *Gesch. d. arab. Lit.,* supl. I, Leiden, 1937, pág. 393). De la misma edición citemos el verso de Pompilius Alcialius Piacentinus sobre Miguel Escoto: "Qui cupit astrigeros gradibus consendere colles. Ad tua se Michael dogmata score serat", y las palabras de Johannes Romagnisii Bobiensis: "Michael... scote... Te duce per campos tenditur astriferos" (fol. LXV).

[81] Haskins, obra cit., 14 y 288. Otro traductor y comentarista del *Tractatus Afragani de Motibus Planetarum* era Hugo Sanctallensis, de Santella en Galicia, o cerca de León o Oviedo (según C. H. Haskins, en *Romanic Review,* II, 1911, págs. 1-15, y obra cit. arriba, págs. 67 s.).

[82] Llamado así por Henri d'Avranches. Véase A. Graf, *Miti, Leggende e Superstizioni,* vol. II, Turín, 1893, pág. 293.

[83] Cfr. Duhem, II, 246-259; III, 289-291; 309-311; 517-522.

[84] *Liber particularis* (mss. en Oxford, París, Milán, El Escorial y Breslau), citado según Haskins, pág. 291, núm. 118. Wood Brown (obra cit., pág. 145) cree que "Scot must have possessed such an *astrolabe*". Para los diversos escritos de Johannes Hispanus sobre el astrolabio cf. Díaz, obra cit., página 217.

[85] "Si muoit bien sa semblance en oultre plus de cent foys le jour; et n'y avoit nul que l'eust au paravent hanté que l'eust peü recongnoistre en nulle guyse" (Prólogo de la *Elucidacion de l'Hystoire du Graal* en Hilka, ed. *Perceval,* págs. 496 s.). Por razones similares Federico fue acusado de ser el Anticristo. Véase Graf, 246.

[86] Sobre el tema del "rex peccator" o "rex piscator" véase *Espíritu his-*

también se comprenderá por qué Perc(h)eval, a quien creemos haber identificado con el *"Père chevalier"* francés Bernardo de Cluny [87], en su primera visita al castillo del Grial no preguntó [88] por el significado del "misterio" del Grial; se habría callado porque no reconocía en el Grial una reliquia religiosa, sino un instrumento de magia que podía ser un astrolabio, una piedra filosofal o un talismán. Podemos entonces preguntarnos si en la leyenda de Perceval y del santo Grial se trataba originariamente de la redención de un monarca [89] turbado por ideas heterodoxas [90].

El tema discutible del arte toledano de la astrología y las curas mágicas se prolonga en la literatura española bajo una forma críti-

---

pánico (I), págs. 200, nota 244. ¿O sería el atributo más bien un "picatur", *picatur > pecheor?*; así aparece en el texto de la *Estoire du Graal* (ed. Sommer, I, 252). Cfr. Du Cange, *Glossarium*, vol. V (1845), 243: "3. *picare*, "verberare, plagis afficere", ital. *picchiare*... Hinc, vel a Latino *pungere*, nostri *picaude* dixerunt, pro *punctio*, vulnus leve, vulgo *piquure*, blessure légère". Véase también el texto de la *Estoire*, I, 252: "et por la grant plente qu'il i demora del *poison* [?] que li dous Alains auait *peskiet* [?] li dounerent il le non que onques puis ne li chai. Car il l'apelerent le riche *pecheor* [?]"; II, 159: "et fu apelez quant il estoit en santé li rois *Pel(l)inor de Listenois*".

[87] Véase el estudio citado, págs. 180 s.

[88] Cfr. *Perceval*, 465261: "Chiez le Roi Pescheor entras. Si veïs la lance qui saine, Et si te fu si tres grant paine D'ovrir ta bouche et de parler Que tu ne pois demander Por coi cele de sanc Saut par la pointe del fer blanc: Ne del graal que tu veïs Ne demandas ne n'enqueïs Quel preudome l'en en servoit". Cfr. también el "Perceval, Qui tant pena por le graal" de la obra *Fergus* (1, 14) de Guillermo el Clérigo, ed. E. Martin (Halle, 1872).

[89] Cierta simpatía por las costumbres árabes y la tolerancia religiosa —además de su debilidad por los falsos valores o malos consejos, y las injusticias que habían resultado de ellos— eran características del rey Alfonso VI de Castilla, a quien servía Bernardo de Cluny (cfr. las notas sobre la transformación de la mezquita de Toledo por Bernardo y la reina Berta contra las órdenes del rey, y las relaciones de éste con la princesa Zaida en *Espíritu hispánico*, I). De acuerdo con la técnica habitual de los autores épicos, habíanse fusionado rasgos de diversos reyes de la España medieval (como Alfonso el Casto, Alfonso III, Fernando el Magno, Alfonso VI y Alfonso el Batallador) y los hechos históricos pertenecientes a sus respectivas épocas (véanse nuestras comparaciones precedentes).

[90] Recordemos que el tema del pecador extraviado en un modo de ver no estrictamente ortodoxo todavía es tema de la *Divina Comedia* (ver los reproches de Beatriz a Dante concernientes a la filosofía de Platón).

ca que desea repudiarlo pero contribuye a conservarlo, por ejemplo en la obra de Alfonso Martínez de Toledo, el famoso arcipreste de Talavera [91]. El arcipreste sigue a grandes rasgos el método de Alberto Magno que se refleja en la obra de numerosos autores (incluyendo a Nicolás Auximanus que consigna R. A. del Piero) [92]. Se repite, bajo la influencia directa del arcipreste [93], en *La Celestina*, obra que refleja tradiciones de la provincia de Toledo. Se ha especulado mucho en torno al nombre de la hechicera [94] y tercera *Celestina*; creemos que significa "la que busca los remedios y profecías en los astros del cielo, la mujer astróloga". Su apariencia se asemeja en varios aspectos al de la fea hechicera *Cundrie* del *Parzival* (312, 20-313, 3). "Alle sprâche si wol sprach, Latîn, heidensch, franzoys. Si was der witze kurtoys, Dîaletike und jêometrî [95]: ir wâren ouch die liste bî von astronomîe [96]. Si hiez Cundrîe: *Surziere* was ir zuoname; In dem munde niht diu lame: Wand er geredet ir genuoc. Vil hôher freude se nider sluoc. Diu maget witze rîche Was gevar den unglîche Die man da heizet bêâ schent". Esta propone al rey Arturo que le designe a un caballero a quien ella podrá conducir al "Schastel marveil" (318, 19), una meta del amor ("hôher minne wert"; 318, 22), donde conoce a cuatro reinas y 400 vírgenes. Allí su oficio es pues de tercera. A *Cundrie* (del *Parzival*) corresponde *li Guiromelanz* [97] en *Perceval*

[91] Véase *Espíritu hispánico* (I), nota 90, y nuestros estudios sobre el arcipreste citados en esta nota.

[92] Véase *Bulletin Hispanique*, LXII, 1960, 125-135.

[93] Cfr. nuestro estudio citado, en *Espíritu hispánico* (I), nota 90 y véase ahora también El *"Corbacho"*: *las interpolaciones y la deuda de la Celestina*, en Homenaje a Rodríguez-Moñino, II (1966), 115 ss.

[94] Su contacto con las fuerzas diabólicas se destaca al final del tercer acto: "Conjúrote, triste Plutón, señor de la profundidad infernal, ... yo, Celestina, tu más conocida clíentula, te conjuro por la virtud e fuerza destas vermejas letras...". Sobre el tema de la hechicera Celestina véase ahora también P. Russel, *La Magia como tema integral de la "Tragicomedia de Calisto y Melibea"*, en *Studia Philologica*, Homenaje a D. Alonso, vol. III, Madrid, 1963), págs. 337-354.

[95] Esto corresponde al "Trivium" (véase nota sig.).

[96] Es decir, el "Quadrivium". El propio Escoto había estudiado el Trivium y el Quadrivium en París, donde llegó a magister y doctor en Teología (cfr. Querfeld, obra cit., pág. 2).

[97] Los dos nombres tienen tal vez el mismo origen: *conduire* (+ *vira-*

(v. 8653, etc.) el informador de Gauvain en el castillo maravilloso de las bellas damas [98]. Si Cundrie se había especializado en los mismos dominios que Escoto (es decir en el "Quadrivium") y si, entre otras, sirve el Grial como mensajera ("Gralbotin") [99], este Grial en su origen [100] pudo ser un instrumento o símbolo geométrico-astronómico como lo era el astrolabio. Para el tema de la astrono-

---

re — medio — land?) que todavía se refleja en el nombre análogo, pero escogido arbitrariamente según parece, de *Cundwîramûrs* del *Parzival* (< *conduire + amour*; véase Martin, II, 173).

[98] Así como la repulsiva dama de la mula en *Perceval*, que tenía "des yeux petits comme ceux de rat, nez de singe ou bien nez de chat, oreilles d'âne ou bien de boeuf, dents que semblaient des jaunes d'oeuf, de la barbe comme d'un bouc. Et sur la poitrine une bosse, une échine comme une crosse" (texto modernizado según Chrétien de Troyes, *Oeuvres choisies*, p. p. G. Cohen, París, 1936, pág. 95). Las afinidades literarias entre estas figuras y la de la Celestina y sus prototipos, aún quedan por estudiar. Recordemos todavía la obra de Rabelais, algunos de cuyos aspectos también podrían tener raíces heterodoxas hispano-moriscas (como las sátiras contra el averroísmo) o gallego-medievales (una parte de los elementos vinculados con las historias de gigantes), acaso incluyendo rasgos estilísticos de la prosa castellana de fines del siglo xv y comienzos del xvi. — Comp. también la montaña de Venus en *Tannhäuser*.

[99] Martin, II, 266.

[100] Antes de ser transformado en cáliz de la Eucaristía por autores más ortodoxos (acaso bajo la influencia de Cluny —véase nuestro capítulo sobre Sahagún a continuación). Advirtamos que para la "herejía" de la leyenda del santo Grial ya se pensó en los cátaros (H. Zeydel, *Auf den Spuren von Wolframs "Kyôt"*, en *Neophilologus*, vol. XXXVI, 1952, págs. 21-32; cfr. H. Kuhn, *Dichtung und Welt im Mittelalter*, Stuttgart, 1959, pág. 271: "eine interessante, wenn auch vage und durch die Ketzerhypothese beschwerte Möglichkeit"). Según W. Wolf, en *Studien zur deutschen Philologie des Mittelalters*, homenaje a F. Panzer, Heidelberg, 1950, págs. 73-95, el templo del Grial en el *Titurel* "reciente" se situaría en Irán. Para el origen heterodoxo véase por último L. Olschki, *Il Castello del Re Pescatore e i suoi Misteri nel "Conte del Graal" di Chrétien de Troyes*, en *Atti dell'Ac. Naz. dei Lincei*, 8.ª serie, tomo X (1961), págs. 101-159. Sobre este mismo estudio P. Gallais, en *Cahiers de Civilisation Médiévale*, IV (1961), 475-480. P. Ponsoye, en *L'Islam et le Graal*, París, 1957, relacionó el *Parzival* con algunas tradiciones islámicas en España donde Kyôt pudo haberlas encontrado. E. von Suhtschek (en *Zeitschr. d. dt. Morgenländ. Ges.*, LXXXII, 1926; LXXXIV, 1930), creía igualmente que la leyenda de Perceval tenía sus orígenes en Irán. Cfr. ahora también L.-I. Ringbom (*Graltempel und Paradies*, Estocolmo, 1951, pág. 470): "Was die Lage von Monsalvatsche im

mía en la leyenda del Grial remitimos una vez más a Chrétien, *Perceval*, 7548-7552: "Uns clers sages d'astronomie, Que la roïne i amena, En cel grant palais qui est là, A fait unes si grans merveilles C'onques n'oïstes les pareilles". Nos limitaremos a estas indicaciones; no es posible entrar en todos los detalles estructurales de la leyenda del Grial en una presentación inicial del cuadro ge neral estudiado con un nuevo enfoque.

Fazio degli Uberti comparó a Miguel Escoto con Simon Mago [101] y casi lo confundió con el encantador y profeta Merlín [102]. Es así [103]

Land Salvaterre betrifft, so beruft sich Albrecht, der allerdings zweifellos an Spanien denkt, auf Kenntnisse, die in "Galitze" verbreitet wären...; jedoch... mit Galitze könnte ursprünglich auch Cilicien gemeint sein..., jenes kleinarmenische Reich...". Sobre otras teorías sobre la "herejía" o el "gnosticismo", cfr. P. Wapnewski, *Wolframs Parzival — Studien zur Religiosität und Form*, Heidelberg, 1955, págs. 174 s. Otras teorías recientes que se ocupan de posibles fuentes orientales son: F. Carmody, *Les sources orientales du Perceval de Chrétien de Troyes*, en *Rev. Litt. Comp.* XXXIX (1965), págs. 497 y ss.; H. y R. Kahane, en colaboración de A. Pietrangeli, *The Krater and the Grail — hermetic sources of the Parzival*, Urbana, Illinois 1965. Kahane identifica *Flegetânîs* con Hermes Trismegistus, autor del *Corpus hermeticum*, y propone el título *al-Falakiyatu* (= "La Astronomía") de un tratado hermético escrito en árabe como base para la formación del nombre *Flegetânîs*; *Kyôt* sería Guillermo de Tudela según su hipótesis. (Si las leyendas del grial reflejasen efectivamente elementos de los *Hermetica* heleno-egipcíacos, los transmisores de éstos también pudieron haber sido Al-Farghānī y Miguel Scot).

[101] *Il Dittamondo*, II, 27: "Michele Scotto... che per sua arte Sapeva Simon mago contraffare" (cit. conforme a Graf, 250). Cfr. también Thorndike, II, 320.

[102] Graf, 257: "L'autore del *Fioretto delle Croniche degli Imperatori* nomina Michele Scotto... e avverte poi che Merlino parlò di Federico II, e profetò che vivrebbe settentasette anni"; pág. 249: "In Virgilio, quale se lo venne figurando la fantasia medievale, c'è il profeta di Cristo e c'è il mago; Merlino è profeta e mago ad un tempo; e profeta e mago in uno dovette sembrare a molti Michele Scotto". Wood Brown habla (pág. 193) de "the association of his name and memory with the still living and adaptable Arthurian legend". Observemos que un descendiente de "Virgilius von Nâples" es *Clinschor*, el mago o hechicero del *Parzival* (617, 17, etc.). Una figura nigromántica legendaria, emparentada con la de Merlín y de Miguel Escoto, es Maugis d'Aigremont de la epopeya (sobre *Agremuntîn* cfr. *Espíritu hispánico* (I), pág. 189; para el *Maugis* del *Renaut de Montauban*, y *Mágus* de la *Mágussaga* nórdica, ver *Est. ép. med.*, págs. 328-332).

[103] Sobre el emperador Federico de Sicilia y la traducción de las pro-

como se estableció otro de los numerosos vínculos entre el "ciclo de España" y el "ciclo de la Bretaña" [104]. No obstante la severa crítica de Dante, Alberto Magno [105] y tantos otros escritores, el arzobispo de Canterbury llamó a Miguel Escoto "nuestro querido hijo" [106], siendo por lo tanto "un mago bueno" [107]. En este sentido también debe intentarse comprender los juegos de prestidigitación que se le atribuían, y que parecían reflejarse también en determinados aspectos del "misterio" del santo Grial.

Leemos en el *Perceval* que lleva el Grial una joven seguida por otra "Qui tint un *tailleoir* [108] en argent" (3231). En él los criados sirven platos diversos y frutas, y se bebe vino en copas de oro. Sin embargo, todo lo que vio y disfrutó Perceval desapareció al día siguiente. En el *Parzival* es Feirefiz, el bastardo, que asiste a la fiesta pero no comprende de dónde viene el vino que llena las copas, pues no es más que un pagano: 810, 3-6: "Der heiden vrâgte maere, Wâ von diu goltvaz laere Vor der tafeln wurden vol. Daz wunder im tet ze sehen wol". No ve siquiera el santo Grial

---

fecías de Merlín véase *Les Prophécies de Merlin,* ed. L.-A. Paton, Londres-Oxford, 1926-27, I, 57, así como para Miguel Escoto y Merlín, en págs. 12 s.; 153 s. del vol. II, y sobre la hechicera y reina Sibila en página 339 del vol. I. Otro "devin" de las leyendas épicas es el enano Frocin (Bérol, *Tristan,* v. 645; cfr. M. Delbouille, en *Mélanges I. Frank,* páginas 191 s.). Para las figuras de la reina Sibila y del enano comp. nuestro estudio sobre *Relaciones franco-hispanas.*

[104] Para la explicación de otros contactos véase *Espíritu hispánico* (I), págs. 189 s.

[105] Véase Thorndike, II, 314 s.

[106] Cfr. Wood Brown, 275; Graf, 243.

[107] Graf, 253. Aparte de las obras de Escoto mencionadas en las notas precedentes, hemos visto el Tractatus Michaeli Scoti, Rerum naturalium perscrutatoris, *De Secretis Naturae* (Francfort, 1615), y el libro de Theobaldus Angulbertus Hyberniesi, artium et medicine doctor..., seudónimo de Miguel Escoto, titulado *Mensa philosophica* (en la ed. de Rouen 1508; otras ediciones de 1489 a 1609: Heidelberg, Colonia, París, Venecia, Francfort).

[108] Plato para trinchar. — El cortejo del Grial fue relacionado hace poco con el tema de los tesoros sagrados y de la doncella guardiana del *Fierabrás* por I. Frank (*Le Cortège du Graal et les Reliques de Saint-Denis,* en *Romania* LXXXII, 1961, págs. 241 s.). Este poema nos ofrece otro ejemplo de un cantar de gesta cuyo escenario está en España y que tiene rasgos en común con la épica cortesana.

que le señalan, lo cual sorprende a los caballeros: 810, 9 "Hêr,
sehet ir vor iu ligen den grâl?"; 813, 12-14 "Feirefiz begunde dem
wirte jehen Daz er des grâles niht ensaehe. Daz dûhte al die ritter
spaehe"; 818, 20-21 "An den grâl was er ze sehen blint, ê der touf
het in bedecket".

Compárese este milagro de los alimentos y las bebidas en la corte del rey "nigromántico" (véase pág. 234 arriba) con los relatos
sobre un juego de magia efectuado por Miguel Escoto, según los
autores italianos Giacopo della Lana, Francesco da Buti, el Anónimo Fiorentino, Christoforo Landino y Alessandro Vellutello [109].
He aquí algunos extractos de los textos del Anónimo Fiorentino [110]
(y de Giacopo della Lana [111] y Francesco da Buti [112]): "Questo
Michele Scoto fu grande nigromunte, et fu maestro dello impera-
dore Federigo secondo... essendo giunto in Bologna, invitò una
mattina *a mangiare seco quasi tutti i maggiori della terra...* venu-
ta la brigata in sua casa, essendo a tavola, disse Michele: 'Venga
della vivanda del re di Francia'; incontanamente apparirono *ser-
genti co'taglieri* in mano, et porgono innanzi a costoro, et costoro
mangiano. 'Venga della vivanda del re d'Inghilterra'; et così d'uno
signore et d'altro" (variante de Giacopo della Lana: "lo pane d'un
luogo, e 'l *vino* d'un altro, confetti e *frutta* la onde li piacea"), "egli
tenne costoro la mattina meglio che niuno signore ... *Delle magiche frode seppe.* Però che questa arte magica si può in due modi
usare: *o egli fanno con inganno apparire certi corpi d'aria che pa-
jono veri;* o elli fanno apparire *cose che hanno apparenza di vere
e non sono vere,* et nell'uno modo et nell'altro fue Michele gran
maestro" (variante de Buti: "che questo non era se non inganno:
imperò che *parea forse loro mangiare e non mangiavano, o pa-
rean quelle vivande quel che non erano").* "Fue questo Michele
della Provincia di Scozia; et dicesi per novella che, essendo adu-
nata molta gente a desinare, che essendo richiesto Michele che

---

[109] Cfr. Graf, 259 s.
[110] *Commento alla Divina Commedia,* conforme a Graf, 297 s.
[111] *Commedia di Dante degli Allaghierii,* col. commento di G. d. L., conforme a Graf, 295.
[112] *Commento sopra la Divina Commedia di Dante Alighieri,* conforme
a Graf, 296.

mostrasse alcuna cosa mirabile, *fece apparire* sopra le tavole, essendo di gennaio, *viti piene di pampani et con molte uve mature*; et dicendo ch'eglino non tagliassono, s'egli nol dicesse; et *dicendo*: *tagliate*; sparvono l'uve e *ciascheduno si trova col coltellino* et col suo manico *in mano*". Escoto habrá encontrado estos juegos de magia, de los que él mismo se jactaba [113], en los libros que había estudiado en Toledo. Es posible que formasen la base general de la fiesta mágica en el castillo del Grial del *Perceval* de Chrétien y del *Parzival* de Wolfram. Entre los numerosos libros de ciencia experimental, de medicina y de magia, sólo Johannes Hispanus y Gerardus Cremonensis escribieron unas 22 y 87 obras respectivamente [114].

EL PAPEL DESEMPEÑADO POR LA REGIÓN DE SAHAGÚN Y DE ASTURIAS (OVIEDO)

Desde la conquista de Toledo, el "colegio de traductores" [115] de la "scientia toletana" [116] se hallaba bajo la protección del arzobis-

---

[113] Trucos de este tipo se le atribuyeron más tarde al Fausto. Los ejemplos que contiene esta leyenda y la de Don Juan, Burlador de Sevilla, son las últimas supervivencias de la práctica heterodoxa en la literatura occidental. En historia, las ideas fundamentales de la heterodoxia se habían prolongado hasta la época de Juana de Arco, de M. Ficino y de Savonarola. La inquisición de los siglos siguientes contribuyó a hacer desaparecer los últimos rastros. — Según indicación de Melanchton, el Fausto histórico había estudiado la magia en la universidad de Cracovia, donde todavía se enseñaba este dominio característico de la escuela de Toledo.

[114] Véase Sarton, II, 169-172; 338-344. Johannis: 1 sobre la aritmética, 13 sobre la astronomía y la astrología, 1 sobre medicina, 7 sobre filosofía. Gerardus: 3 sobre lógica, 19 sobre filosofía, 30 sobre las matemáticas y la astronomía, 5 sobre la física, 11 sobre medicina, 4 sobre alquimia, geomancia y arte adivinatorio.

[115] A. Jourdain, *Recherches critiques sur l'Âge et l'Origine des Traductions latines d'Aristote et sur les Commentaires grecs ou arabes employés par les Docteurs scholastiques*, París, 1819; 2.ª ed., 1843, pág. 108; E. Renan, *Averroès et l'Averroïsme*, París, 1852, pág. 201. Véase también M. Steinschneider, *Die europäischen Übersetzungen aus dem Arabischen*, Viena, 1905; y Rose, art. cit., pág. 327: "Hier [en Toledo] gab es Bücher in Fülle, und auf einer ererbten Stätte wissenschaftlicher Schultätigkeit eine Menge zweisprachiger Menschen".

[116] Cfr. Graf, pág. 245. Este crítico cita también del *Morgante* de Pulci

po [117]. Bernardo de Cluny fue el primero [118]. Este personaje puede haber dado origen a la formación de la leyenda de Perc(h)eval [119]. La historia del padre caballero francés fue vinculada a la de los sabios y de tantas otras figuras del reino de Toledo [120]. Antes de llegar a esta ciudad, Bernardo había sido nombrado abad del santuario de San Facundo (en Sahagún y Grajal) y había participado en las campañas [121] del "emperador" Alfonso VI en territorios de Zaragoza y de Toledo. La suerte también llamará a Perceval a convertirse en sacerdote (cf. *Parzival*, 500, 20 "Priester"). El servicio del Grial exige la castidad (502, 21 "kiusche") y un renunciamiento al amor conyugal (495, 7-8 "Swer sich diens geim grâle hât bewegn, Gein wîben minne er muoz verpflegn"). Son prescripciones que carecerían totalmente de sentido si no se refiriese al oficio del clero.

El fanatismo del clero en Toledo había hecho que la Iglesia se convirtiera con la mejor intención del mundo en el mecenas principal de la serie de traducciones científicas [122]. A este respecto hay que observar que una ilustración para uno de los manuscritos [123] del tratado astrológico que compuso Miguel Escoto, después de su estadía en Toledo, en Italia, presenta la imagen de un obispo que representa a Mercurio, el dios de la medicina. Otro le muestra delante de una mesa sobre la que se encuentra un astro-

---

los versos siguientes: "Questa città di Tolleto solea Tenere studio di negromanzia: Quivi di magic' arte si leggea..." (XXV, 259-61).

[117] Rose, pág. 345, y otros.

[118] Otro francés, Raimundo de Toledo, nacido en Agen, era arzobispo en la época de Johannes Hispanus y Gerardus Cremonensis.

[119] *Espíritu hispánico* (I), págs. 180 ss.

[120] Est. cit., passim.

[121] El mismo estudio, págs. 179 s.

[122] Menéndez y Pelayo, *Historia de los Heterodoxos*, ed. cit., I, 450. Señalemos también, conforme a Defourneaux, obra cit., pág. 45 que "les conséquences du travail de traduction et d'adaptation des collaborateurs de Raymond de Tolède se firent sentir en France, C'est là sans doute qu'il faut chercher les origines de l'hérésie d'Amaury de Chartres, qui troubla les écoles parisiennes de 1200 à 1215". Cfr. además M. Asín Palacios, *Huellas del Islam*, Madrid, 1941, passim.

[123] Se trata del Cod. Lat. 10268 de Munich, que hemos visto, sobre el fol. 85r (*Liber introductorius*).

labio esférico [124] en forma de melón [125]. Parece tratarse de una supervivencia de la "astrolatría [126] de los pueblos semíticos, que según el *Gayat al-hakim* (= "El objetivo del Sabio"), redactado por Maslama Ibn Ahmad de Madrid y Córdoba, aún se ejercía en algunos templos de Mesopotamia [127] (que por otra parte era la patria de Thābit y la de Hamid Ibn Ali [128], célebre constructor de astrolabios). El mito de la fecundidad del *Perceval/Parzival* parece inspirado en la historia del santuario de Sahagún (= Sanctus Facundus) [129]. Es la misma fuente que habrá dado lugar a la confusión de *gradale* "gradus" (en sentido astronómico) con *gradale* "responsum, vel responsorium, quia in gradibus canitur" (que podría ser el origen del topónimo *Gral(i)are, Grajal*) [130] y *gradale* "catini species, pro grasale", *gradalis* "vas mensarium" (que en efecto se había vuelto un símbolo en Grajal y en Sahagún, un centro del misterio de la Eucaristía en la Castilla medieval) [131].

---

[124] Véase J. Seznec, *La Survivance des Dieux antiques*, Londres, 1940; última ed. *The Survival of the Pagan Gods*, trad. por B. F. Sessions, Nueva York, s. f., págs. 156 y 158. — Cfr. también el Júpiter monje del Campanile de Florencia en Seznec, pág. 161; y *Parzival*, 753, 20: "Jupiter diz wunder schrîp".

[125] Sobre este instrumento, condenado por Al-Farghānī, quien prefería el astrolabio plano, véase E. Wiedemann y J. Frank en *Sitzungsberichte der physikalisch-medizinischen Sozietät*, vol. LII, Erlangen, 1922, pág. 110.

[126] J. Seznec, op. cit., pág. 159.

[127] Sarton, I, 668; Seznec, 159. El *Gāyat al-hakīm* fue traducido al latín con el título de *Picatrix* por la escuela de Alfonso el Sabio, el tratado sobre el astrolabio del mismo autor por Johannes Hispanus. Acaso fuera Maslama quien había introducido los escritos de los Hermanos de la Pureza y Sinceridad en España. Para la bibliografía de Maslama cfr. Brockelmann, *Gesch. d. arab. Lit.*, Ier supl., págs. 43 s.

[128] Sarton, I, 601.

[129] *Espíritu hispánico* (I), págs. 174 s. — Señalemos aquí la existencia de una *Passio SS. Martyrum Facundi et Primitivi* (s. XVII), cuyos textos publicó M. Risco en *España Sagrada*, vol. XXXIV, Madrid, 1784, págs. 390-398, y B. de Gaiffier. en *Analecta Bollandiana*, vol. LXI, Leyde, 1943, pág. 131.

[130] El mismo estudio, pág. 174, nota 126.

[131] En la *Queste del Saint Graal* (ed. A. Pauphilet, París, 1923) la reliquia es indudablemente "l'escuële où Jhesucriz menja l'aignel le jor de Pasques o ses deciples" (270, 33). Pero cfr. también la ortografía "les merveilles del *Grahal*" en una refundición de la *Queste* (Ms. Bibl. Nat. Fonds fr. 343, fol. 101r, señalado por G. Paris, y últimamente por C. E. Pickford,

En nuestro estudio precedente [132] ya hemos señalado relaciones entre Sahagún y San Salvador de Oviedo en Asturias, que es la escena del misterio del Santo Grial en el *Titurel* "reciente" de Albrecht [133]. Otros vínculos que incluyen Toledo se establecieron por la actividad misma de Bernardo [134] y del rey Alfonso VI [135]. Para completar nuestra visión de conjunto, enumeraremos a continuación diversas adiciones a los temas de Sahagún y Asturias.

a) Sahagún y territorios limítrofes (Galicia y Portugal): Los documentos núm. 97 y 108 del monasterio de Sahagún nos indican que la Infanta Doña Sancha y su hermano, el rey Alfonso VII [136], iban a *Graliare* (Grajal de Campos) todavía en 1139 y 1152 [137].

---

en *L'Évolution du Roman Arthurien en Prose... d'après le Ms. 112 du Fonds fr.,* París, 1959, pág. 95). — Se presenta todavía la pregunta de si debe reconocerse en el modelo histórico desconocido de *Gurnemanz* (cfr. nuestra nota 220, en *Espíritu hispánico* (I), pág. 194) y en *Trevrizent,* un ermitaño astrónomo o bien un ermitaño filósofo del tipo de Morienus que explica la piedra filosofal, en *Morienus et Calid* (Thorndike, II, 216 s.).

[132] *Espíritu hispánico* (I), págs. 190 s.

[133] El templo de Titurel fue tomado por la catedral de Treves por F. Zarncke, *Der Graltempel: Vorstudie zu einer Ausgabe des jüngeren Titurel,* Leipzig, 1876.

[134] Documento de Oviedo: "Bernardus Archiepiscopus Toletanus ab Urbano II judex electus S. Julianae Asturias Diocesi Ovetensi adjudicat". Ver F. Flórez y M. Risco, *España Sagrada,* vol. XXXVIII, Madrid, 1747, página 342.

[135] En el *Poema del Cid,* v. 2922-26, es Muño Gustioz quien "Al rey don Alfons en San Fagunt lo falló. Rey es de Castiella e rey es de León E de las Asturias bien a San Çalvador, Fasta dentro de Santi Yaguo de todo es señor, Ellos comdes gallizanos a él tienen por señor". En las *Mocedades de Rodrigo,* 759-61, esto se atribuía a Fernando el Magno (Menéndez Pidal, *Cantar,* pág. 85: "forma acaso más primitiva").

[136] Advirtamos que Alfonso VII (1126-1157) era el hijo de Raymon de Borgoña, yerno de Alfonso VI.

[137] Véase el *Índice de los Documentos del Monasterio de Sahagún, de la Orden de San Benito,* publ. p. el Archivo Histórico Nacional, Madrid, 1874, págs. 28 y 31. Este inventario menciona asimismo (pág. 110) una iglesia de San Cristóbal, situada "in riuo que vocatur Cisnerosum" y que fue donada al monasterio de Sahagún en 921 (cfr. *Espíritu hispánico,* I, página 214, nota 297). Un monasterio S. Christophori, "in villa nomine Roboreto vocitata", de la misma comarca, ya se conocía en 896. (*España Sagrada,* XXXVII, 3). Cfr. también San Cristóbal y la montaña de San Cristóbal, entre Palencia y Reinosa. — Martín Alfonso, de la época del Cid,

Según el doc. 71, el monasterio de *San Salvador de Nogal*, "sito junto a los palacios del Rey, en la misma villa, no lejos de la ciudad de este nombre" [138] fue donado a Sahagún en 1093 [139]. Fue en 1050 que el rey Fernando I ofreció su cuerpo y alma a Sahagún (doc. núm. 935) [140]. De manera similar, Alfonso VI prometió su cuerpo al monasterio que desarrolló a tal punto que se había convertido en el más importante de España [141]. En lo que concierne a *Graliare* (Grajal) [142] señalemos que, según el *Titurel* "reciente" de

habíia llegado a ser conde de Cea y de Grajal. Cfr. R. Menéndez Pidal, *La España del Cid*, 4.ª ed., Madrid, 1947, pág. 166.

[138] Cfr. el reino de *Norgales* en la literatura "arturiana" al que "marchit" el condado o ducado de *Estregorre* (¿= Astorga, llamada "Estorga" en el *Fernán González*, 124, 3 + -*gorra*, como *Calahorra*?). Véase Sommer en el índice, pág. 36, nota 1 de *The Vulgate Versions of the Arthurian Romances*, Washington, 1916; y F. Lot en su *Étude sur le Lancelot en Prose*, París, 1918 y 1954, pág. 144. Este último afirma que *Estregorre* "N'est pas moins un pays de Chimère...". Subraya asimismo que el autor del *Lancelot* "ignore l'emplacement des résidences d'Arthur comme *Carduel, Cardiff* ou *Camaaloth*" (pág. 142). Sobre un *Ferrant* (= *Fernand*) que ataca al rey de *Estrangorre* véase C. E. Pickford, obra cit., págs. 46 s.; para el reino de *Gorre* en *Lancelot* cfr. *Espíritu hispánico* (I), pág. 209, nota 280. — En lo que concierne *Camala/Sahagún* (comp. *Espíritu hispánico* [I], passim), agreguemos que igual a la transformación del topónimo (*Saint*) *Fagon* en nombre de persona, se inventó más tarde una figura caballeresca llamada *Camilote* (véase en España el *Primaleón* y el *Don Duardos*). Reparemos finalmente en que *Camalo* es el nombre (acaso igualmente de origen céltico) del príncipe de Metz en el *Waltharius*, v. 581, 591, 640, 644, 664, 675, 680, 686. (Un valle de *Camaleño*, perteneciente a Liébana, fue mencionado por Menéndez Pidal en *Cantar*, pág. 549, nota 1).

[139] *Índice... de Sahagún*, pág. 21.

[140] La misma obra, pág. 216.

[141] Citemos la explicación que da Menéndez Pidal (en *Cantar*, pág. 838, según Escalona, *Op. cit.*, págs. 68 s.): "cuando fue desposeído del reino de León por su hermano el rey de Castilla, tuvo que entrar monje en el monasterio de Sahagún, pero de allí se escapó a vivir entre los moros de Toledo, con ayuda del conde Pero Ansúrez; sin duda para resarcir al monasterio de esta fuga, el rey le donó su cuerpo (ya antes de 1080) para que fuese a su muerte enterrado en aquel lugar, prescindiendo del panteón real que Fernando I había fabricado en León, y además colmó siempre de dádivas a los monjes, y eximió al monasterio de toda jurisdicción civil, dejando que viviese sujeto directamente a la sede apostólica".

[142] Cfr. *Espíritu hispánico* (I), nota 126.

Albrecht, el Grial pasó de San Salvador de Galicia [143] a "Pitimont", una ciudad que desde la llegada de la preciosa reliquia fue llamada *Grals* (v. 5995, 3-4) "Die stat hiez Pitimont nimmere. *Grals* wart sie genennet..." [144]). Esto coincide con nuestras comprobaciones relacionadas con el santuario de Oviedo y el desarrollo consecutivo de Grajal y Sahagún [145]. Parece que la leyenda del Grial fue proyectada contra el fondo histórico de Sahagún y el simbolismo heterodoxo transformado así en misterio de la Eucaristía. El *Titurel* "reciente" nos ofrece a su vez pasajes significativos para Galicia [146] y Portugal. Mencionemos que Ekunât de España, con la ayuda del rey Arturo y de Gailet de Castilla [147], lleva a cabo la fundación de un monasterio que era al mismo tiempo un hospital, lo cual corresponde a la función de gran número de monasterios, y lo llamó igualmente *Salvatsch* [148] (verso 5845 s.). El país que en otro tiempo tenía el nombre de *Lizabune* será llamado Lorena por Lohengrin [149]: "*Lutringen* siz al da durch in benanden. *Lizabune* hiez ez vor, werdiclich in manigen landen" (5960, 3-4).

b) Oviedo y Asturias: Oviedo es el antiguo *Lucus Asturum* [150], "para distinguirla de la [Lugo] [151] que tuvo el mismo nom-

---

[143] Véase el estudio citado, págs. 197 s. El autor del *Titurel* "reciente" declara que "el que estuvo en Galicia conocerá San Salvador y Salvatierra"; 306, 4.

[144] Citado según *Der Jüngere Titurel,* ed. L. A. Hahn, Quedlinburg-Leipzig, 1842.

[145] Véase *Espíritu hispánico* (I), págs. 172 s.

[146] Cfr. el estudio citado, passim.

[147] Cfr. *Espíritu hispánico* (I), pág. 197 s.

[148] Resulta evidente que este *Salvatsch* no traduce *silvaticum*, si bien se le ha dado este sentido en algunas refundiciones e interpretaciones críticas. Cfr. *Espíritu hispánico* (I), pág. 197.

[149] Ya en *Notas sobre temas épico-medievales* supusimos que la leyenda de Lohengrin (de fuente francesa) en el *Parzival* de Wolfram, el *Titurel* "reciente" de Albrecht, etc., está relacionada con el mito de los Dioscuros, tal cual parece sobrevivir en algunas versiones poéticas de la aparición maravillosa de Santiago en Compostela. (Otra supervivencia de un mito antiguo sería la versión según la cual Santiago habría salido de una concha. Comp. el nacimiento de Venus. Sobre Santiago véanse los trabajos de A. Castro, C. Sánchez Albornoz y nuestras observaciones en *Notas,* páginas 88 s.; *Espíritu hispánico* (I), pág. 209).

[150] Por otra parte fácil de confundir con "Arturum".

[151] El *Lucus Augusti* (= Lugo) sustituye probablemente *Lucus Asturum.*

bre en Galicia" [152]. Su centro espiritual erigido por Fruela y Alfonso II el Casto sobre el *"Mons* sanctus" era el "templum *Salvatoris"* [153] (cf. el *Munsalvaesche* del *Parzival* y *Titurel* "reciente") [154], también llamado el "domus Sancti Salvatoris Ovetensi" [155]. Según las Actas fue en esta ciudad donde tuvo lugar el primer Concilio de Oviedo en el que participaron "don Alonso el Casto, Carlos Rey de Francia, y Theodulfo Obispo" [156]. El nombre del rey de Castilla aparece asimismo bajo las formas de Aldefonsus [157], Ildefonsum [158] y Anfons [159] (habiendo acaso dado origen éste último

---

No deben confundirse estas denominaciones con la antigua *Asturica* (= Astorga). Para los primeros véase *Espíritu hispánico* (I), pág. 211.

[152] *España Sagrada*, XXXVII, 16.

[153] Menéndez Pidal, *Esp. Cid*, 212: "La catedral de San Salvador, de Oviedo, fue, después de la de Santiago de Galicia, el lugar de peregrinación más concurrido en la Península".

[154] Véase *Espíritu hispánico* (I), págs. 197 s. y (II), nota 148. Señalemos además que el emblema de Astorga, Asturica, estaba compuesto desde la época romana de tres flores de lis (*España Sagrada*, XVI, pág. 22). Sobre las relaciones entre *Caronium*, un pueblo en los alrededores de Lugo, y los armóricos, cfr. *España Sagrada*, XL, pág. 37: "los soldados que estaban sujetos a las órdenes del Prefecto de los Armóricos". Para una tentativa de anexión de Galicia por Guillermo de Inglaterra en la época de Alfonso VI (año de 1087) véase *Historia Compostelana*, en *España Sagrada*, XX, página 254; cf. *Esp. Cid*, págs. 346 s.

[155] *España Sagrada*, XXXVII, 169.

[156] La misma obra, XXXVII, 181. Observemos asimismo que el aniversario de la catedral se celebra poco antes de Semana Santa: "el aniversario annuo del Rey don Alfonso el Casto lo tiene señalado la iglesia de Oviedo para el día 20 de marzo, o uno de los inmediatos, por ser aquélla la fecha probable de la muerte del munífico fundador de la Catedral Basílica" (Álvarez Amandi, obra cit. en la nota 162, pág. 248). Cfr. también nuestra nota 74.

[157] La misma obra, XXXVII, 311.

[158] La misma obra, XXXVII, 149.

[159] La misma obra, XXXVII, 90. — Cfr. prov. *Anfos* en las obras o "vidas" de los trovadores Peire Vidal, Le Monge de Montaudon, Bertran de Born, Aimeric de Pegulhan, Folquet de Marseille. Para las monedas de la época alfonsina que presentan *"Anfus rex"* o *"Anfons rex"* y la escritura *"Anfusum"* en un documento aragonés véase Menéndez Pidal, *Cantar*, pág. 454. "*Nanfosse*" es Alfonso el Sabio en Brunetto Latini, *Tesoretto*, II, 22. — *Anfortas* fue llamado *Alfasim* en la *Estoire*.

a la transformación en *Anfortas* en el *Parzival*) [160]. Las antiguas inscripciones en el templo de San Salvador se conservan en el *Códice gótico de la Santa Iglesia de Oviedo* [161]. Remitamos además a las diversas descripciones o reproducciones de las reliquias y sus inscripciones que se encuentran hasta el día de hoy en la Cámara Santa del Rey Casto en Oviedo [162]. Observemos que el Arca Santa [163], la Cruz de los Ángeles [164], la urna de San Julián y San Serrano, el Cofre de Plata y particularmente el Cofre de las Ágatas merecen especial atención [165]. Algunos documentos revelan relaciones entre Oviedo y Sahagún (y Toledo) que fueron muy estrechas

---

[160] En *Espíritu hispánico* (I), nota 199, remitimos al conocido ejemplo de Otgerus *Dacus/Danus* > Ogier le *Danois/l'Ardenois*. En pág. 212, nota 293, propusimos una explicación del pasaje de *Rey Fruela* a *Titurel*. ¿Ocultaría el mismo origen el nombre de *Frimutel* (*Parzival*, 251, 6), el hijo de Titurel? Observemos además que el primer arquitecto de San Salvador de Oviedo era *Tioda* (véase Vigil, y Álvarez Amandi, obra cit. en nota 161, vol. I, pág. 1, y la nota 162, págs. 19 s.). A la solución mencionada arriba preferimos ahora: *Titurel* < *Ti(o)druel, Tioda Fruelae*. — Cfr. también el "*Froila Didaci*" (*Esp. Sagr.*, XXXVIII, 270, y otras fuentes) que designa al conde Fruela de León y Astorga mencionado en el *Cid*, v. 3004, que participó en el concilio de Oviedo en 1115. Que su nombre hubiese contribuido a transformar el de Fruela I es una posibilidad que no debemos excluir.

[161] Textos citados en *España Sagrada*, XXXVII, 140 s. — Véase también L. A. de Cervalho, *Antigüedades y Cosas memorables del Principado de Asturias*, Madrid, 1695; Barros Sivelo, *Antigüedades de Galicia*, La Coruña, 1875; C. M. Vigil, *Asturias monumental epigráfica y diplomática*, Oviedo, 1887; E. Hübner, *Inscriptiones Hispaniae latinae*, Berlín, 1869-92.

[162] Véase J. Amador de los Ríos, *La Cámara Santa de la Catedral de Oviedo*, Madrid, 1877; J. y A. Álvarez Amandi, *La Catedral de Oviedo*, Oviedo, 1929, M. Arboleya Martínez, *Cámara Santa de la Catedral de Oviedo*, Barcelona, 1932; Vigil, obra cit., vol. I, págs. 8 s.

[163] *España Sagrada*, XXXVII, 287 s.; Vigil, I, 14 s., y II, A 4 s.

[164] *España Sagrada*, XXXVII, 143; Vigil, I, 16 s., y II, A 7. Esta cruz de Alfonso el Casto procede de los ángeles (según una idea paralela a la de Flegetânîs referente al origen del santo Grial): "ecce duo angeli in figura peregrinorum, fingentes se artifices esse, ei apparuerunt, qui illico tradidit eis aurum et lapides, designata mansione, in qua sine hominum inpedimento operari possent" (*Historia Silense*, ed. J. Pérez de Urbel — A. González Ruiz-Zorrilla, Madrid, 1959, pág. 139).

[165] Es el autor del *Titurel* "reciente" que se complace en dar descripciones minuciosas de las pedrerías sobre los objetos religiosos.

merced a la personalidad del rey Alfonso el Casto [166], y más tarde de Bernardo de Cluny. Un texto que citamos en la nota [167] nos habla de éste, otro menciona a un monje de Sahagún (llamado Oveco) que fue nombrado obispo de Oviedo (hacia 951) [168].

Un asturiano fue llamado *Astur* o *Artabrus* por Silio [169]. Astu-

---

[166] *Espíritu hispánico* (I), págs. 197 s. — En lo referente al de las cien doncellas del rey Alfonso el Casto, comp. no sólo *Yvain* de Chrétien (nuestro estudio cit., pág. 201, nota 252), sino también el tributo de las vírgenes a Morholt en el *Tristán de Leonís* español (de *Leonois* según Bérol, v. 2868, = "de *León*, el *leonés*?) y sus posibles relaciones con la leyenda de la *Condesa traidora*. El tema de la cura mágica del héroe enfermo también se encuentra en el *Tristán*. Cfr. además el mito de la *coldre* (en *Chèvrefeuille* de Marie de France) que causa el reencuentro de los amantes separados, en Thorndike, II, 361. Ver también nota 296 en pág. 213.

[167] "Bernardus Archiepiscopus Toletanus ab Urbano II judex electus S. Julianae Asturias Diocesi Ovetensi adjudicat" (*España Sagrada*, XXXVIII, 342 s.). Cfr. también *Esp. Sagr.*, XLI, 295 s.

[168] *España Sagrada*, XXXVII, 268 s. — Para la historia de Asturias cfr. también F. Sota, *Chrónica de los Príncipes de Asturias y Cantabria*, Madrid, 1681.

[169] *Esp. Sagr.*, XXXVII, 21; XV, 25. Esto por su parte puede haber dado lugar a una confusión de *Astur* con *Artur* como la de *Astures* con *Artabri* (*Artabrus* en Silio, gentem *Artabrum* en Plinio; véase *España Sagrada*, XV, págs. 25 s.), una antigua denominación para los astures. Pomponius Mela escribe en *De Chorographia*, liber III, 13: "In ea primum *Artabri* sunt etiamnum *Celticae gentis*, deinde *Astyres*". Cf. también II, 85: "Pyrenaeus primo hinc in *Britannicum* procurrit *oceanum*". Véase también la preciosa medalla o moneda antigua de fabricación española que describe H. Flórez en *España Sagrada*, X (1753), págs. 80 s. Representa una bellota y dos ramas en el reverso. Debajo de la bellota se encuentra en grandes letra mayúsculas una inscripción que se parece notablemente al nombre ARTUR, aunque deba significar "OSTUR (vuelta la S al revés)". Según Flórez se trataba de la antigua *Osturo* u *Ostippo*, *Astapa* (páginas 78 s.) en los alrededores de Astigitana (hoy Écija). Sobre el *Promuntorium Artabrum* y el "Puerto de los Artabros" (= La Coruña), cfr. A. Schulten, *Hispania*, trad. por P. Bosch Gimpera (Barcelona, 1920), págs. 27; 45. Obsérvese que los asturianos (de origen céltico, como los "arturianos"), fueron considerados invencibles —y lo eran notablemente en la época de la dominación de España por los romanos y al efectuarse la invasión árabe (Covadonga!). Sobre el legendario rey *Astur* de la España septentrional véase *Cataluña y Aragón...*, n. 38. Cfr. este artículo también para *Joffreit* (*Jaufré*) y Arturo, como también para *Mazadâne*, *Brickus* y *Uterpendragon*.

rias era renombrada por su extraordinaria fertilidad [170]. En referencia a esto se citó [171] a Plinio, lib. XIII, cap. 4: "Asturia... neque in alia parte terrarum tot saeculis haec fertilitas". La región de Oviedo era rica en oro, plomo negro y hierro de imán (lo sigue siendo en hierro y en carbón) [172]. Desde la época del rey Fruela, la Vasconia y Navarra también se hallaban bajo la jurisdicción de los reyes de Oviedo [173]. En lo que concierne a la *Britonia* o *Bretonia* (que se confunde fácilmente con *Britannia*) [174] y sus habitantes llamados *Brit(t)ones,* que fue sustituida por Oviedo como sede episcopal [175], citemos los siguientes textos de documentos: "Ad Sedem *Britonnorum* Ecclesiae, quae sunt intra *Brit(t)ones* una cum Monasterio Maximi, et quae in Asturiis sunt" [176]; y "Sede *Brito-*

---

[170] Cfr. nuestras observaciones sobre el mito de la fertilidad en la leyenda del santo Grial (*Espíritu hispánico* (I), págs. 199 s.).

[171] *España Sagrada,* XXXVII, 18.

[172] "Siendo la región de Asturias la más fértil en oro que se conocía en tiempo de los Romanos... Además muchos minerales ... En la edición de Plinio, ilustrada por Harduino, se menciona el plomo negro de Oviedo con estas palabras: "Nigri generibus sunt nomina: Ovetanum, Caprariense, Oleastrense"... una grande mina de piedra imán..." (*España Sagrada,* XXXVII, 18-19).

[173] *España Sagrada,* XXXVII, 131 s.

[174] Comp. *Espíritu hispánico* (I), págs. 189 s. — Creemos que una confusión de topónimos y de nombres de persona (y el anacronismo de todo tipo) fue causada por los normandos (cfr. Geoffrey de Monmouth, Guillermo de Malmesbury, etc.), que en el fondo no conocían bien la historia de Inglaterra. Como descendientes de un pueblo extranjero les quedaba todo por aprender. Es un hecho muy conocido que construían la historia británica de una manera amenudo fantástica. A ellos debemos una gran parte de los errores.

[175] "Habiéndose pues erigido la Silla Episcopal de Oviedo en lugar de la de Britonia..." (*España Sagrada,* XXXVII, 160); "reemplazando en Asturias a la destruida sede galaica de Britonia" (Álvarez Amandi, obra cit., pág. 17).

[176] Actas del Concilio Lucense (*España Sagrada,* XXXVII, 156 y 161). — Para el emplazamiento de *Britonia* (*Bretonia*) ver el mapa contenido en *España Sagrada,* IV, 106, el de toda la región en *Esp. Sagr.,* XVIII (volumen de H. Flórez que se ocupa exclusivamente *De las Iglesias Britoniense y Domiense*) y el de las sedes episcopales en la Edad Media por Menéndez Pidal en *Esp. Cid,* pág. 699. Sobre el topónimo cfr. además *Encicl. ling. hisp.,* I, 486 s Confusión de *Bretónica* con *Bretania* en la variante *T* de la *PCG,* pág. 381

niensi quae ab Hismaelitis est destructa..." [177] (época de Alfonso II). Respecto a la ciudad también casi olvidada de *Lancia* (que podría haber dado origen al nombre de *Lancelot*) [178], leemos que "los *Lancienses* pertenecían a los *Astures Augustanos,* y se llamaban así por la insigne y valerosa ciudad de *Lancia*" [179]; "De *Lanciatum* o *Lancia* y de los pueblos que esta ciudad, famosa por su grandeza y valor tomaron el nombre de *Lancienses*..." [180]. Para *Avilés,* situada cerca de la costa al Norte de Oviedo (y que podría ser sustituida por el *Avalon* británico y "arturiano") [181], cf. las observaciones de Risco [182] referentes a Alfonso el Casto exiliado:

[177] *España Sagrada,* IV, 223. — En cuanto a la *Mort Artu* y las refundiciones análogas, también puede pensarse en la historia de Arturo, duque de Bretaña, que pudo haber servido de modelo adicional. Este último fue hecho prisionero y presumiblemente asesinado por su tío en 1203. "While Arthur was under his uncle's charge at or near Rouen he suddenly vanished" — "Arturus subito evanuit" (J. H. Ramsay of Bamff, *The Angevin Empire,* vol. III, Londres, 1903, págs. 394-397). La famosa guerra de sucesión de Juan Sin Tierra y Arturo de Bretaña causó la miseria de Anjou. Por consiguiente, el reino de los Plantagenets tocó a su fin y Anjou fue a unirse a la corona de Francia. — Fue en esta época cuando Gervase de Tilbury indicó por primera vez que Arturo había desaparecido en el Etna (véase Graf, *Artù nell 'Etna* en la obra cit., págs. 301-335). Posteriormente se desarrollaron leyendas similares en torno al emperador Federico y Ogier el Danés.

[178] *Espíritu hispánico* (I), pág. 193, nota 218. *Lanciun* es residencia del rey Marc según Bérol, *Tristan,* v. 1155 s. Comp. nuestra nota 138 en el presente estudio sobre *Camala* (*Camalot*) > *Camilote.* Señalamos igualmente la transformación del conde *cataigne* (*Canción de Rolando,* 2320) en conde de *Katanie* (en la *Karlamagnussaga*), *Cantuaria* (en la *Krönike* = Canterbury!); véase también el sarraceno Corsabron de *Catagne,* variante *Sartaigne* (*Ogier,* 12705).

[179] *España Sagrada,* XXXVII, 8. (Para los topónimos romanos en Asturias cfr. ahora M. de Bobes en *Emerita,* vol. XXIX (1961), primer fascículo.)

[180] La misma obra, XXXVII, 15. Cfr. también XVI, 15: *Lancia* o *Lance.* — Otro *Lancia* (*Oppidana*) está situado en Portugal (ver *Esp. Sagr.,* XIV, 139 s.).

[181] Véase *Espíritu hispánico* (I), pág. 203. — En los textos literarios *Avalon* es considerada a menudo una isla donde permanece el rey Arturo. (Cfr. *Couronnement Louis,* ed. E. Langlois, pág. 60). Para *Avalon* transferido a Sicilia véase el libro de Wood Brown sobre Miguel Escoto, páginas 196 s.

[182] *España Sagrada,* XXXVII, 137 s.

"en el monasterio de *Abelania,* como se escribe en el *Cronicón de Alberda...* un caballero llamado Theudio, y otros igualmente fieles a su Rey le sacaron de la clausura, y le restituyeron a su Corte de Oviedo. Ambrosio de Morales asegura que el Monasterio expresado era el de Samos... (en tierra de León) [183]... *Abeliare,* Abelania?... Beuter en el lib. I de su *Crónica,* cap. 13, escribe que Don Alonso se retraxo en el Monasterio de *Abilés...,* en las escrituras antiguas se escribe *Aviles"*. Agreguemos los comentarios del mismo autor sobre *Gozón,* no lejos de Avilés, donde el rey hizo construir otro domo dedicado a San Salvador [184]: "Fortificación de la costa de Asturias y de la Santa Iglesia de Oviedo. Habiéndose experimentado en los dos reynados anteriores, que los Normandos andaban muy solícitos de robar por estas marinas..., tuvo el Rey por conveniente edificar algunas fortalezas para defensa de los pueblos y de las santas reliquias y grandes riquezas, que tenía a la Iglesia Catedral del Salvador. A este fin fabricó el castillo llamado de *Gauzon* sobre unas altas rocas, para que de sus almenares, pudiesen descubrirse las armadas de los enemigos y de este modo estuviesen los Asturianos prevenidos, y les impidiesen la entrada. Dentro del mismo castillo edificó una Iglesia de preciosos mármoles dedicada al Salvador como la principal, para cuya conservación se hizo aquella obra... Algunos años después hizo Don Alonso so [sic] donación del castillo y de la Iglesia a la Catedral de Oviedo...: Castellum etiam concedimus Gauzone cum Ecclesia S. Salvatoris, quae est intra eum omni sua mandatione, et cum Ecclesiis, quae sunt extra illud castellum videlicet Ecclesiam S. Mariae sitam sub ipso Castro, Monasterium S. Michaelis de Ouilonio, etc.".

Incluyamos aquí la importante observación de M. Defourneaux [185] sobre el papel atribuido a Carlomagno conforme al *Chronicon Mundi,* que comporta un detalle desconocido a la *Crónica de Turpín*: "Carlomagno no sólo va de peregrinaje a Compostela,

---

[183] Según un documento del año 992, Alfonso no se había retirado a Samos, sino a la provincia de Álava (*España Sagrada,* XXXVII, 112). ¿A causa de otra persecución?

[184] *España Sagrada,* XXXVII, 215.

[185] Trad. de la obra cit., pág. 311.

sino también a Oviedo, a fin de adorar allí al Salvador y obtiene del Papa Juan el permiso para que las dos iglesias de Santiago de Compostela y de San Salvador de Oviedo sean elevadas al rango de metrópolis ("Carolus postea cum rege Adefonso amicitiam fecit, cujus consilio instituta Beati Isidori et sanctorum patrum Rex Adefonsus in regno suo firmavit. Orationis etiam gratia ecclesias Sanctis Salvatoris et Sancti Jacobi Carolus visitavit, et a glorioso Papa Ioanne obtinuit ut utraque ecclesia metropolitano honore frueretur et pacifice in Francia reversus est"). Esta adjudicación es un testimonio contundente del éxito de las escrituras apócrifas y de las interpolaciones de Pelayo, obispo de Oviedo a comienzos del siglo XII, quien inventó las relaciones entre Carlomagno y Oviedo, y puso bajo la autoridad del Emperador el pretendido ascenso de su iglesia al rango de sede metropolitana".

Antes de concluir estos esbozos y sugerencias volvamos al tema de Toledo. Es el joven Carlomagno, supuesto contemporáneo de Alfonso el Casto, quien según el *Mainet* [186] visita al rey *Galafre* en esta ciudad. Un reflejo de su nombre parece serlo el de *Gal(l)afur* [187] del *Perceforest*, y el de *Galafad, Gala(h)ad*, el hijo de Lanzarote en las tradiciones "arturianas" (también el hijo de José de Arimatea). Recientemente la crítica [188] ha establecido afinidades literarias entre el *Mainet* y el *Otinel*. El adversario de este *Otinel* (u *Otuel*) es el "sarraceno" *Garsia* (o *Garsile*) que, en esta leyenda, representa al rey Marsile. Podría tratarse del famoso adversario del Cid, *García* Ordóñez de *Grañón*, empleado con frecuencia al servicio del rey de Zaragoza, que estamos inclinados a identificar con el *Ganelón* de la *Canción de Rolando* [189]. Un *García* totalmente diferente sería el modelo posible [190] para el rey

---

[186] Véase para la leyenda y la bibliografía *Espíritu hispánico* (I), páginas 168 s.

[187] Sobre *Gal(l)afur* cfr. J. Lods, *Le Roman de Perceforest*, Ginebra-Lille, 1951, págs. 48 s. *Galafre* (var. *Garsile*) también es el nombre de un rey sarraceno derrotado por Guillermo en el *Couronnement Louis*.

[188] P. Aebischer, *Études sur Otinel*, Berna, 1960, passim.

[189] *Espíritu hispánico* (I), pág. 155.

[190] Véase nuestro estudio citado, pág. 198. Cfr. también *España Sagrada*, XXXVII, 261 s., sobre un tal Don García con el título de Rey de León (hacia 912). Comp. también el "Garsianis... rei de Portugal" del *Cléomadès*

"Grassie" de Granada (en el *Titurel* "reciente", 448, 1). Es evidente en casi todos los textos de leyendas épicas medievales que los poetas —y juglares— "De la canchon ont corunpu la geste" (para utilizar la palabra del autor de *Ogier le Danois*; v. 11860) [191], parecen haber combinado y confundido varias fuentes heterogéneas, la mayor parte de las cuales no ha llegado hasta nosotros. Este método negligente ya caracteriza el *Rolando* y se hace cada vez más evidente en el ciclo de Guillermo, en *Anseïs* y *Perceval*, etc. La tendencia de los autores a transformar los temas en asuntos nacionales y cristianos [192] es muy pronunciada [193].

Pongamos fin a este estudio —igualmente preliminar, como lo fue el precedente— sirviéndonos de los últimos versos del autor del *Roman de Cléomadès* [194], que por otra parte son bastante semejantes a los de los autores del *Parzival* y del *Titurel* "reciente"

_____

(v. 659 y 662). Muy conocido era también ("el rey") García de Navarra del poema de *Fernán González* (y de la *PCG*, etc.).

[191] Citado conforme a *La Chevalerie Ogier de Danemarche*, por Raimbert de Paris, publ. p. J. Barrois, París, 1842.

[192] Mencionemos que de acuerdo con el Padre A. J. Denomy, que ya señaló la importancia del avicenismo y averroísmo en la formación del amor cortesano, el *Perceval* (de Chrétien), por su tono religioso de la búsqueda del santo Grial y una concepción más elevada del amor, podría considerarse una especie de reprobatio (Andreas Capellanus!) del *Lancelot*. Ver *The Heresy of Courtly Love*, Boston College Candlemas Lectures, publ. en Nueva York, 1947, págs. 53 s.

[193] El procedimiento inverso (la transformación de un asunto cristiano en tema "pagano") no es probable en las obras cortesanas y cantares de gesta, puesto que "im Mittelalter wohl der altheidnische Glaube in christliche Legende umgewandelt, nie aber die Legende ihres christlichen Charakters entkleidet und zu einem höfischen Unterhaltungsstoff umgearbeitet wurde". (P. Piper, *Wolfram von Eschenbach*, vol. I, Stuttgart, 1890, pág. 65).

[194] *Li Roumans de Cléomadès*, por Adenet li Rois, ed. A. van Hasselt, Bruselas, 1865-66; así también *Cléomadès*, refundido por Adenet le Roi, publ. p. J. Marchand, París, 1925. Sabemos que el tema del viaje por los aires en *Cléomadès* es de origen árabe (hispano-morisco) y se vuelve a encontrar en el episodio de Clavileño del *Don Quijote* (por una versión intermedia española del *Cléomadès*). De Menéndez y Pelayo, *Orígenes de la Novela*, ed. Santander, 1943, vol. I, pág. 237, citamos: "Gaston Paris considera posible que la fuente inmediata de Adenet [*Cléomadès*] haya podido ser española. Se trata, en efecto, de un cuento árabe, que lo mismo pudo entrar por España que por oriente".

estudiados arriba: "se vos savoir en voulez Plus avant, en *Espaigne* alez. Ou à *Toulete* ou à *Sebile*. Je ne sai pas en laquele vile De ces II plus tost trouveriez L'estoire, se la querries; Car espoir ont été ostées Les cronikes, et remuées, Où ceste matere fu prise Que nus n'ot moult ne la prise" (18509-18). Creemos que, en efecto, es sobre todo ésta la trayectoria que debe seguirse en vista de una solución de los últimos problemas abiertos en la investigación de las leyendas épicas [195].

---

[195] Referente a la pág. 225, nota 39, podemos señalar aun que según Antonio Rainieri Biscia, en el códice A. 1727 de la Biblioteca del Archiginnasio de Bologna, "*Wadd* che supponevasi rappresentava… il *Cielo*, era *adorato* sotto la forma della tribu di *Calb*" (*Storia di Ahmed Ibn Mohammad Al-Mukri Al-Magribi*, … ossia copia del codice arabo sulla Storia degli Arabi o Mauri in Spagna, tratta dal Conte A. R. Biscia dal … originale transportato dal Cav. d'Italinski, fatta fra 1826 e 1830, ora di Sua Maestà L'Imperatore della Russia, vol. II, págs. 12-13, prefazione). Según la *Encyclopedia of Islam*, vol. II (1927), págs. 688 s., *Kalb* era una importante e independiente tribu nómada siríaca, partidaria de los Omeyas.

EL SUSTRATO HISPANO-PORTUGUÉS EN LA LEYENDA DE LOHERINC Y DEL ARTURO DE ALGARVE *

EL CABALLERO DEL CISNE

En un estudio precedente[1] señalamos que la leyenda de Loherinc (o Loherangrin, Lohengrin) posiblemente esté vinculada remotamente al mito antiguo de los dioscuros. En un artículo posterior[2] citamos un texto del *Titurel* "reciente", según el cual la Lorena fue llamada Lutringen por Lohengrin; anteriormente se había denominado Lizabune[3]. Este error evidente indica un lugar cuya conquista estuvo íntimamente ligada a las regiones liberadas con la ayuda de Santiago[4] quien, bajo el aspecto de un caballero luminoso vestido de blanco, aparecía ya fuera emergiendo del mar y de una concha[5], ya descendiendo del cielo en un caballo blanco[6].

---

* Publicado en parte en el *Anuario de Estudios Medievales*, vol. II, 1965, págs. 525 ss.

[1] *Notas sobre temas épico-medievales*, nota 103.

[2] *Espíritu hispánico en una forma galorromana*, II, pág. 246.

[3] "Lutringen siz al da durch in benanden. Lizabune hiez es vor, werdiclich in manigen Landen" (v. 5960, 3-4).

[4] Véase, por ejemplo, la toma de Coímbra por Fernando Magno, a la que se refieren nuestras observaciones en *Espíritu hispánico...*, I, págs. 208 s., y la batalla de Las Hacinas de la leyenda de Fernán González.

[5] *Espíritu hispánico...*, II, nota 149.

[6] Cfr. nuestro artículo titulado *Emisarios divinos*, pág. 88, y *Espíritu hispánico...*, I, pág. 209 (este último acerca de la supervivencia del mito de los dioscuros y la identificación con las apariciones de Santiago ya en la Edad Media).

Por otra parte, se sabe bien que la leyenda lorenesa del lago de los cisnes y la de Garin le Loherain están entrelazadas, habiendo dado el nombre de éste último el de Loherangrin por transposición (Loherain Garin). No obstante, el poema épico *Garin le Loherain*, el capítulo Lohengrin del *Parzival* de Wolfram, los episodios sobre el caballero del cisne de la *Gran Conquista de Ultramar* y todos sus derivados, reflejan diversas etapas en el desarrollo de estas leyendas que no excluyen en absoluto la posibilidad de un estrato más antiguo y fuentes más remotas de lo que se suele suponer.

De acuerdo con la *Gran Conquista de Ultramar* y otros textos, los hechos que se atribuyen a la figura del caballero del cisne se desarrollan en época de los Otones (segunda mitad del siglo X). A este mismo período se refieren los acontecimientos que se relacionan con los personajes históricos de Fernán González, de Garci Fernández (y de la "Condesa Traidora") y de los Siete Infantes de Lara. La pérdida de viejos poemas y documentos antiguos relativos a la historiografía española fue considerable, de modo que hay que confiar en la *Primera Crónica General* (del tiempo de la *Gran Conquista de Ultramar*) por ser el primer texto que ha llegado hasta nosotros que combina estas tres leyendas castellanas. En lo que sigue presentamos los pasajes que serán de particular interés, pues parecen ofrecer paralelos a la leyenda de Loherinc dignos de una valoración más profunda en el futuro.

a) *Fernán González*: mención de "Oto, duque de Saxonia" (*PCG* [7], pág. 406); el rey Ordoño de León, amigo de Fernán González y asaltador de Lisboa: "fasta en Ulixbona destruxo et quemó quanto y falló" (*PCG*, 407); el conde de Castilla libera a San Esteban de Gormaz "que es en ribera de Duero..., con la cauallería del rey don Ordonno et con la suya" (*PCG*, 408) [8]; mención de "Otho [I] emperador de Roma" (*PCG*, 422, 425, 431); Fernán González padre del conde Garci Fernández (*PCG*, 426) [9].

---

[7] *Primera Crónica General*, ed. R. Menéndez Pidal, Madrid, 1955.

[8] En pág. 417 de la *PCG* encontramos una descripción de "Sant Fagunt... cercada". Para la aparente importancia de Sahagún en la formación de la leyenda del santo Grial, véase *Espíritu hispánico*, I, y II, *passim*.

[9] Menéndez Pidal está convencido de que el asunto del *Hernaut de*

b) *Garci Fernández* (llamado *Gia Ferns* en la variante *A* de la *PCG*, pág. 427, nota): disfrazado después de su llegada a Francia, y discusión con Doña Sancha sobre su origen que él quería mantener secreto: "la mançeba... uió... estar al conde Garci Fernández pobre et mal uestido, pero que era muy cauallero et mucho apuesto et muy fremoso ... et dixo en so coraçón: si aquel omne es fidalgo... [10]. Et ... conjuról et rogól por Dios quel dixiesse uerdat si era omne fidalgo, et el conde le respondió: "amiga, ¿por qué me lo demandades? poco uos cumple a uos saber de mi fidalguía nada" [11]. Et ella le respondió: "por auentura más cumple a mí et a uos que a uos non cuydades" ... Et donna Sancha le dixo: 'amigo, dezidme qué omne sodes o de qué linage uenides' " (*PCG*, 427-428). Pasaron juntos la noche: "aquella noche albergaron amos a dos de so uno et reçibiéronse por marido et por muger" (*PCG*,

---

Beaulande está tomado de un episodio del *Poema de Fernán González* (véase su libro *La Leyenda de los Infantes de Lara*, 1898 y 1934, pág. 19, nota 2): "Creo... que el argumento del poema de *Hernaut de Beaulande*, que carece de fundamento tradicional..., está tomado del episodio del poema de *Fernán González*. ... La correspondencia... no puede ser más exacta". Los críticos han pasado por alto el hecho de que también puede existir una relación entre la leyenda de Bernardo del Carpio (que últimamente estudiamos en *Relaciones franco-hispanas en la épica medieval*), y la de Fernando el Magno y el Cid en una refundición reciente que acaso revela un fondo más antiguo, y otra relación entre Bernardo del Carpio y Fernando el Magno (o Fernán González?) en un texto del *Poema de Fernán González*. El poema titulado *Rodrigo y el Rey Don Fernando* en la edición de Menéndez Pidal, contenida en sus *Reliquias de la Poesía épica española*, Madrid, 1951) nos presenta a Fernando como a aquél que junto con el Cid "a pessar de francesses los puertos de Aspa passó" (v. 797). El copista del manuscrito del Escorial del *Fernán González* (v. 132, 1) nos habla de "*Fernando del Carpio*"; cfr. en el mismo poema (v. 139, 1-2): "Los poderes de Francia, todos byen guarnecidos, Por los [puertos] de Aspa fueron luego torcidos". En la guerra contra el rey de Francia (en *Rodrigo y el Rey Don Fernando*), quien todavía dispone de doce pares, los castellanos cuentan con el socorro de numerosos héroes, entre los que también se halla "Almerique de Narbona, quel dizen don Quirón" (v. 815).

[10] Esto corresponde a la descripción de Loherangrin en el *Parzival* de Wolfram, v. 824, 16 s.

[11] Comp. *Parzival*, 825, 19: la prohibición de inquirir acerca del origen.

428) [12]. Concibieron un hijo (*PCG, 428*) [13]. *Condesa Traidora* [14]; Doña Sancha traiciona a su esposo [15] (*PCG*, 429; 453-454).

c) *Los Siete Infantes de Lara* [16]: historia relacionada con su muerte [17] y la venganza, intercalada entre los dos relatos de la condesa traidora (*PCG*, 431-442; 446-448); última mención de Otón I y otra de Otón II (*PCG*, 448) [18].

d) Otros paralelos y vínculos posibles entre estas leyendas:

I Historia de España —	II Leyendas e historia de la Lorena, de los Países Bajos y de Alemania —
Rey Ordoño.	Emperador Otón (lat. Otho, -onis).
Coimbra (Conimbria) [19] y Lamego, y Braga(na) con Braganza [20], reconquis-	Nimega, donde el rey Otón tiene su corte, y Brabante [22], el principado

[12] Análogamente, Loherangrin y la princesa de Brabante, en *Parzival*, 826, 1-2.

[13] Varios hijos hermosos en el *Parzival*, 826, 9.

[14] Sobre esta leyenda cfr. G. Cirot, *Une Chronique léonaise inédite*, en *Bulletin hispanique*, XI-XXI (1909-1919); R. Menéndez Pidal, *Historia y Epopeya*, Madrid, 1934, págs. 1 s.; y nuestros *Estudios épicos medievales*, Madrid, 1954, págs. 75 s.

[15] Un final diferente del de la historia de Loherangrin.

[16] Para esta leyenda véase R. Menéndez Pidal, *La Leyenda de los Infantes de Lara*, Madrid, 1898 y 1934; y nuestros *Estudios épicos medievales*, Madrid, 1954, págs. 151 s.; 192 s.

[17] La existencia de los siete infantes de Lara, en este contexto y esta misma época, puede haber contribuido a la formación de la leyenda de los siete infantes destinados a la muerte y (en parte) transformados en cisnes.

[18] Otón II con Otón III aparecen mencionados en pág. 451 de la *PCG*.

[19] Para este topónimo en las leyendas épicas véase *Espíritu hispánico*, II, pág. 207.

[20] Sobre otras relaciones de las leyendas épicas y obras cortesanas con las regiones del Noroeste de la Península Ibérica comp. *Espíritu hispánico*, I y II, passim. Cfr. ya K. Simrock en *Parzival und Titurel*, 6.ª ed., Stuttgart 1883, págs. 341 y 356: "die Königreiche Waleis und Norgals mit ihren Hauptstädten Kanvoleis und Kingrivals [sind] in England zu suchen [es decir en Gales y Gales del Norte] ... Wolfram setzt sie aber nach Spenien"; "Jenseits der Pyrenäen wird ... der Schauplatz bestimmter und die Bezüge auf den Gra' mehren sich". Sin embargo, esta procedencia indicada por Wolfram (cfr. su "Flegetânîs", el nigromántico, "Thâbit" el astrónomo, y "Kancor" el médico), al igual que por el autor del *Titurel* "reciente", fue

tadas en las guerras de Portugal de la esposa de Loherangrin.
(*PCG*, 297 y 377 s.)[21].

Gormaz. Worms (llamada Gormasia en los textos españoles de la Edad Media)[23].

Reparemos en último término en Loarre (la antigua Loharre) en el Alto Aragón[24] con sus célebres monumentos medievales[25],

---

abandonada casi por completo durante las investigaciones que se hicieron durante la primera mitad de nuestro siglo.

[21] El *Kanvoleis* mencionado en la nota precedente tal vez corresponde a un can (= "campus") + Wâleis (= Galicia?); cfr. Canfranc = "campo franco", según M. Alvar, *Toponimia del alto valle del río Aragón*, en *Pirineos*, V, 1949, págs. 389-496. — Galicia con el territorio de la antigua Bretonia era considerada un país de gigantes (véase *Espíritu hispánico*, I, págs. 188, s.), La Coruña, el lugar donde según la leyenda medieval Hércules realizó proezas, el punto de partida de los celtas de Irlanda (y de su héroe mítico Breogan); el océano que baña la costa gallega era el Mar de Irlanda. En 1958-59 se descubrieron los esqueletos de suevos gigantescos bajo la nave central de la catedral de Santiago de Compostela (comp. las fotos que se contienen en J. M. Castroviejo, *Galicia - guía espiritual de una tierra*, Madrid, 1960, págs. 43 y 86). — En el *Victorial* de Gutierre Díez de Gámez (también titulado *Crónica de Don Pero Niño*), Brutus de Troya hizo escala en Galicia y volvió a partir, acompañado por el señor de este país —que asimismo era de origen troyano— para la conquista de Inglaterra (cfr. Menéndez y Pelayo, *Orígenes de la Novela*, I, Madrid, 1905, pág. CLXXXI).

[22] El nombre *Telramund* del *Lohengrin* alemán parece ser del mismo género que *Pâtelamunt* de la leyenda del santo Grial (*Parzival*, 17, 4, en o cerca de Zazamanc; ¿estaría compuesto del fran. ant. "batel amunt" = "río arriba por el valle de un río" y no "Monte de Batalla" como sostenía Martin en su ed., vol. I, pág. 30?; -*p* por -*b* en *Pâtelamunt* como en *Pelrapaire* = Belrepeire, siendo muy comunes los nombres parlantes en las obras cortesanas).

[23] Entre otras también en la *Gran Conquista de Ultramar*, capítulo XCVI (Espaldar de Gormasia muerto por el caballero del Cisne).

[24] Cfr. en particular Pauly-Wissowa, *Real-Encyclopädie der classischen Altertumswissenschaft*, vol. III, Stuttgart, 1899, col. 1327: "Loharre zwischen Osca [= Huesca] und Iacca [= Jaca]"; "Doch ist die Gleichsetzung Calagurris [= Calahorra] mit Loharre... unsicher" (para Calahorra véase *Espíritu hispánico*, I, notas 211 y 280; *Considérations complémentaires*, página 587).

[25] Se encuentran fotos en la *Enciclopedia Espasa*, vol. XXX, pág. 1229-

que puede haber influido en la formación del nombre le Loherinc, y aún es posible que en la leyenda.

Así se resumen los elementos principales que podrían haberse tomado de la historia y la leyenda de Castilla, y que habrían formado un sustrato de base difícilmente discernible bajo la superficie de la materia transformada en el curso de los siglos XII y XIII, cuyos estratos más recientes lo asimilaron a las tradiciones lorenesas, neerlandesas y célticas [26].

Tantas veces oculta, aunque a menudo todavía perceptible bajo los nombres corrompidos [27] y las acciones combinadas en las obras de los autores del siglo XII, la identidad de los personajes históricos transformados en figuras legendarias se difunde en mayor grado en los textos recientes, particularmente en los de los libros de caballerías y en sus antecesores, siendo uno de los primeros la *Gran Conquista de Ultramar* [28].

ARTURO DE ALGARVE

El enorme e inagotable tesoro de los libros de caballerías, que hasta el presente los especialistas no han analizado más que frag-

---

1231; y R. Menéndez Pidal, *Historia de España*, vol. VI, Madrid, 1956, págs. 370-375.

[26] Cfr. R. S. Loomis, *Celtic Myth and Arthurian Romance*, Nueva York, 1927, págs. 314 s.

[27] Sobre el pasaje de "conte *cataigne*" = Rolando (en la *Canción de Rolando*, v. 2320) en conde de "*Cantuaria*" = Canterbury (en el texto de la *Karlamagnussaga*) véase *Espíritu hispánico*, II, nota 178. Sobre "*Herzeloide*" = "*Arselot*", "*Herselot*"; "*Ampflise*" < "*Anfelis*"; y sobre "*Rischoyde*" (igualmente en el *Parzival* de Wolfram) < "*Riqueut*", "*Richeut*", mencionadas en el *Ensenhamen* catalán de Guerau de Cabrera, cfr. H. y R. Kahane en *Mél. de Ling. Rom. et de Phil. Méd. offerts à M. Delbouille*, vol. II (1964), págs. 329 s.

[28] Otro precursor español muy importante de los libros de caballerías es el *Caballero Cifar*, cuyos orígenes se remontan en parte a la leyenda de Floovant (Fioravante), el rey merovingio Clothar I o Clodovec (véase *Estudios épicos medievales*, págs. 46-68). En el *Libro del Caballero Cifar* el tema del caballero exilado y andante continúa la tradición del *Floovant* francés y del *Ruodlieb* latino (sobre este último véase el artículo "*Traditionalism*"..., de próxima publicación).

mentariamente, refleja toda una literatura medieval de fuentes griegas, latinas y árabes, la mayor parte de las cuales no han sido encontradas [29]. Cada esfuerzo de investigación complementaria sería con toda probabilidad bastante revelador para la interpretación de los elementos discutibles o enigmáticos de este nuevo dominio de la prosa hispano-portuguesa, que frecuentemente se asimila de lejos al "ciclo bretón".

La leyenda de Arturo de Algarve parece ofrecernos esta posibilidad, por estar íntimamente ligada a la historia de Portugal, de Castilla y de Inglaterra de fines del siglo XIV. Según la leyenda este Arturo es rey de la región meridional de Portugal en *Olivier de Castille* (año 1482 ó 1492) y *Oliveros de Castilla y Artus de Algarve* (1499), dos versiones de un libro de caballerías que imita tal vez una fuente latina desconocida. La edición francesa se publicó en Ginebra con un prólogo de Philippe Camus, quien pretende traducir esta historia para Jean de Croy (ya muerto hacia 1472). La edición española, aparecida en Burgos, fue reproducida en facsímil por la Hispanic Society of America de Nueva York (1902); en una edición más reciente, la de Madrid (s. f.), el bachiller Pedro de la Floresta, es designado como autor. [30] Las traducciones al inglés y alemán se basan igualmente en el texto francés, sólo la adaptación italiana toma por modelo la versión española.

La leyenda, bastante fantástica y poco estudiada [31], relata la

---

[29] El propio Cide Hamete Benengeli, nombre hispano-morisco de un primer "autor arábigo y manchego" (*Quijote*, I, cap. XXII) del caballero de la triste figura, mencionado repetidas veces por Cervantes, parece plantearnos un problema que todavía aguarda una solución definitiva. Cfr. también la *Crónica de Lepolemo, llamado el Caballero de la Cruz* (Valencia, 1521; véase *Quijote*, I, cap. VI), "compuesta en árabe por Xarton [a quien se supone haber sido un nigromántico converso] y traducida al castellano por Alonso de Salazar".

[30] El texto castellano también fue impreso por A. Bonilla y San Martín en la *Nueva Biblioteca de Autores Españoles*, vol. XI, (1908), págs. 443-523. La edición facsímil fue reimpresa por I. B. Anzoategui en la Col. Austral (Buenos Aires, 1943).

[31] Excepción hecha de algunos rasgos particulares que estudiaron R. Foulché-Delbosc y M. Menéndez y Pelayo (ver éste último en *Orígenes de la Novela*, vol. I, cap. 4, sobre el influjo de *Amis et Amile*).

juventud y la amistad de Arturo de Algarve y Oliveros de Castilla, yendo éste último en busca de su amigo Arturo a Portugal, a España, a Inglaterra y a Irlanda. La pareja de amigos (Arturo y Oliveros) corresponde vagamente a la de Amis y Amile y la de Rolando y Oliveros. La formación del tema épico de Arturo de Algarve debió no obstante originarse en la historia portuguesa de fines del siglo XIV. Lisboa y las regiones del Alemtejo con el Algarve [32] se encontraban en la época en manos de los castellanos. El rey Juan I de Portugal (muy conocido también por el nombre de Maestre de Avís) y su condestable Beato Nun' Álvarez Pereira se distinguieron en este frente y condujeron el ejército a la victoria final de Aljubarrota (en 1385), considerada el acontecimiento más importante de la historia peninsular nacional por los portugueses (véase Camões, *Lusíadas*, IV, passim) [33]. Habiendo participado las tropas inglesas en esta campaña, se concluye el Tratado de Windsor (en 1386), que formó la base de la alianza anglo-portuguesa de los tiempos futuros. Juan de Gante, el duque de Lancaster, esposo de la hija de Pedro I de Castilla, aspiraba al trono de Castilla y realizó incursiones en el Norte de España, desembarcó en La Coruña, tomó el título del rey de Castilla y de León y cedió parte de

---

[32] El primer monarca que tomó el título de rey de Algarve (y de Portugal) fue Sancho I, el conquistador de Silves (fin del siglo XII). Alfonso el Sabio se llamó por algún tiempo —y todavía en la *PCG*, 4— "rey de Castiella, de Toledo, de León, de Gallizia, de Seuilla, de Cordoua, de Murcia, de Jahen et dell Algarue". — Adviértase que son "los sennores de los moros dell Algarbe" quienes "ouieron su conseio de enuiar dezir a Yuçaf el Miramomelin que les uiniesse ayudar" durante el sitio de Zaragoza por Alfonso VI antes de la batalla de los tambores, cerca de Zalaca (*PCG*, 557). [Importante para la interpretación de la *Canción de Rolando*].

[33] Sobre la época de Juan I y el problema del *Amadís de Gaula* (Vasco de Lobeira, armado caballero en Aljubarrota, y la cuestión del autor) véase el importante capítulo 5, vol. I de *Orígenes de la Novela* de Menéndez y Pelayo. — En lo que concierne al *Amadís* advirtamos que el gigante "Gandalac" fue combatido cerca del peñasco de "Galtares" (un reflejo tardío del peñasco de Gibraltar?). Véase *Espíritu hispánico*, I, pág. 162, sobre otros gigantes con nombres semejantes, y cfr. además el *Gargantua* de Rabelais y el "Amorant" del *Gui de Warewic*, así como el sobrenombre de "Gol(l)ias" de Almanzor, según el *Fernán González*, v. 272, 4, y los versos 494, 1-2 del mismo cantar: "Un rey de los de África era de fuerça grande. Entre todos los otros semejava gigante".

este territorio a Juan de Portugal, en 1386. Al año siguiente casó a sus hijas con los monarcas de Portugal (Juan I)[34] y de Castilla (Enrique III)[35]. Camões en sus *Lusíadas*, nos recuerda este hecho: "Dar os Reis inimigos por maridos A's duas ilustrissimas Inglesas, Gentis, fermosas, inclitas princesas" (IV, XLVII, 6-8).

Según algunas crónicas portuguesas que han llegado hasta nosotros, Juan I y sus caballeros querían semejarse en cierta medida a los de la Mesa Redonda[36]. Lo lograron en efecto: Juan se hizo llamar rey Arturo por sus vasallos, doce de los cuales delegó a Londres para un torneo ("Os doze de Inglaterra", *Lusíadas*, I, XII, 6). Nuno Álvarez Pereira trató de imitar a Galahad[37], otros se hacían llamar Perceval y Lisuarte[38]. Queda aún por señalar que, desde la edad de trece años, Nuno Álvarez había sido educado con Juan I en la corte del rey Fernando, padre de éste. Parece así que Arturo de Algarve refleja el personaje histórico del Maestre de Avís y que Oliveros de Castilla —figura característica de un caballero errante, siendo uno de los primeros representantes Galahad— se explica por algunas reminiscencias de Juan de Gante y Nuno Álvarez Pereira[39], confundidos y fusionados en la leyenda, siendo

---

[34] Las relaciones entre el gobierno de las Islas Canarias —donde se había distinguido Enrique el Navegante, hijo de Juan I de Portugal y de Philippa de Lancaster— y la historia de Inglaterra de la primera mitad del siglo xv quedarían aún por estudiar desde la perspectiva de sus posibles influencias sobre los primeros capítulos del *Tirant lo Blanch*, de Juan Martorell, de la misma época que el *Artus de Algarve*.

[35] Al contraer matrimonio, Enrique no era en realidad más que el príncipe heredero al trono de su padre Juan I de Castilla. — Para una primera tentativa de anexión de Galicia por los ingleses, la de Guillermo de Inglaterra en la época de Alfonso VI (año 1087), véase *Historia Compostelana*, en *España Sagrada*, XX, pág. 254; cfr. *España del Cid*, págs. 346 s.

[36] *Crónica de Dom João I*; y J. Ferreira de Vasconcelos, *Memorial dos Cavaleiros da Segunda Távola Redonda*.

[37] Fernão Lópes, *Chrónica do Condestábre de Portugal Dom Nuno Alvarez Pereira*, 1531; ed. M. dos Remédios, 1911. Este libro ya fue compuesto entre 1431 y 1453.

[38] Cfr. C Michäelis de Vasconcelos, *Cancioneiro de Ajuda*, vol. II, 1904, pág. 507.

[39] Sobre la semejanza de los nombres *Alvarus* y *Oliverus* véase nuestro estudio *Cataluña y Aragón...*, págs. 274 s.

posible que también se hubiera confundido al primero con otros reyes de Castilla (Juan I [40] y su hijo Enrique III) de la misma época [41].

---

[40] Juan de Castilla había contraído matrimonio con Beatriz, hija del rey Fernando de Portugal y de Leonor Téllez.

[41] El tema de la expedición a Chipre debió reflejar la gran invasión española, particularmente catalana y aragonesa, de esta isla hacia fines del siglo XIV. El asunto del encuentro con el caballero blanco nos recuerda las apariciones de Santiago de Compostela; el de Juan Talabot parece referirse al personaje histórico del conde de Shrewsbury, John Talbot (1384-1453), lugarteniente y más tarde señor justiciero de Irlanda.

CATALUÑA Y ARAGÓN EN ALGUNAS EPOPEYAS Y POEMAS ARTURIANOS *

Fijemos la atención en algunas obras literarias que con bastante frecuencia han quedado inadvertidas por la crítica romanista: el *Titurel* y en particular el *Titurel* "reciente", como también el *Poema de Almería*.

Tomemos como punto de partida anteriores estudios sobre los lugares de combate en Cataluña y en Aragón en los cantares de gesta, y sobre el nombre de Cataluña.

Allí mismo propusimos: *Rolando* 2465, etc. *Sebre* < Segre + Ebro; v. 856 *tere Certeine*, 2312 (*perrun de*) *sardaigne* = la Cerdaña [1]; *Guillermo* 935 *Burdele* (nom. *Burdeles*) *sur Girunde* = Bordils más allá (más arriba, al Nordeste) de Gerona [2]; v. 14, etcétera, *amund Girunde* = más elevado (en el nivel) que Gerona [3],

---

* Publicado en parte en *Estudis Romànics*, vol. IX (1961), págs. 209 ss.

[1] Véase *El lugar de la batalla en la Canción de Roldán, la leyenda de Otger Catalò y el nombre de Cataluña; Cataluña en la Canción de Guillermo francesa; Notas sobre temas épico-medievales.*

[2] Sobre la ortografía *Bordel* y *Burdel* que designa Bordils en la *Primera Crónica General*, cfr. *Espíritu hispánico*, I, pág. 155, nota 31.

[3] *Cataluña...*; *Notas...* — Cfr. también *Notas...*, pág. 76, sobre Hernaut de Gironde, del *Aymeri de Narbonne*. El mismo aparece bajo el nombre de Arnalt von Gerunde en el *Willehalm* (v. 238, 22, etc.), de Wolfram. Hernaut de Gerona y su hermano Bernardo de Brusbán son las figuras principales del *Fragment de la Haye* que hace suponer la existencia de un poema perdido, *Le Siège de Gérone*. Observemos también que un Gerardus de Rosseilon, alias Gebhardus, se halla entre los príncipes, praelati, mili-

y discutimos v. 16, etc. *marches, marchez*[4]; v. 16, etc. *alués*[5]; junto con varias otras palabras y topónimos.

En lo que concierne mi sugerencia de *Cataluña* < *capitan(e)um* + *-onia* con el significado de "país del jefe franco" (cf. Vasconia, Aragonia, etc.; y *Rolando* 1846, etc. *cataigne, catanie*) con disimilación de *-n-* como *Barcelona* < Barc(h)inona[6] recordemos que también en América, durante la época de la dominación española, una *capitanía* era una "extensa demarcación territorial gobernada con relativa independencia del virreinato a que pertenecía"[7]. Según la *Marca Hispánica*[8] "In libris feudorum vassi dominici vocantur *Capitanei*...", y según una versión catalana de la leyenda de Otger Catalò, este último cuyo prototipo histórico es tan incierto como el de Bernardo del Carpio, fue un "gran *capità* venint de Fransa"[9]. En el *Titurel* "reciente" parece que *Capitanie*[10] se refiere a nuestra * *Capitanonia*.

---

tes de las primeras cruzadas. Véase *Gesta Dei per Francos,* Hanoviae, 1611. Cfr. también E. Gamillscheg, *Sur une source catalane de la chanson de geste "Girart de Roussillon",* en *Ausgewählte Aufsätze* del autor, vol. II (Tubinga, 1962), págs. 217 s.

[4] *Cataluña...; Notas...*

[5] *Cataluña...; Notas...*; cfr. también *Espíritu hispánico,* I, nota 31.

[6] Véase *El lugar de la batalla...* Sobre el pasaje de *cataigne* (en *Rolando,* 2320) a *Katanie* (en el texto de la *Karlamagnussaga*) véase *Espíritu hispánico,* II, nota 176.

[7] *Diccionario de la Academia Española,* 16.ª ed., pág. 246. Cfr. también el italiano *cattano* (jefe de un castillo), y la *Capitanata.*

[8] París, 1688, col. 259.

[9] *El lugar de la batalla...,* pág. 51; M. Coll i Alentorn, *La llegenda d'Otger Catalò i els Nou Barons,* en *Estudis Romànics,* I (1947-48), pág. 7. Originariamente pudo tratarse de un *Otgerus Dacus* (u *Otegerius* = Ottokar?); cfr. el *Otogerius* en L. Marineu Sicul, *De primis Aragoniae Regibus,* título reproducido por Coll i Alentorn, art. cit., pág. 32). La importancia de las regiones del *Segre,* de *Gerunde, Barchinone* y *Termes* en los combates de los francos carolingios y la leyenda de Otger es destacada por Jaume de Marquilles en los *Commentaria super Usaticis Barchinone* (cit. p. Coll i Alentorn, pág. 43 s.).

[10] "Da was hie *Capitanie* und *Arragûn* der wider parte" (v. 2206, 1). Por lo general citamos conforme la ed. de *Der jüngere Titurel* p. K. A. Hahn (Quedlinburg-Leipzig, 1842). Una nueva edición está en vías de publicación: Albrecht von Scharfenberg, *Jüngerer Titurel,* publ. por W. Wolf,

Esta obra, compuesta hacia 1270 en Alemania y muy difundida en aquella época [11], sitúa la leyenda arturiana en España. Un caballero de los que rodean a Arturo es *Fisidol* (sin duda por *Filidos*) *Ioffreit(e)*, v. 2281, 1 s., que corresponde a 'Jaufre, lo fil Dozon', del poema provenzal *Jaufré*, 679 [12].

Para designar Cataluña, el autor del *Titurel* "reciente" emplea en la mayoría de los casos el término literario tomado de Wolfram (*Titurel* y *Parzival*). Así encontramos Kiôt de *Katelangen* [13] (según Wolfram), y su esposa es (T)Sch(y)osîâne, quien llevaba el santo Grial [14]. Sigune, que da a Parzival informes acerca del Grial y conoce la región donde él se encuentra, proviene asimismo de Cataluña (según el *Titurel* de Wolfram) [15], que también es la patria de Ga(h)muret (en el *Titurel* "reciente") [16]. La madre de Titurel (el cual

---

(Berlín, 1955 y ss.). Ed. Wolf, v. 2255, 1: "Do was hie *kapitane Arragun* der wider parte" (var. *B* "*capitanie* vnd *Arragun*"; var. *DE* "von *Arragun*").

[11] Véase *Espíritu hispánico*, I, págs. 196 ss.

[12] Cfr. el "Filirois de Kastel" del *Titurel* "reciente" (v. 440, 1, ed. Wolf, v. 464, 1). Compárense también con otros textos del *Jüngere Titurel*: "Der von Iserterre *Fisidol* (var. *B Filidol*) Jofreiten" (v. 2208, 1; ed. Wolf 2257, 1); "*Castis*" (v. 2007, 3; ed. Wolf 2049, 3); "der von *Arragune* und der von *Yberne*" (v. 2195, 1; ed. Wolf 2244, 1); "*Iberne*" (v. 2037, 1; ed. Wolf 2084, 1) = Ubierna ("Ovirna" en el *Cid*, v. 3379), río y castillo ganado a los navarros por el padre del Cid? — "Pedro II (1196-1213), the loser of the battle of Muret, merited comparison with King Arthur; and to Jaime el Conquistador (1208-1276) the secondary Arthurian *Roman de Jaufré* was dedicated... The *Istoria de Jaufré* was painted on the walls of the Moorish room in the Aljafería of Zaragoza..." (W. J. Entwistle, *The Arthurian legend in the literatures of the Spanish peninsula*, Londres-Toronto, 1925, págs. 80 y 95, nota 1). C. Brunel, en la introducción a su excelente ed. de *Jaufré* (*SAT*, París, 1943), sitúa con G. Paris y A. Stimming la composición de la obra después de 1225 y antes de 1228, fecha de la conquista de Mallorca. El autor del *Jaufré* se informa acerca de Arturo por un pariente de éste, encontrado en Aragón (v. 86 s.). En cuanto al personaje de Jaufré, "il n'est pas douteux que le prince dont ils s'agit ici est le célèbre roi Jacques Iᵉʳ le Conquérant" (Brunel, pág. XXXVIII).

[13] Passim.

[14] *Tit.* "rec.", 631; *Parzival*, 477, 4.

[15] "Mín Lant ze *Katelangen*" (*Titurel*, de Wolfram, 165, 1).

[16] 4564, 2. El *Erec* de Hartmann menciona un "Marlivliôt von *Gatelange*" (ms. *A*) y un "*Barcinier*" (v. 1679). Cfr. *Espíritu hispánico*, II, nota 28.

hizo construir el castillo del santo Grial en Asturias) [17] es la hija de Bonifant de *Arragûn* (según el *Titurel* "reciente") [18]. Tschaflore (Schaffilör) era igualmente de Aragón [19]. E(h)kunat, el tío de Schîonatulander y fundador del monasterio Salvatsch, lleva el sobrenombre de *Berbester* (de Barbastro) [20]. Muchos otros nombres de persona y topónimos reflejan la Castilla, Galicia y Andalucía medievales [21]. Advirtamos por otra parte la justa observación del autor del *Titurel* "reciente" de que 'der selben Spangen Lant nach niht ist einic' (443, 4, ed. Wolf 467, 4) [22].

Conforme al *Titurel* "reciente", la fuente de la historia del santo Grial —una crónica (perdida?)— se encontraba no sólo en Francia y en Cataluña, sino también en *Graswaldane*, en (Gran?) Bretaña, y en España [23]: 'Ob ir des niht geloubet so fragt in Saluaterre [probablemente en Galicia] [24]. Der Schrift vil unberoubet sint der Lande Kronik nahe und verre. Franthrîch Antschouwe und in *Kathelangen*. Darzu in *Graswaldane*, in Pritanie; man vindetz ouch in Spangen' (v. 5791, 1-4). ¿Será *Graswaldane* un reflejo de Vallvidr(i)era [de Vallés] al Noroeste de Barcelona? [25]. En la traducción esto correspondería más bien a un "Glaswaldane". ¿O bien, se refería el nombre a la dependencia administrativa de Cataluña de la Gallia Narbonensis y sus grandes monasterios, particularmente el de La Grasse? [26]. También pensamos en el valle de Graus en

---

[17] Cfr. *Espíritu hispánico*, I, págs. 196 s.; II, pág. 246.

[18] 124, 2-3, ed. Hahn.

[19] "Von *Arragûn* Tschaflore" (*Tit.* "rec.", 1980, 1). En el poema alemán *Floire und Blancheflûr* el primero es hijo del rey pagano de España: en *Biterolf und Dietlieb*, Biterolf es rey de Toledo (¿trataríase de una corrupción del nombre Ildefonso = Alfonso?).

[20] Véase *Espíritu hispánico*, nota 228. — Cfr. también "Elbart von *Berbester*" (*Tit.* "rec.", 2029, 3); "Berhtrams von *Berbester*" "Wolfram, *Willehalm*, 38, 22, etc.).

[21] *Espíritu hispánico*, passim.

[22] Cfr. pág. 196, nota 229.

[23] Cfr. *Espíritu hispánico*, II, passim; y *Considérations complémentaires...*, passim.

[24] *Espíritu hispánico*, I, pág. 196.

[25] Cfr. también el río *Sibra* (el Segre? = véase *El lugar de la batalla*) donde según el *Titurel* "reciente" está situada Florischanze (v. 2249, 1).

[26] También debe mencionarse la posibilidad de que *Graswaldane* tra-

Ribagorza (Aragón), no lejos de Barbastro, y a 10 Km. de la zona de Benabarre donde se habla un catalán de transición [27]. Era el lugar donde en 1063 el primer rey de Aragón, Ramiro I —el abuelo de Pedro I— fue muerto en una batalla contra el infante Sancho de Castilla y su aliado Moctádir de Zaragoza (los aragoneses lograron reconquistar Graus en 1083). La ciudad de Graus fue llamada Gradus en el siglo XI y Grads, Gradz, Gratz, Graç, Graz, Graus en los siglos XII y XIII [28]. Titurel contrajo matrimonio con Richaude de *Spangen* (var. *Spanie, Yspanie*) [29], cumpliendo así la profecía que había leído en el Grial: 'Im gab der Gral die Schrift alhie nu zu lesene. Im wer ein Wîp gelobt in Spangen Lant...' (*Tit.* "rec.", v. 442, 2-3, ed. Wolf). Si la historia del Grial, particularmente en las versiones del *Titurel* "reciente" y del *Titurel* y *Parzival* de Wolfram con sus fuentes, el *Flegetânîs* "toledano" [30] y *Kyôt* "de Provence", refleja la Edad Media hispano-morisca en medida aún muy subestimada, efectivamente debe tenerse en cuenta con mayor seriedad también la posibilidad (ya considerada en un estudio precedente) [32] de que en el origen [33] de la leyenda el Grial fuera un astrolabio: cf. aún el 'Mit Spera Cirkel Schîben' del *Titurel* "re-

---

duzca "Val de Guigera" (*PCG,* 715) situado entre Palencia y Burgos en Castilla, y denominado "Val de Grasgira" en la versión *F* de la crónica. Un "Val de Enebro" (*PCG,* 717) igualmente cerca de Palencia, que corresponde a "vallée de ginièvre" (cfr. Menéndez Pidal, *Orígenes del Español,* pág. 235, nota 3), podría explicar *Valtenebre* (en el *Rolando,* 2461) en el camino de Zaragoza (= Val de Ebre + Enebro?). Cfr. con *Graswaldane* también "*Lucernam,* urbem munitam, quae est in *valle viridi*" del *Pseudo-Turpín.* — En los poemas alemanes *Daniel vom Blühenden Tal* y *Garel vom Blühenden Tal* (una extensión del término *Graswaldane?*) el rey Ekunaver (cfr. Ekunat de Barbastro arriba) le hace la guerra a Arturo.

[27] *Oríg. Esp.,* pág. 176.
[28] *Op. cit.,* mismo lugar.
[29] *Titurel* "reciente", 442, 1 (ed. Wolf, 466, 1).
[30] *Espíritu hispánico,* II, págs. 217 s.
[31] *Espíritu hispánico,* II, págs. 218 s.
[32] *Espíritu hispánico,* II, págs. 231 s.; y *Considérations complémentaires...,* págs. 588 s.
[33] Antes de su asimilación a la piedra (filosofal o de un talismán o bien de un prisma con escala graduada de colores?) y su transformación en símbolo cristiano.

ciente" 2633, 4)[34]. El centro de la enseñanza de la magia (astrológica y de otro tipo) que era Toledo[35] es la meta del viaje de Tschi(o)notulander que va de Marruecos a Sevilla y 'zu Dolet [in] Yspanie' (v. 1017, 3).
Otra fuente para la historia del santo Grial indicada por Wolfram es la del autor de *Mazadâne* (que no ha explicado suficientemente E. Martin[36]: 'er [Kyôt] las von *Mazadân[e]*' ; *Parzival* 455, 13). Un texto del *Titurel* "reciente" parece ayudarnos a encontrar una solución a este problema: 'Die von Damascone die schrieten *Matzedone*' (*Mazzadane*, en la ed. de Wolf), verso 2483, 1; también *Macedane* (var. *Macedone*). Si el verso de Wolfram puede significar: Kyôt leía sobre el de Macedonia[37], es decir un griego, el *Brickus* (var. *Bricus, Pricus*) del *Parzival*, 56, 17, un supuesto hijo de Mazadane, acaso pueda identificarse con el Brutus de Geoffrey y Wace, fundador legendario de un primer imperio británico (y griego de origen). Mencionemos además que según Pelayo de Oviedo y la *Primera Crónica General*, un Brutus fue uno de los fundadores de Toledo. Mazadâne también es el abuelo

---

[34] Cfr. "Die Planeten muezzen dienen Menschen (var. menschlichem) Kuenne. ... Und der Sterne Louffe, der Kuenste Meister drie. Do waren in rîchem Kouffe, die alle waren geleret in Arabie. Die begunden Lesen und an ir Kunst versuchen. Mit Spera Cirkel Schîben durch Wunder wolten sie der Arbeit ruchen" (1620, 1; 2633, 1-4). Sobre las funciones premonitorias del Grial ve también *Espíritu hispánico*, II.

[35] *Espíritu hispánico* (con notas explicativas sobre algunos aspectos importantes de la *Celestina* y del Arcipreste de Talavera).

[36] En su comentario del *Parzival* de Wolfram (Halle, 1900), vol. II.

[37] ¿Trataríase del *Alexandreis* latino de Gualterus de Castellion (hacia 1178) que relata las acciones legendarias de Alejandro de Macedonia ("grão Macedonio" todavía según Camões, *Lusíadas*, I, LXXV, 7) o de otra versión del *Roman d'Alexandre*? El libro XI de la adaptación alemana contiene una alegoría de alquimia y de nigromancia. — A. de Torquemada nos presenta todavía el relato de la leyenda de un macedonio en su *Historia del invencible Caballero Olivante de Laura, Príncipe de Macedonia, que vino a ser Emperador de Constantinopla* (Barcelona, 1564; véase también Cervantes, *Quijote*, I, cap. VI). Comp. también la descripción del palacio de la diosa Fortuna, que estaba "toda labrada de diamantes, rubíes, esmeraldas, jacintos, carbunclos, topacios y otras infinitas maneras de piedras preciosas" (*Olivante de Laura*, II, cap. IV), con la del templo del Grial en España en el *Titurel* "reciente".

de _Uterpendragon_ (en _Parzival_ 56, 12 s.) a quien frecuentemente se considera el padre de Arturo. El _Jaufré_ provenzal y el _Titurel_ "reciente" como hemos visto combinan de extraña manera la suerte del caballero catalán Jaufré y la del rey de Aragón con la figura de Arturo [38]. Planteemos pues una nueva cuestión: ¿habría que reconocer en _Uterpendragon_ un personaje aragonés como ejemplo el rey Ben [39] [Radmir] de Aragón, identificado por error en la _PCG_, 532, con Sancho Ramírez, y también llamado Pedro [40]?

---

[38] Quien, empero, parece haber asimilado los rasgos del prefecto romano histórico estacionado en Gran Bretaña (cfr. _Espíritu hispánico_, I, páginas 202 s.) con otros que tenía en común con los reyes de Castilla (_Espíritu hispánico_, I y II, passim). Una analogía inadvertida por la crítica lo relaciona con el personaje legendario del "antiquissimo Rey _Astur_ (hijo de Osiris y hermano del segundo Hércules) que fue el Rey primero de la Región Septentrional de España, y como tal la denominó de su propio nombre" (Francisco Sota, _Chrónica de los príncipes de Asturias y Cantabria_, Madrid, 1681, págs. 160 s. — Cfr. también nuestras observaciones sobre la _Britonia_ española y el término _astur_ en _Espíritu hispánico_, I, páginas 189 s.; II, págs. 249 s.; y _Considérations complémentaires_). Según la _Primera Crónica General_ era el "tercero Hércules" quien "fue fijo del rey Júpiter de Grecia e de la reyna Almena, muger que fue del rey Anfitrion" (ed. R. Menéndez Pidal, Madrid, 1955, pág. 7). Ahora bien, si Astur I (se imaginaba que hubo cuatro monarcas de este nombre) fue hermano del segundo Hércules y un cronista confundió a éste con el tercero o viceversa, habrá venido al mundo a continuación de circunstancias semejantes a las del nacimiento del Arturo legendario ("Geofroy s'est plu à calquer la légende antique de Jupiter, Alcmène et d' Amphitryon en prêtant un rôle d'entremettcur au prophète Merlin"; J. Frappier, _Chrétien de Troyes_, París, 1957, págs. 23-24). Sota, o su fuente, amplió algunas observaciones halladas en la crónica del Toledano, presentándonos un ejemplo característico de construcción histórico-legendaria basado en una interpretación arbitraria de los _Argonautas_ y de Silius Italicus.

[39] _P-_ por _B-_ también en _Pricurs_ por _Bricurs_ (citados arriba) y frecuentemente en otros textos arturianos, por ejemplo, _Pritanie_ por _Britanie_ (también arriba), o _Pelrapaire_ por _Belrepaire_, _Pantschier/Bantschier_ (_Tit._ "rec.", 1748, 3 ed. Wolf, var. _B_ y _D_). Cfr. asimismo la ortografía Rey _Daragon_, en _Anales Toledanos_, I publ. en _España Sagrada_, vol. XXIII, pág. 388). — Arturo es el hijo del rey de Castilla en _Olivier de Castille_ (1482) y _Oliveros de Castilla y Artus de Algarve_ (1499), de fuente latina desconocida.

[40] Cfr. R. Menéndez Pidal, _La España del Cid_ (4.ª ed., Madrid, 1947), pág. 783.

(Uter = rex [41], traducción debida probablemente a los refundidores de las leyendas "bretonas" en Inglaterra como Geoffrey y Wace). El *Titurel* "reciente" relata de *Uterpendragon*: "Utpandragun der Alte was Ritterschaft entwesende, den e (var. da) mit Tjoste valte vor Kamvoleis, do er was Blumen lesende, der Kunic von Arragun" (v. 2086, 1-3; ed. Wolf 2135, 1-3).

Además quedan por estudiar más a fondo las relaciones del personaje de Alfonso I de Aragón (VII de Castilla) y las del *Poema de Almería* [42] con las leyendas épicas francesas. En lo que concierne las reliquias de Sahagún (la antigua Camala), santuario que parece haber desempeñado un papel en la evolución de las epopeyas y de los poemas cortesanos [43], citemos de la *Chrónica de Alfonso VII*: 'Habebat autem Rex Aragonensium semper secum in expeditione quandam arcam, factam ex auro mundo, ornatam intus et foris lapidibus pretiosis... In diebus autem bellorum rapuerat illam de domo Sanctorum Martyrum Facundi et Primitivi, quae est in terra Legionis circa flumen Cejae...' [44]. En el *Poema de Almería*, escrito en un estilo a menudo parecido [45] al de la *Canción*

[41] Véase A. Hilka en su ed. del *Perceval*, de Chrétien (Halle, 1932), página 624.

[42] Título que dieron los antiguos editores: *Praefatio de Almería*. El año del suceso histórico fue 1147; el poema latino se compuso poco después, probablemente en Toledo. Véanse las observaciones críticas de Menéndez Pidal, en *Cantar de Mio Cid* (ed. Madrid, 1946), págs. 23 s. La obra fue publicada por Prudencio de Sandoval en la *Chrónica del ínclito Emperador de España, don Alfonso VII* (Madrid, 1600), págs. 127-138; también en *España Sagrada*, vol. XXI, págs. 399-409. "Fue tan estimada la conquista de Almería, que en fin de la historia de Toledo la escribió el Autor en versos bárbaros, y mal concertados" (Sandoval, pág. 127).

[43] *Espíritu hispánico*, passim.

[44] *España Sagrada*, vol. XXI, pág. 340.

[45] Cfr. por ejemplo, 12-15 "Non cognovere Dominum, meritò periere, Ista creatura meritò fuerat peritura, Cum colunt Baalim, Baalim non liberat illos, Barbara gens talis..."; 287-8 "Clamat et Baalim, Baalim descita dista, Denegat auxilium..." (comp. nuestras observaciones sobre *Baligant*, en *Espíritu hispánico*, I, págs. 160 s.); 316 "Primaevo flore, sed ob hoc ditatus honore"; 324 "Per mare Francorum veniunt multis sed amara"; 327 "O decus egregium Francorum pulchra iuventus" (ver nuestros *Estudios épicos medievales*, Madrid, 1954, págs. 231 s., capítulo Sobre las formas de expresión poética en la antigua épica románica [también en *ZRPh*, LXVI, págs. 241 s.]; y *Estilo y cronología de la temprana epopeya romance*).

de Rolando, el rey Alfonso fue comparado con Carlomagno: 'Convenere duces Hispani, Francigenaque, Per mare, per terras Maurorum bella requirunt, Dux fuit Imperii cunctorum Rex Toletani, Hic Adefonsus erat, nomen tenet Imperatoris, Facta sequens Caroli, cui competit aequiparari, Gente fuere pares, armorum vi coaequales' (v. 1-6).

La misma canción contiene la interesante comparación de Alvar Fáñez con el Oliveros del *Rolando*: 'Alvarus ille Fanici Hismaelitarum gentes domuit... Tempore Roldani si tertius Alvarus esset Post Oliverum fateor sine crimine rerum... Ipse Rodericus, mio Cid semper vocatus, De quo cantatur, quod ab hostibus haud superatus, Qui domuit Mauros, Comites domuit quoque nostros, Hunc extollebat se laude minore ferebat, Sed fateor virum quod tollet nulla dierum, Meo Cidi primus fuit, Alvarus atque secundus. Morte Roderici Valentia plangit amici, Nec valuit Christi famulus ea plus retinere, Alvare te plorant iuvenes...' (v. 211-212; 215-216; 220-228). — En lo que concierne al segundo héroe del *Poema del Cid,* un personaje histórico denominado Alvar Fáñez, nos dice Menéndez Pidal[46]: "Este segundo héroe del *Mío Cid* no tiene parecido ninguno, ni punto de contacto ninguno con el segundo héroe añadido a la *Chanson de Roland* hacia los últimos años del siglo X [!]; no se puede decir imitado de él, pero el hecho es que los dos grandes poemas, español y francés, en un momento dado de su evolución, se hicieron con un deuteragonista que viene a dar más complejidad y densidad a la acción poemática. Es una ley estética que vemos doblemente cumplida en el arte tradicional". No obstante, es difícil negar cierta semejanza entre los nombres de *Alvar* y *Oliver.* ¿Por qué fue concibido éste último por el autor de la canción para designar al compañero de Rolando (*Oliver* en el manuscrito de Oxford)? Alvar Fáñez, sobrino del Cid, llevaba el sobrenombre de *Minaya,* lo cual significa *mi anaya* (< ibero-vasco *anai*) = "mi hermano"[47]. En la canción, Rolando se dirige varias veces a su amigo con las palabras *Oliver frère*

---

[46] En *Dos poetas en el Cantar de Mio Cid,* en *Romania,* LXXXII (1961), pág. 193

[47] Véase Menéndez Pidal, *Cantar de Mio Cid,* pág. 1211.

(v. 1395; 1456; 1698; 1866); en el *Poema* se encuentra una vez *Albar Fáñez Minaya* y treinta y nueve veces *Minaya Albar Fáñez* [48], además de ser llamado por el Cid 'el que yo quiero e amo' (v. 2221), 'el myo braço meior' (3063); 'myo diestro braço' (753; 810); 'Minaya Albar Fañez que nos le parte de so braço' (1244); comp. también el verso 'Meo Cidi primus fuit, *Alvarus atque secundus*' [49] del *Poema de Almería* [50]. Parece hoy más seguro que antes que la *Chanson de Roland* (en la versión de Oxford) contiene un superestrato cidiano-alfonsí al que pudiera pertenecer una refundición parcial de la leyenda de Oliveros ya influenciada por la de Alvar Fáñez. Aún si, como se cree, la "moda" onomástica de bautizar hijos con los nombres de Olivero y Rolando realmente reflejase la existencia de una leyenda (o de un cantar) ya antes del *Roland* conocido, el autor o refundidor de este último lo pudiera haber dotado con algunos rasgos derivados de *Alvar(o)*, pues se servía manifiestamente también de numerosos otros elementos que caracterizan el estrato cidiano-alfonsí de la *Chanson* ya analizado en estos estudios. — Por la mencionada "moda" onomástica ver también mi "*Traditionalism*"... (de publicación próxima). Cfr. todavía pág. 85, nota 85 en este libro.

---

[48] Cfr. Menéndez Pidal, *Cantar de Mio Cid*, pág. 441.

[49] Citado también por Menéndez Pidal, *Cantar de Mio Cid*, pág. 24. Cfr. además "Mio Cid e Albar Fáñez adelant aguijavan" (601).

[50] Véase *Espíritu hispánico*, I, para otras analogías en los dos poemas, español y francés, y varios aspectos o temas "antecedentes" a la *Canción de Rolando* que se encontraban en la historiografía alfonsina. La crítica siempre ha estudiado a fondo el sustrato "carolingio" del *Rolando* y queda relativamente poco por agregar. Por otra parte, se hace evidente en esta etapa que la importancia de la investigación más completa del superestrato "alfonsino" no debe ya subestimarse, particularmente en vista de una solución del problema de la posible anterioridad de las tradiciones hispánicas, acaso del propio *Cid*, discutida en otro plano en *Hacia una nueva cronología*. Es posible que el *Rolando* primitivo se hubiere ampliado con estos pasajes sobre Oliveros (y quizás aún por la traición de Ganelón, el episodio de Baligant y el proceso de Ganelón). Citamos de J. Horrent (*Tradition poétique du Cantar de mio Cid au XIIe siècle*, publ. en *Cah. Civ. Méd.* VII, 1964, págs. 464 s.): "Neveu historique du Cid [voir "cartas de arras" de 1074], Alvar Fáñez est devenu dès le début son compagnon poétique d'infortune et de gloire".

En último término, para completar este panorama de notas relativas a la España del Este repetimos [51] que el nombre del castillo de *Valacín* (var. *Valencin, Evalachin*), mencionado por el autor de la *Estoire du Saint Graal*, se explicaría por *Albarrazin* + *Ualentia* (sic los dos topónimos en la *Historia Roderici*) [52], habiendo sido conquistadas estas ciudades de Levante por el Cid de 1089 en adelante. Según el *Parzival* de Wolfram, el "rîche" Liddamus (v. 219, 11) posee en Galicia la villa de *Vedrûn* (419, 21 — que la crítica suele identificar con Pontevedra). El término "rîche" reaparece con mucha frecuencia en los textos arturianos compuestos en alemán medio, posiblemente siguiendo este modelo o el del *Rolando*, 719 'li emperere *riches*'. Advirtamos empero, que si en el *Jaufré* los barones son llamados a menudo *ricome*, este término reproduciría conforme a la opinión de diversos especialistas el "título corriente en Aragón y en Cataluña, si bien también se emplea de tanto en tanto más al Norte" [53]. —Baste al presente constatar de nuevo que no solamente un gran número de cantares de gesta románicos, sino también varios productos importantes de la épica cortesana sobre el santo Grial, revelan entre sus elementos principales un fuerte estrato hispánico (o hispano-morisco). Este último es a veces difícil de reconocer, por estar íntimamente enlazado con un estrato británico en el así llamado "ciclo bretón". El material ofrecido en tal forma es al mismo tiempo sumamente difícil de analizar y juzgar, así que en muchos casos nos tuvimos que limi-

---

[51] Véase *Espíritu hispánico*, I, pág. 170.

[52] En Menéndez Pidal, *La España del Cid*, pág. 932. La *Historia Roderici* también fue una fuente importante para la interpretación del papel y la identificación de la figura de *Ganelón* en el *Rolando* (véase *Espíritu hispánico*, I). Agreguemos aquí que Ganelón pasa por ser el cuñado del emperador. *García Ordóñez de Grañón* era alférez ("armiger regis") del joven rey Alfonso VI y contrajo matrimonio con Urraca, la prima del monarca (y no su hermana del mismo nombre, con la que un cronista tal vez la confundiera). Por otra parte, una confusión anterior con los *Vanigómez* (sobre éstos, cfr. Menéndez Pidal, *Cantar de Mio Cid*, págs. 535 s.), los hijos de la familia noble de Carrión (partidarios de los enemigos del Cid en el proceso final del *Poema*), pudo constituir una etapa en la evolución del nombre de este personaje literario de la *Canción de Rolando*.

[53] Citado conforme a Brunel, ed. Jaufré, pág. XLI, que retoma los argumentos de A. Bosch, Menéndez Pidal y Du Cange.

tar a hacer nuevas preguntas o presentar meras suposiciones y sugerencias, lo que nos pareció preferible a resignarse con la aparente petrificación de opiniones sobre problemas que en realidad todavía han quedado sin resolver. Por otro lado existen huellas muy evidentes del estrato hispánico en las partes menos cambiadas durante el proceso de amalgamación con la materia de "Bretaña". Se han conservado, mejor que en el *Perceval* fragmentario de Chrétien, en las obras más completas, detalladas y hasta rebosantes, de Wolfram y Albrecht, las cuales derivan de fuentes más cercanas a la "materia de España" tantas veces nombrada o aludida en *Parzival* y *Titurel* "reciente".

Creemos que lo esencial es ver estos problemas y no dejar de ponerlos de relieve.

ÍNDICE DE AUTORES Y OBRAS

ÍNDICE GENERAL

BIBLIOTECA ROMÁNICA HISPÁNICA

Director: DÁMASO ALONSO

I. TRATADOS Y MONOGRAFÍAS

1. Walther von Wartburg: *La fragmentación lingüística de la Romania*. Segunda edición, en prensa.
2. René Wellek y Austin Warren: *Teoría literaria*. Con un prólogo de Dámaso Alonso. Cuarta edición. 1.ª reimpresión. 432 págs.
3. Wolfgang Kayser: *Interpretación y análisis de la obra literaria*. Cuarta edición revisada. 1.ª reimpresión. 594 págs.
4. E. Allison Peers: *Historia del movimiento romántico español*. Segunda edición. 2 vols.
5. Amado Alonso: *De la pronunciación medieval a la moderna en español*.
   Vol. I: Segunda edición. 382 págs.
   Vol. II: 262 págs.
6. Helmut Hatzfeld: *Bibliografía crítica de la nueva estilística aplicada a las literaturas románicas*. Segunda edición, en prensa.
7. Fredrick H. Jungemann: *La teoría del sustrato y los dialectos hispano-romances y gascones*. Agotada.
8. Stanley T. Williams: *La huella española en la literatura norteamericana*. 2 vols.
9. René Wellek: *Historia de la crítica moderna (1750-1950)*.
   Vol. I: *La segunda mitad del siglo XVIII*. 1.ª reimpresión. 396 págs.
   Vol. II: *El Romanticismo*. 498 págs.
   Vol. III: En prensa.
   Vol. IV: En prensa.
10. Kurt Baldinger: *La formación de los dominios lingüísticos en la Península Ibérica*. Agotada.
11. S. Griswold Morley y Courtney Bruerton: *Cronología de las comedias de Lope de Vega (Con un examen de las atribuciones dudosas, basado todo ello en un estudio de su versificación estrófica)*. 694 págs.

II. ESTUDIOS Y ENSAYOS

1. Dámaso Alonso: *Poesía española (Ensayo de métodos y límites estilísticos)*. Quinta edición. 672 págs. 2 láminas.
2. Amado Alonso: *Estudios lingüísticos (Temas españoles)*. Tercera edición. 286 págs.
3. Dámaso Alonso y Carlos Bousoño: *Seis calas en la expresión literaria española (Prosa - Poesía - Teatro)*. Cuarta edición, en prensa.

95. Joaquín Casalduero: *Sentido y forma del teatro de Cervantes.* 290 págs.
96. Antonio Risco: *La estética de Valle-Inclán en los esperpentos y en «El Ruedo Ibérico».* 278 págs.
97. Joseph Szertics: *Tiempo y verbo en el romancero viejo.* 208 págs.
98. Miguel Batllori, S. I.: *La cultura hispano-italiana de los jesuitas expulsos (Españoles - Hispanoamericanos - Filipinos. 1767-1814).* 698 págs.
99. Emilio Carilla: *Una etapa decisiva de Darío (Rubén Darío en la Argentina).* 200 págs.
100. Miguel Jaroslaw Flys: *La poesía existencial de Dámaso Alonso.* 344 págs.
101. Edmund de Chasca: *El arte juglaresco en el «Cantar de Mío Cid».* 350 págs.
102. Gonzalo Sobejano: *Nietzsche en España.* 688 págs.
103. José Agustín Balseiro: *Seis estudios sobre Rubén Darío.* 146 págs.
104. Rafael Lapesa: *De la Edad Media a nuestros días (Estudios de historia literaria).* 310 págs.
105. Giuseppe Carlo Rossi: *Estudios sobre las letras en el siglo XVIII (Temas españoles. Temas hispano - portugueses. Temas hispano - italianos).* 336 págs.
106. Aurora de Albornoz: *La presencia de Miguel de Unamuno en Antonio Machado.* 374 págs.
107. Carmelo Gariano: *El mundo poético de Juan Ruiz.* 262 págs.
108. Paul Bénichou: *Creación poética en el romancero tradicional.* 190 págs.
109. Donald F. Fogelquist: *Españoles de América y americanos de España.* 348 págs.
110. Bernard Pottier: *Lingüística moderna y filología hispánica.* 246 páginas.
111. Josse de Kock: *Introducción al Cancionero de Miguel de Unamuno.* 198 págs.
112. Jaime Alazraki: *La prosa narrativa de Jorge Luis Borges (Temas-Estilo).* 246 págs.
113. Andrew P. Debicki: *Estudios sobre poesía española contemporánea (La generación de 1924-1925).* 334 págs.
114. Concha Zardoya: *Poesía española del 98 y del 27 (Estudios temáticos y estilísticos).* 346 págs.
115. Harald Weinrich: *Estructura y función de los tiempos en el lenguaje.* 430 págs.
116. Antonio Regalado García: *El siervo y el señor (La dialéctica agónica de Miguel de Unamuno).* 220 págs.
117. Sergio Beser: *Leopoldo Alas, crítico literario.* 372 págs.
118. Manuel Bermejo Marcos: *Don Juan Valera, crítico literario.* 256 páginas.

III. MANUALES

1. Emilio Alarcos Llorach: *Fonología española*. Cuarta edición aumentada y revisada. 1.ª reimpresión. 290 págs.
2. Samuel Gili Gaya: *Elementos de fonética general*. Quinta edición corregida y ampliada. 200 págs. 5 láminas.
3. Emilio Alarcos Llorach: *Gramática estructural*. 1.ª reimpresión. 132 págs.
4. Francisco López Estrada: *Introducción a la literatura medieval española*. Tercera edición renovada. 342 págs.
5. Francisco de B. Moll: *Gramática histórica catalana*. 448 págs. 3 mapas.
6. Fernando Lázaro Carreter: *Diccionario de términos filológicos*. Tercera edición corregida. 444 págs.
7. Manuel Alvar: *El dialecto aragonés*. Agotada.
8. Alonso Zamora Vicente: *Dialectología española*. Segunda edición muy aumentada. 588 págs. 22 mapas.
9. Pilar Vázquez Cuesta y Maria Albertina Mendes da Luz: *Gramática portuguesa*. Segunda edición, en prensa.
10. Antonio M. Badia Margarit: *Gramática catalana*. 2 vols.
11. Walter Porzig: *El mundo maravilloso del lenguaje (Problemas, métodos y resultados de la lingüística moderna)*. Segunda edición, en prensa.
12. Heinrich Lausberg: *Lingüística románica*.
    Vol. I: *Fonética*. 560 págs.
    Vol. II: *Morfología*. 390 págs.
13. André Martinet: *Elementos de lingüística general*. Segunda edición revisada. 276 págs.
14. Walther von Wartburg: *Evolución y estructura de la lengua francesa*, 350 págs.
15. Heinrich Lausberg: *Manual de retórica literaria (Fundamentos de una ciencia de la literatura)*.
    Vol. I: 382 págs.
    Vol. II: 518 págs.
    Vol. III: 404 págs.
16. Georges Mounin: *Historia de la lingüística (Desde los orígenes al siglo XX)*. 236 págs.
17. André Martinet: *La lingüística sincrónica (Estudios e investigaciones)*. 228 págs.
18. Bruno Migliorini: *Historia de la lengua italiana*.
    Vol. I: 596 págs. 28 láminas.
    Vol. II: 666 págs. 8 láminas.
19. Luis Hjelmslev: *El lenguaje*. 188 págs. 1 lámina.

IV. TEXTOS

V. DICCIONARIOS

VI. ANTOLOGÍA HISPÁNICA

VIII. DOCUMENTOS

IX. FACSÍMILES